Американский BEST

Стив Альтен Завещание майя

·

Ли Ванс Расплата

·

Сара Данн Настоящая любовь

·

***Барбара Делински* Наша тайна**

·

Жаклин Митчард Роковой круиз

·

Джоди Пиколт Ангел для сестры

·

Джоди Пиколт Девятнадцать минут

Американский BEST

BARBARA DELINSKY

THE SECRET BETWEEN US

Американский BEST

БАРБАРА ДЕЛИНСКИ

НАША ТАЙНА

ИЗДАТЕЛЬСТВО
КЛУБ СЕМЕЙНОГО ДОСУГА
Харьков Белгород
2009

ББК 84.7США
Д29

This edition published by arrangement with Writers House and Synopsis Literary Agency

Выражаем особую благодарность литературному агентству «Synopsis» за помощь в приобретении прав на публикацию этой книги

Перевод с английского:
«The Secret Between Us» by Barbara Delinsky,
published by Doubleday, USA 2008

Переводчик *Ольга Бершадская*

Дизайнер обложки *Ольга Сычак*

ISBN 978-966-14-0333-7 (Украина)
ISBN 978-5-9910-0751-1 (Россия)
ISBN 978-0-385-51868-0 (англ.)

Предисловие

Наша жизнь — лучший сценарист. Зачастую этот гениальный «драматург» в считанные мгновения разыгрывает виртуозные комедии и трагедии, для создания которых писателям и сценаристам требуются многие годы. И не случайно наибольшей популярностью среди читателей и зрителей пользуются те произведения, в основу сюжета которых легли реальные события. История гибели актрисы Грейс Келли, жены принца Монако, оставила глубокий след в душе американской писательницы Барбары Делински. Автомобиль, в котором ехала Грейс Келли, сорвался с дамбы. Ее семнадцатилетняя дочь Стефания выжила в страшной катастрофе. Однако воображение Делински дорисовало картину событий… Ее новый роман «Наша тайна» — будто реквием по известной, элегантной, яркой женщине, трагически ушедшей из жизни при загадочных обстоятельствах.

Барбара Делински — одна из самых популярных романисток Америки, чьи книги занимают первые места в литературных рейтингах. Писательница родилась в Новой Англии, где проживает и поныне вместе с мужем и тремя взрослыми сыновьями. И хотя прежде, чем начать писать книги, Барбара Делински была социологом и фотографом, истинное свое призвание она нашла в мире литературы. Благодаря ее удивительному таланту читательская аудитория приобрела уже семнадцать популярных романов, которые издаются миллионными тиражами.

«Наша Тайна» — это прекрасный симбиоз философско-психологической истории и детектива. Увлекательный роман о сложных взаимоотношениях в семье, вынужденной скрывать страшную тайну от жителей маленького городка, и о лжи, которая, увы, не спасает. Мастер слова Барбара Делински в своих книгах затрагивает серьезные проблемы, невольно заставляя читателей пересмотреть собственные убеждения и жизненные взгляды.

Подобно главной героине, которая, работая семейным врачом, лечит телесные болезни, автор романа исцеляет души. Перо Барбары Делински, как смычок скрипача, рождает сонаты и этюды человеческих взаимоотношений. Умело играя на струнах души, Барбара по праву заняла свое место в сердцах читателей. Писательнице снова удалось создать неординарный, запоминающийся роман. В нем отражено глубокое понимание семейных отношений и эмоциональных кризисов.

И если до теперешнего момента ваше знакомство с книгами Барбары Делински еще не состоялось, то, прочитав роман «Наша тайна», вы сделаете приятное открытие.

Приятного вам чтения!

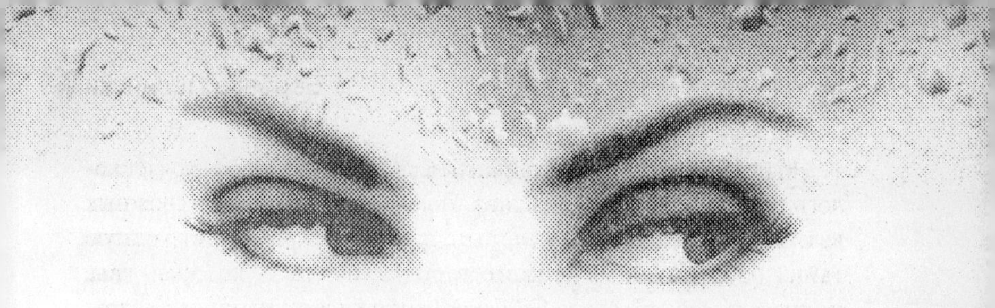

1

За несколько секунд до удара они ссорились. Позже Дебора изводила себя мыслями, что если бы она смотрела только на дорогу, то, возможно, что-то заметила бы и смогла предотвратить случившееся — ведь ссора поглотила все их внимание. Они с дочерью никогда не ссорились. Их взгляды, темперамент, интересы полностью совпадали. Дебора никогда не делала Грейс замечаний, сыну Дилану — часто, но Грейс — никогда. Грейс всегда понимала, как нужно себя вести и почему.

Но в тот вечер девочка дала отпор.

— Ты зря волнуешься. Ничего не произошло.

— Ты говорила, что родители Мэган будут дома, — напомнила ей Дебора.

— Так мне сказала Мэган.

— Я бы дважды подумала, если бы знала, что там будет компания.

— Мы *делали уроки*.

— Ты, Мэган и Стефи, — сказала Дебора. Правда, учебники действительно были влажные после пробежки Грейс к машине под дождем. — А еще Бэкка и Майкл, Райан, Джастин и Келли, которых там не должно было быть вовсе. Три девочки делают уроки. А четыре девочки и четыре мальчика устраивают вечеринку. Родная, идет проливной дождь, но даже через этот шум я слышала пронзительный хохот, пока шла от машины к дому.

Дебора не знала, выглядела ли Грейс виноватой. Длинные каштановые локоны прятали широко посаженные глаза, ровный нос и полную верхнюю губу. Она только слышала, как дочка жевала резинку. Мятный запах перебивал запах влажных книг. Дебора быстро перевела взгляд на дорогу, вернее на то, что могла видеть, несмотря на работающие в два раза быстрее дворники. Видимость на этом участке и в самые ясные ночи была плохой. Фонарей не было, а лунный свет едва пробивался сквозь ветви деревьев.

Сегодня дорога была похожа на водосточный желоб. Дождь несся им навстречу, поглощая свет фар, метался между дворниками. Конечно, дождь в апреле — обычное явление, но этот был необычным. Если бы дорога возле дома Мэган была такой же, Дебора ни за что не пустила бы Грейс за руль. Но девочка попросила, а муж Деборы — бывший муж — слишком часто обвинял ее в чрезмерной опеке.

Они ехали достаточно медленно (Дебора много раз повторяла это в последующие дни, и полиция это подтвердила). До дома оставалось несколько минут, и они прекрасно знали этот участок дороги. Но была непроглядная тьма, а дождь лил как из ведра. Да, Дебора знала, что для того, чтобы дочь научилась водить, ее нужно пускать за руль, но она боялась, что Грейс не справится.

Дебора ненавидела дождь, но девочку, похоже, это не волновало.

— Мы уже сделали уроки, — возразила она с жевательной резинкой во рту. Ее руки крепко держали руль, все было, как положено. — В доме было жарко, а кондиционер еще не включили, поэтому мы открыли окна. Мы сделали перерыв. И вообще, разве смеяться — это преступление? Я имею в виду, разве этого достаточно, чтобы моя мама приезжала и забирала меня…

— Извини, — вмешалась Дебора, — но разве у меня был выбор? Тебе нельзя ездить одной по ученическому удостоверению. У Райана и Келли, возможно, есть водительские права, но по закону они не могут сажать к себе в машину друзей без сопровождения взрослых. К тому же мы живем дальше всех, на противоположном конце города. И что плохого в том, что мама забирает тебя в десять вечера в будний день? Солнышко, тебе едва исполнилось шестнадцать.

— Вот именно, — горячо заговорила Грейс. — Мне шестнадцать, мама. Через четыре месяца у меня будут настоящие водительские права. И что тогда? Я всюду буду ездить одна, потому что мы не только живем далеко от всех остальных. Мы живем у черта на куличках. Потому что папа решил, что он должен купить *кучу* земли, чтобы построить особняк в лесу. Потом он решил, что особняк ему *не нужен*, поэтому бросил его *и* нас, переехал в Вермонт, чтобы жить там со своей давно забытой любовью, которую двадцать пять лет назад…

— Грейс! — Дебора не могла больше терпеть. Возможно, девочка и чувствовала себя покинутой без отца, но эта утрата ударила Дебору намного больнее. Ее брак не должен был распасться. Это не входило в ее планы.

— Хорошо, забудем о папе, — продолжала Грейс. — Но как только я получу свои права, буду везде ездить сама. И ты не будешь видеть, с кем я, есть ли рядом кто-то из родителей и учимся мы или устроили вечеринку. Тебе придется *доверять* мне.

— Я тебе доверяю, — ответила Дебора, защищаясь, но в то же время умоляя. — Я не доверяю другим. Разве не ты рассказывала мне, как на прошлых выходных Кайл принес пиво на вечеринку в доме Катрин?

— Никто из нас не пил. Родители Катрин заставили его уйти.

— *Родители* Катрин. *Вот именно.*

Дебора услышала раздраженное ворчание:

— Мама, мы делали уроки.

Дебора уже собиралась перечислить, что может произойти, когда подростки делают уроки: она видела это с детства. Ее отец был единственным врачом в городке, а сейчас Дебора работала вместе с ним и лечила десятки подростков. Вдруг краем глаза она заметила справа какое-то движение. Затем последовал тяжелый удар о бампер машины, визг тормозов и скрежет шин. Ремень безопасности натянулся, удерживая Дебору, автомобиль вынесло на затопленный тротуар, бросило, закрутило, и все это за считанные секунды. Когда все остановилось, они оказались развернутыми на сто восемьдесят градусов.

На минуту стук сердца Деборы заглушил шум дождя. А потом все перекрыл испуганный крик Грейс:

— Что это было?!

— С тобой все в порядке?

— Что это было? — повторила девочка, на этот раз дрожащим голосом.

Дебора тоже задрожала, но дочь сидела рядом, пристегнутая, целая и невредимая. На ощупь отстегнув ремень безопасности, Дебора набросила на голову капюшон куртки и выбежала, пытаясь найти то, что они сбили. Свет фар отражался от мокрого асфальта, но за освещенной частью дороги была кромешная тьма.

Сунувшись обратно в машину, женщина стала рыться в бардачке в поисках фонарика. Вернувшись на дорогу, она осмотрела обочину, но не увидела ничего хоть отдаленно напоминающего сбитое животное.

Возле ее локтя материализовалась Грейс.

— Это был олень? — испуганно спросила она.

Сердце Деборы все еще громко стучало.

— Я не знаю. Солнышко, возвращайся в машину. Ты без куртки.

Был достаточно теплый весенний вечер. Она просто не хотела, чтобы Грейс видела то, что они сбили.

— Это *точно* был олень! — закричала Грейс. — Он даже не пострадал, просто убежал в лес. Что еще это могло быть?

Дебора не была уверена, что олени носят спортивные костюмы с полосками на рукавах, которые, она могла поклясться, мелькнули за лобовым стеклом за долю секунды до аварии. Спортивный костюм означал, что здесь был человек.

Она прошла вдоль обочины, освещая низкие кусты фонариком.

— Эй! — крикнула Дебора, не зная, к кому обращается. — Вы ранены? Дайте знать, где вы!

Грейс топталась за ее плечом.

— Слушай, он появился ниоткуда, мама. Ни один *человек* не может быть здесь в такой дождь, значит, это была лиса или енот… или олень. Это точно был олень.

— Возвращайся в машину, Грейс, — повторила Дебора. Ее слова еще висели в воздухе, когда она что-то услышала, и это не был стук работающего двигателя. И не завывание ветра в ветвях или шум дождя.

Звук повторился. Это определенно был стон. Женщина пошла к обочине и еще раз направила туда фонарик, но ей понадобилось больше минуты, чтобы рассмотреть источник звука. Кроссовку трудно было заметить среди мокрых корней в каких-то полутора метрах от обочины, а на черной штанине, наполовину спрятанной под низкой веткой болиголова, виднелась синяя полоска. Вторая нога была согнута под необычным углом. «Сломана», — догадалась Дебора. Тело скрючилось под деревом. Лежа навзничь, пострадавший не мог задохнуться, но глаза его были закрыты. Короткие темные волосы прилипли ко лбу. Продираясь сквозь мокрые заросли папоротника, Дебора направила луч фонарика на его голову, но увидела только небольшую царапину на подбородке.

— О боже! — закричала Грейс.

Дебора потрогала его шею, чтобы проверить пульс. Только тогда она почувствовала, как ее собственное сердце опять начало биться.

— Вы меня слышите? — спросила женщина, наклоняясь ближе. — Откройте глаза и посмотрите на меня.

Человек не отвечал.

— О боже! — закричала Грейс в истерике. — Ты знаешь, кто это? Это мой учитель истории.

Стараясь соображать быстро, Дебора потащила дочь к машине. Она чувствовала, как девочка дрожит. Изо всех сил пытаясь казаться спокойной, Дебора сказала:

— Родная, я хочу, чтобы ты побежала домой. Здесь не больше полумили, а ты уже почти насквозь промокла. Дилан дома один. Он испугается.

Дебора представила маленькое лицо в окошке веранды, испуганное, с огромными глазами, увеличенными стеклами «гаррипоттеровских» очков.

— А ты что будешь делать? — спросила Грейс тонким срывающимся голосом.

— Вызову полицию, потом посижу с мистером МакКенной, пока не прибудет машина «скорой помощи».

— Я его не видела, клянусь, я его не видела, — заплакала Грейс. — Ты можешь что-то для него сделать, мам?

— Не много. — Дебора заглушила двигатель и включила аварийные огни. — Не вижу открытых ран, но переносить его я бы не решилась.

— Он умрет?

Дебора схватила телефон.

— Мы ехали медленно и не могли так уж сильно его ударить.

— Но он вон куда отлетел.

— Наверное, откатился.

— Он не шевелится.

— У него сотрясение или шок.

Имелось множество более неприятных объяснений, большинство из которых Дебора, к сожалению, знала.

— Разве я не должна оставаться здесь с тобой?

— Ты здесь ничем не можешь помочь. Иди, солнышко. — Женщина обхватила лицо дочери ладонями, безумно желая уберечь ее от этого, хотя бы от этого. — Я скоро буду дома.

Волосы Грейс промокли и рассыпались длинными влажными завитками. Капли дождя падали с нежного подбородка. Широко раскрыв глаза, она испуганно затараторила:

— А ты видела его, мам? То есть зачем вообще кому-либо ходить по дороге под дождем? Я имею в виду, сейчас темно, как я могла его увидеть и почему он не увидел нас? Здесь свет только от наших фар.

Дебора одной рукой набрала 911, а другой взяла дочь за локоть.

— Иди, Грейс. Мне нужно, чтобы ты была дома с Диланом. Сейчас же.

Диспетчер ответила после первого же гудка. Дебора узнала этот голос. Карла МакКей была одной из ее пациенток. Она работала гражданским диспетчером несколько ночных смен в неделю.

— Полиция Лейланда. Ваш звонок записывается.

— Карла, это доктор Монро, — ответила Дебора и махнула рукой, прогоняя Грейс. — Произошла авария. Я на окружной дороге, где-то в полумиле от своего дома. Моя машина сбила человека. Нам нужна «скорая помощь».

— Он сильно ранен?

— Он без сознания, но дышит. Я вижу, что у него сломана нога, но не уверена, нет ли других повреждений. Я вижу только одну поверхностную рану и больше ничего рассмотреть не смогу, не сдвигая его с места.

— Кто-то еще пострадал?

— Нет. Когда сможет приехать «скорая»?

— Сейчас вызову бригаду.

Дебора выключила телефон. Грейс не пошевелилась. Насквозь промокшая, с длинными прядями мокрых волос, вся перемазанная грязью, она казалась маленькой и напуганной.

Не менее испуганная, Дебора убрала волосы с лица дочери. Спокойно, но настойчиво она сказала:

— Грейс, мне нужно, чтобы ты была дома с Диланом.

— За рулем была я.

— Ты мне больше поможешь, если побудешь с Диланом. Солнышко, ну пожалуйста.

— Это моя вина.

— Грейс! Давай не будем спорить из-за этого. Вот, возьми мою куртку.

Дебора уже начала вытаскивать руку из рукава, когда девочка развернулась и бросилась бежать. Через мгновение ее скрыла стена дождя.

Снова натянув капюшон, Дебора поспешила назад в лес. Запах влажной земли и болиголова пропитал воздух. Но она знала, как пахнет кровь, и ей казалось, что этот запах она тоже слышит. Дебора опять попыталась рассмотреть у Кельвина МакКенны что-то кроме царапины на подбородке. Она ничего не увидела.

Он все еще был без сознания, но сердце билось ровно. Дебора следила за этим, и если бы пульс стал слабеть, она могла бы сделать массаж сердца. Изучив сломанную ногу, она предположила, что поврежден тазобедренный сустав. Такие повреждения лечатся с помощью операции. Травма позвоночника — это уже другое, и именно поэтому она его не трогала. У бригады «скорой помощи» есть жесткие носилки и фиксатор головы. Лучше все же подождать.

Сказать было легче, чем сделать. Бесконечные десять минут Дебора ругала себя за то, что позволила Грейс сесть за руль. Женщина проверяла пульс Кельвина МакКенны, пыталась понять, что еще у него может быть повреждено, ломала голову над тем, что заставило его оказаться здесь в такую погоду, и снова проверяла пульс, проклинала расположение их дома и безответственность бывшего мужа.

Наконец показались мигающие огни полицейской машины. Сирена была выключена — здесь было слишком безлюдно.

Помахав фонариком, Дебора выскочила на дорогу и подбежала к дверям машины, из которой вышел Брайан Даффи. Ему было за сорок. Он был одним из десяти офицеров местного отделения, а также тренером команды младшей лиги. Сын Деборы Дилан уже два года играл в этой команде.

— С вами все в порядке, доктор Монро? — спросил Брайан, нахлобучивая клеенчатую фуражку на свою коротко стриженную голову. На нем был дождевик.

— Со мной все нормально. Но моя машина сбила Кельвина МакКенну.

Дебора проводила полицейского в лес.

— Не могу сказать, насколько серьезно он ранен.

Пробравшись сквозь папоротники, женщина опустилась на колени и опять проверила пульс. Он оставался ровным. Она направила свет фонарика на лицо пострадавшего, уже освещенное фонарем офицера.

— Кельвин? — позвала Дебора, но ответа не было. — Кельвин, вы слышите меня?

— Что он здесь делал? — спросил офицер.

Женщина поднялась с колен.

— Не имею ни малейшего представления. Гулял? Бегал?

— Под дождем? Странно.

— Тем более здесь, — добавила она. — Вы знаете, где он живет?

Точно не здесь. В радиусе мили было четыре дома, и Дебора знала всех, кто там жил.

— У них с женой дом за железнодорожной станцией, — ответил Брайан. — Это в нескольких милях отсюда. Полагаю, он не был вашим пациентом?

— Нет. Он преподает у Грейс. Прошлой осенью он выступал на собрании. Мистер МакКенна серьезный человек, строгий учитель. Это практически все, что я знаю.

Она потянулась, чтобы еще раз проверить пульс, когда на дороге появился второй полицейский автомобиль, мигающий сине-белыми огнями. За ним следовала машина «скорой помощи».

Дебора не сразу узнала приехавших врачей. Это были молодые ребята, скорее всего новенькие. Но она знала человека, который вышел из полицейской машины. Джон Колби был начальником полиции. Ему было под шестьдесят, и он давно бы ушел на пенсию, если бы работал в другом месте. Но он вырос в Лейланде. Было понятно, что он будет работать, пока не подведет здоровье. Дебора подозревала, что случится это еще нескоро. Джон Колби и его жена были пациентами ее отца. Миссис Колби страдала от аллергии — на порошки, пыльцу, пыль, — которая перешла в астму. Единственной серьезной проблемой Джона, если не считать «пивного» брюшка, была бессонница. Он работал днем и ночью и утверждал, что такой активный образ жизни снижает кровяное давление. А поскольку давление у него всегда было низким, Дебора ничего не могла возразить.

Пока Джон держал прожектор, врачи зафиксировали тело Кельвина. Дебора ждала, скрестив руки, вцепившись пальцами в лацканы куртки. За все время она не шевельнулась и не произнесла ни слова.

Дебора шла за ними к машине, смотрела, как ставят носилки. Тут Брайан взял ее за локоть.

— Пойдемте сядем в автомобиль. Льет как из ведра.

Оказавшись в машине, женщина сняла капюшон и расстегнула куртку. Лицо было мокрым, и Дебора вытерла его руками. Ее волнистые после дождя волосы казались ей непривычно короткими: у Деборы всю жизнь были длинные волосы, которые она собирала в узел на затылке. Майка и шорты под курткой оказались относительно сухими. Ноги в шлепанцах были скользкими, измазанными грязью.

Дебора ненавидела дождь. Он стал для нее зловещим предзнаменованием: начинался в неподходящий момент и разрушал ее жизнь.

Брайан втиснулся за руль, стряхнул фуражку и закрыл дверь. Он взял ручку и блокнот с полочки между сиденьями.

— Мне нужно задать вам несколько вопросов — просто формальность, доктор Монро. — Брайан посмотрел на часы. — Десять сорок три. Итак, Д-Е-Б-О-Р-А?

— Да, М-О-Н-Р-О. — Ее часто ошибочно называли «доктор Барр», по девичьей фамилии. Так звали ее отца, который был в городке кем-то вроде легенды. Но с тех пор как Дебора окончила колледж, она носила фамилию мужа.

— Расскажите, пожалуйста, что произошло, — попросил офицер.

— Мы ехали по…

— Мы? — Он обеспокоился. — Я думал, вы были одна.

— Сейчас одна. Грейс дома, она была у друзей, я ее забрала. Она была у Мэган Стернз. Мы ехали домой, ехали действительно медленно, не более двадцати пяти миль в час, потому что дождь был слишком сильным. Вдруг появился он.

— Бежал вдоль обочины?

— Я не видела, как он бежал. Он просто появился перед машиной. Мы не успели повернуть, когда почувствовали, как что-то с силой ударилось о бампер.

— Вы держались у края дороги?

— Нет. Мы были ближе к середине. Я смотрела на разметку. Видимость очень плохая, и ориентиров было не так много.

— Вы затормозили?

Дебора не затормозила. Это сделала Грейс. Настало время прояснить этот момент, хотя все казалось второстепенным, ненужной подробностью.

— Слишком поздно, — ответила женщина. — Машину занесло и развернуло. Сами видите, где она. Там мы и остановились.

— Но если вы отвозили Грейс домой…

— Я ее не отвозила. Я сказала, чтобы она добежала. Здесь не больше полумили, а она занимается легкой атлетикой. — Дебора извлекла телефон из мокрого кармана. — Я попросила ее посидеть с Диланом, но она хочет знать, что тут происходит. Можно?

Когда Брайан кивнул, женщина нажала кнопку быстрого набора.

Грейс ответила сразу же:

— Мама?

— У тебя все в порядке?

— Со мной все хорошо. Как там мистер МакКенна?

— Его везут в больницу.

— Он в сознании?

— Еще нет. С Диланом все хорошо?

— Если мертвый сон на диване — это хорошо, то да. Когда я пришла, он даже не шевельнулся.

«И никаких испуганных глаз в окне», — подумала Дебора и услышала голос своего мужа: «Ты слишком переживаешь». Но как не переживать за десятилетнего мальчика, у которого дальнозоркость плюс дистрофия роговицы глаза, а это значит, что большая часть окружающего мира для него как в тумане. Это тоже не входило в планы Деборы.

— Что ж, я все равно рада, что ты там с ним, — сказала она. — Грейс, я сейчас разговариваю с офицером полиции. Когда мы закончим, наверное, съезжу в больницу. Ты лучше ложись спать. У тебя ведь завтра экзамен.

— Я скажу, что заболела.

— Грейс.

— Скажу. Я не могу сейчас думать о биологии. То есть… ну ты понимаешь… какой ужас! Если так всегда происходит, когда водишь машину, то я больше не хочу садиться за руль. Я все время спрашиваю себя, откуда он появился. А ты видела его на обочине?

— Нет. Солнышко, офицер ждет.

— Перезвони мне.

— Ага. — Дебора закрыла телефон.

Задняя дверца открылась, и в машину сел Джон Колби.

— Как вы думаете, дождь когда-нибудь прекратится? — спросил он и добавил: — На дороге практически ничего не видно. Я сфотографировал все, что смог, но если так будет продолжаться, никаких вещественных доказательств не останется. Я только что позвонил в округ. Они уже едут.

— В округ? — испуганно переспросила Дебора.

— В окружной полиции есть группа по восстановлению деталей дорожных происшествий, — объяснил Джон. — Ее возглавляет специалист с хорошей репутацией. Он лучше, чем мы, знает, что искать.

— А что он ищет?

— Точки удара, царапины на машине. Место на дороге, где машина сбила жертву и где жертва упала. Тормозной путь. Жженую резину. Он восстанавливает, что случилось и как это произошло.

«Это всего лишь несчастный случай», — хотела сказать Дебора. Приезд людей из округа делал это происшествие чем-то более серьезным.

Беспокойство, должно быть, отразилось на ее лице, потому что Брайан сказал:

— Это стандартная процедура, если есть пострадавшие. Если бы это произошло в полдень при солнечном свете, мы могли бы справиться сами. Но в такую погоду очень важно действовать быстро, а они это умеют. — Он заглянул в свои записи. — На какой скорости, вы говорите, ехали?

Опять. Дебора могла бы просто сказать: «За рулем была не я, а Грейс. И она не превышала скорость». Но тогда могло бы показаться, что она пытается что-то скрыть — переложить вину на дочь, — а между прочим Грейс была ее первым ребенком, ее альтер эго, и уже пострадала от ее же развода. Разве девочке нужны дополнительные неприятности? В любом случае Кельвина МакКенну сбили. В любом случае закон не был нарушен.

— Здесь можно ехать не больше сорока пяти, — сказала Дебора. — Мы ехали не больше тридцати.

— У вас в последнее время были проблемы с машиной?

— Нет.

— Тормоза исправны?

— В полном порядке.

— Дальний свет был включен?

Дебора нахмурилась, изо всех сил пытаясь вспомнить. Она точно сказала Грейс переключить фары, но ни дальний, ни ближний свет не поможет в такой дождь.

— Он все еще включен, — подтвердил Джон с заднего сиденья, — обе фары работают. — Он надел шляпу. — Я огорожу эту часть дороги лентой. Не хватало только, чтобы кто-то проехал и наследил там.

Дебора знала, что мистер Колби говорил о месте происшествия, но приезд людей из округа заставлял ее думать о нем как о месте преступления. Она чувствовала себя неловко из-за своей лжи, но вопросы продолжались. Когда она выехала из дому, чтобы забрать Грейс? Когда они с Грейс уехали от Мэган? Сколько прошло времени после аварии, когда она позвонила в полицию? Что она делала в это время? Приходил ли Кельвин МакКенна в сознание?

Дебора понимала, что все это было частью расследования, но ей хотелось быть в больнице, а если не там, то дома, с Грейс и Диланом.

Она посмотрела на часы. Половина одиннадцатого. Если Дилан проснется, то испугается, что ее все еще нет. Он стал очень привязчивым после развода, и от Грейс помощи будет мало. Она будет вглядываться в темноту в ожидании Деборы. Не из кухонного окна, это место Дилана, а из окна в гостиной, которой они теперь почти не пользуются. В этой комнате живут призраки, фотографии из счастливого прошлого, целые ряды рамок, самоуверенная выставка идеальной семьи. Грейс чувствовала бы себя там одиноко.

Новая вспышка света сообщила о приезде людей из округа. Как только Брайан вышел из машины, Дебора открыла телефон и позвонила в больницу — не в регистратуру, а прямо в отделение «скорой помощи». У нее было право доступа, и она довольно часто сопровождала больных, поэтому была знакома с дежурной медсестрой. К сожалению, сестра знала только, что машина «скорой помощи» уже приехала.

Дебора позвонила Грейс. Девочка ответила сразу же:

— Ты где?

— Все еще здесь. Сижу в полицейской машине, пока они все проверяют на дороге. — Дебора старалась, чтобы ее голос звучал как обычно. — Полицейские восстанавливают картину происшествия. Это стандартная процедура.

— Что они ищут?

— Все, что может объяснить, почему мистер МакКенна оказался там, где он оказался. Как Дилан?

— Спит. Как мистер МакКенна?

— Его только что привезли в больницу. Сейчас будут осматривать. Ты разговаривала с Мэган или с кем-то еще? — Если кто-то из друзей Грейс видел, как она садилась на место водителя, нужно сказать полиции правду.

— Они шлют сообщения, — ответила Грейс дрожащим голосом. — Звонила Стефи, но я не ответила. Что, если он умрет, мама?

— Он не умрет. Он не так уж тяжело ранен. Уже поздно, Грейс. Тебе нужно ложиться спать.

— Когда ты будешь дома?

— Надеюсь, скоро. Сейчас узнаю.

Закрыв телефон, Дебора запихнула его в карман, надела капюшон и вышла под дождь. Она натянула капюшон пониже и стянула на шее.

Довольно большой участок дороги был обтянут желтой лентой, казавшейся очень яркой в свете прожекторов. Два человека в перчатках внимательно осматривали асфальт, время от времени останавливаясь, чтобы поднять и упаковать то, что нашли. Фотограф снимал машину Деборы, место на дороге, где она стояла, и вмятину на бампере. Вмятина была небольшой. В глаза бросалась разбитая фара.

— О боже, — проговорила Дебора, увидев все это.

Джон подошел к ней и наклонился, изучая остатки стекла.

— Похоже, это все повреждения, — сказал он и посмотрел на нее. — Можете достать документы на машину, чтобы я сделал отметку?

Дебора села за руль, сдвинула кресло, открыла бардачок и подала документы. Джон внимательно переписал данные. Вернув все на место, Дебора вышла из автомобиля.

— Я и не вспомнила о машине, — сказала она, опять надевая капюшон. — Мы думали только о том, кого сбили. Нам показалось, что это животное. — Она пристально посмотрела на полицейского. — Мне бы очень хотелось поехать в больницу, Джон. Сколько еще времени понадобится этим ребятам?

— Час или два, — ответил он, глядя, как они работают. — Это их единственный шанс. Дождь не прекращается, к утру вода все смоет. Вы все равно не сможете поехать на своей машине. Мы отбуксируем ее.

— Отбуксируете? Но она прекрасно ездит.

— Пока наш механик не проверит — нет. Он должен удостовериться, что нет никакой поломки, которая могла послужить причиной аварии, например, плохо работающие тормоза, сломанные стеклоочистители, стертые шины. — Джон посмотрел на Дебору. — Не волнуйтесь. Сегодня мы отвезем вас домой. У вас ведь есть еще одна машина?

Да, была. «BMW» Грэга, на которой он ездил в офис и обратно и парковался на президентской стоянке. Грэг следил, чтобы машина была отполирована до блеска. Он любил ее, а теперь она тоже покинута. Уезжая в Вермонт, Грэг воспользовался старым «фольксвагеном-жуком», который все эти годы стоял в гараже накрытый брезентом.

Дебора не любила «BMW». Грэг купил этот автомобиль, находясь на вершине успеха. Теперь понятно, что это было начало конца.

Сложив руки на груди, женщина наблюдала за тем, как работают полицейские. Они осматривали каждый дюйм дороги, обочины и той части леса, где нашли Кельвина МакКенну. Не один раз, чувствуя свое бессилие и проклиная дождь, Дебора спрашивала себя, почему находится здесь, а не помогает в больнице.

Причина, конечно, была в том, что она семейный врач, а не травматолог. Но ведь травму нанесла ее машина.

Через минуту Дебора наконец осознала происходящее. Она отвечает за машину, за Грейс, за аварию, за Кельвина МакКенну. Если она ничего не может сделать ни для него, ни для машины, то должна быть дома, рядом с детьми.

* * *

Грейс сидела в темноте. Она не находила себе места. Каждый раз, когда звонил мобильный телефон, девочка вздрагивала, брала его и смотрела на дисплей. Если звонила мама, она отвечала, но больше ни с кем не могла разговаривать. Уже дважды звонила Мэган. И Стефи тоже. Теперь они слали сообщения.

«ТЫ ГДЕ? НАПИШИ SMS».

«ЭЙ, ТЫ ТАМ! АЛЛЕ!»

Грейс не отвечала, и тон изменился:

«МАМА УЗНАЛА О ПИВЕ? УСЛЫШАЛА ЗАПАХ?»

«У ТЕБЯ НЕПРИЯТНОСТИ? ТЫ ЖЕ ВЫПИЛА ТОЛЬКО 1 БУТ».

Но Грейс выпила не одну бутылку, а две. И хотя прошло три часа, и она совсем не была пьяной, и если бы ее остановили и проверили, прибор, возможно, ничего бы и не показал, ей все равно не следовало садиться за руль.

Девочка не знала, зачем это сделала. Она не знала, почему эти ее так называемые друзья — сомнительные друзья, хотя никаких оснований так полагать у нее не было, — вообще упоминали о пиве в сообщениях. Разве они не знали, что сообщения можно отследить?

«ВСЕ В ПОРЯДКЕ?»

«ПОЧЕМУ НЕ ОТВЕЧАЕШЬ?»

Она не ответит, потому что мама все еще в полиции, а мистер МакКенна в больнице. Все это из-за нее, и никакие слова друзей не могли этого изменить.

2

Прошел еще один час, прежде чем агенты из округа убрали свои прожектора, и еще несколько минут, пока приехал тягач. Дебора знала водителя. Он работал на станции техобслуживания в центре городка и часто заходил в кондитерскую ее сестры. А это значило, что Джил узнает о случившемся в шесть утра, как только откроет магазин.

Брайан отвез Дебору домой. Они проехали мимо каменного дома и остановились у гаража. Она до смерти устала и насквозь промокла, но как только за ней захлопнулась дверь полицейской машины, на бегу открыла телефон и стала звонить в больницу, схватив в охапку свою сумку с лекарствами и учебники дочери. Слушая гудки вызова, Дебора набрала код на замке гаража. Дверь с грохотом поднялась. Ей ответили.

— Джойс? Это снова Дебора Монро. Что-то известно о Кельвине МакКенне?

— Подождите, доктор Монро. Я проверю.

Дебора бросила вещи на пол и повесила куртку на крючок возле того места, где должна была стоять ее машина. Сняв на пороге шлепанцы, женщина быстро прошла через кухню в прачечную.

— Доктор Монро? Его состояние стабильное. Пострадавшего сейчас осматривают. Невролог не нашел никаких признаков повреждений спинного мозга или паралича. У мистера МакКенны сломана шейка бедра. Ею займутся в операционной, как только закончат осмотр.

— Он в сознании? — спросила Дебора, уже вернувшись в кухню и вытираясь полотенцем.

— Да, но не разговаривает.

— Он не может говорить?

— Врачи думают, что может, но не хочет. Никаких физиологических нарушений нет.

Дебора вытерла полотенцем лицо и, опустив руку, заметила в углу Грейс.

— Возможно, шок, — проговорила Дебора. — Спасибо, Джойс. Будьте добры, сообщите мне, если что-то изменится.

Грейс до сих пор не переоделась. Она сидела, обняв колени, и грызла ногти. Дебора убрала ее руку ото рта и притянула дочь к себе.

— Где ты была? — жалобно спросила девочка.

— Все там же.

— Так долго?

— Ага.

— Почему домой тебя привезла полиция?

— Потому что я не могу забрать машину, пока ее не осмотрят при дневном свете.

— А разве полицейский, который привез тебя, не зайдет?

Дебора отодвинулась и посмотрела дочери в лицо. Они были почти одного роста.

— Нет. На сегодня все.

Голос Грейс сорвался на крик:

— Как все?!

— Они уже задали все вопросы.

— Задали тебе, а не мне. Что ты им сказала?

— Я сказала, что мы ехали домой под дождем, видимость была ужасной, а мистер МакКенна выбежал непонятно откуда. Утром им придется вернуться на место еще раз, чтобы поискать что-то, что они могли пропустить и что останется после дождя. А я завтра заеду на стоянку и заберу машину. Где Дилан?

— Он пошел спать. Наверное, подумал, что ты уже дома. Что мы ему скажем, мама? Он же поймет, что что-то случилось, когда увидит, что машины нет. Плюс ко всему это был мистер МакКенна, мой учитель. Надо же быть такой невезучей! То есть у меня плохие оценки по истории США, и все подумают, что я сделала это специально. Что я скажу друзьям?

— У тебя нормальные оценки по истории.

— Не надо было идти на программу подготовки к колледжу. У меня нет никаких шансов пройти конкурс на экзамене в июне. Я дура.

Это было что-то новое.

— Ты скажешь им, что мы не видели мистера МакКенну из-за дождя. И что мы ехали медленно.

— Ты все время говоришь «мы».

Да, Дебора понимала это.

— В машине только у меня были водительские права. И только я несу ответственность.

— Но за рулем была я.

— Ты была под моим присмотром.

— Если бы ты была за рулем, ничего бы не случилось.

— Неправда, Грейс. Я не видела мистера МакКенну, хотя смотрела на дорогу так же, как если бы сама сидела за рулем.

— Но там сидела не ты.

Дебора замолчала, но только на минуту. Потом она медленно сказала:

— Полиция решила, что машину вела я.

— И ты не сказала им правду? Мама, это обман!

— Нет, — ответила Дебора, в очередной раз обдумывая это. — Они сами пришли к такому выводу. Я ничего не говорила.

— Мама!

— Ты несовершеннолетняя, — объясняла Дебора. — Ты была за рулем, потому что я разрешила. А это значит, что ты ехала по моим правам, то есть ответственность несу я. Машину я вожу уже двадцать два года без единого нарушения. Ко мне отнесутся не так строго, как к тебе. — Грейс открыла рот, чтобы возразить, но Дебора прижала руку к ее губам. — Так будет правильно, родная. Я точно знаю. Мы не можем контролировать погоду, мы не можем отвечать за действия других людей. Мы соблюдали все правила и сделали все возможное, чтобы остановиться. С нашей стороны не было никаких нарушений.

— А если он умрет?

— Не умрет.

— А если все-таки умрет? Это будет убийство.

— Нет, — возразила Дебора, хотя от слова «убийство» у нее по спине пробежал холодок. — Это будет несчастный случай, автотранспортное происшествие. А поскольку мы абсолютно ничего не нарушали, никакого наказания не последует.

— Это дядя Хол сказал?

Хол Труттер был мужем Карен, подруги Деборы. И хотя ни он, ни Карен не приходились ей родственниками, ее детей они знали с рождения. Их дочь Даниель была на год старше Грейс.

Дебора часто виделась с Карен. В последнее время она не совсем уютно чувствовала себя в обществе Хола, но это уже другая история.

— Я с ним еще не разговаривала, — ответила Дебора дочери, — но уверена, что он согласится. В любом случае, мистер МакКенна не умрет.

— А если он на всю жизнь останется калекой?

— Ты слишком все драматизируешь, — сказала Дебора, хотя ее терзали те же страхи. Разница была в том, что она — мать. Ей нельзя паниковать.

— Я видела его ногу! — плакала девочка. — Она была вывернута в другую сторону, так, словно он упал с крыши.

— Но он не упал с крыши. И он точно жив, мне только что сказала медсестра. А сломанные кости можно вылечить.

Грейс опять заплакала:

— Это было ужасно! Я никогда не забуду этот звук.

Дебора тоже его не забудет. В ее ушах все еще звенел звук удара, хотя прошло уже несколько часов. Ей вдруг стало тяжело стоять, и в поисках опоры она сжала плечи Грейс.

— Мне нужно принять душ, дорогая. Я промерзла, и ноги грязные.

Обняв дочку, Дебора проводила ее вверх по лестнице и по коридору. Кроме трех детских комнат (третья для последнего ребенка, который мог бы быть у Деборы и Грэга) была еще так называемая «семейная» комната, с письменным столом, диваном, креслами и телевизором с плоским экраном. Когда Грэг ушел,

Дебора провела здесь столько вечеров с детьми, что в конце концов просто перебралась в третью детскую.

Пока они шли к комнате Грейс, девочка опять грызла ногти. Убрав руку дочери ото рта, Дебора молча посмотрела на нее долгим взглядом.

— Все будет хорошо, — прошептала она, прежде чем отпустить ее.

* * *

Сообщения перестали приходить перед маминым приходом, чему Грейс была только рада. Что она могла сказать Мэган? Или Стефи? Или Бэкке? Моя мама взяла на себя вину за то, что сделала я? Моя мама солгала, чтобы меня не арестовали? Моя мама может сесть в тюрьму, если мистер МакКенна умрет?

Грейс думала, что развод — это плохо. Но сейчас было намного хуже.

* * *

Дебора надеялась, что душ ее успокоит. Согревшись, вымывшись и наконец обсохнув, она смогла думать более ясно. Но эту прояснившуюся голову просто распирало от мыслей о происшедшем. Звук дождя не помогал. Стук по крыше дома напоминал стук по крыше машины, как в тот вечер, когда умерла мама. Тогда тоже шел проливной дождь.

Пробравшись в комнату Дилана, Дебора опустилась на колени возле кровати. Его глаза были закрыты, темные ресницы лежали на щеках, которым уже недолго быть гладкими. Это был нежный ребенок, на долю которого выпало слишком много переживаний, и хотя Дебора знала, что его проблемы со зрением поддаются лечению, ее сердце все равно болело.

Ей не хотелось его будить, но она не могла уйти, не прикоснувшись к сыну, и поэтому провела рукой по его светлым волосам. Потом пошла в свою комнату, юркнула в кровать и натянула одеяло до подбородка. Едва успев устроиться поудобнее, Дебора услышала шаги Дилана, приглушенные старыми теплыми носками, которые он надевал каждую ночь. Это была последняя пара, которую Рут Барр связала перед смертью. Сначала они были слишком велики ему, а теперь казалось, что они вот-вот разлезутся на части. Дилан не позволил Деборе их выбросить, говоря, что благодаря им бабушка Рут остается живой. Сейчас Деборе тоже нужна была мама.

— Я старался не уснуть, пока ты не придешь, — пробормотал Дилан.

Притянув его к себе, Дебора подождала, пока он положит очки на ночной столик и устроится рядом с ней. Мальчик почти сразу же уснул. Через минуту к ним присоединилась Грейс, забравшись в постель с другой стороны. Было тесновато, но все же лучше, чем лежать без сна одной. Дебора взяла дочь за руку.

— Я не смогу уснуть, — прошептала девочка, — совсем, до самого утра.

Дебора повернула голову в темноте и прошептала в ответ:

— Послушай, мы не можем повернуть время вспять. Что случилось, то случилось. Мы знаем, что мистер МакКенна в надежных руках и если будут изменения, нам позвонят. О'кей?

Грейс недоверчиво хмыкнула, но ничего не сказала. Через какое-то время ее дыхание стало ровным, но сон был беспокойным. Дебора знала, потому что еще долго не могла уснуть, и не из-за шума дождя. Она все вспоминала полоску на спортивном костюме и ощущение удара.

Зажатая между детьми, она знала, что паниковать нельзя. Когда ее брак распался, Дебора дала себе клятву: у ее детей больше не будет горя. Не… будет… горя.

* * *

Телефон зазвонил в шесть утра. Дебора поспала не больше трех часов. Объятия детей притупили ее реакцию. И тут она вспомнила все, что случилось, и ее сердце сжалось.

Испугавшись, что Кельвину МакКенне стало хуже, Дебора быстро села и, перегнувшись через Дилана, схватила трубку.

— Алло?

— Это я, — произнесла ее сестра. — Я подумала, что у тебя все равно скоро зазвонит будильник. Здесь только что был МакТалли. Он сказал, что прошлой ночью ты кого-то сбила.

— Ох, Джил! — Дебора с облегчением выдохнула. Они с сестрой были очень близки, хотя и совсем не походили друг на друга — тридцатичетырехлетняя блондинка Джил и тридцативосьмилетняя брюнетка Дебора. Джил была на полголовы ниже Деборы и считалась белой вороной в семье. Несмотря на то что Джил дважды завязывала длительные серьезные отношения с мужчиной, замуж она так и не вышла. Если Дебора пошла по стопам отца, став врачом, то Джил наотрез отказалась заниматься наукой. Год после школы она училась на кондитера в Нью-Джерси, потом еще год в Нью-Йорке, и еще четыре проработала поваром-кондитером на западном побережье. А потом приехала в Лейланд и открыла собственную кондитерскую. За десять лет после ее приезда магазин три раза расширялся — к папиному разочарованию. Майкл не переставал молиться, чтобы его младшая дочь однажды одумалась, поступила в колледж и занялась наконец-то че́м-то серьезным.

Дебора всегда любила младшую сестру, особенно после смерти мамы. Джил была как Рут. Она жила просто, но мудро. Как и ее кондитерская, она источала тепло. Один лишь звук ее голоса уже принес облегчение. Телефонный разговор с Джил вызвал в памяти запах теплого свежего хлеба. Телефонный разговор с Джил вызвал в памяти запах булочек с орехами.

Благодаря этим образам страх притупился.

— Это был кошмар, Джил, — устало пробормотала Дебора. — Я забрала Грейс. Шел дождь, было темно. Мы ехали медленно. Он появился неизвестно откуда.

— Он был пьян?

— Не думаю. Запаха не было.

— Водка не пахнет.

— Я не могла его спросить, Джил. Он не разговаривал.

— Учитель истории, да? Сильно пострадал?

— Ночью ему сделали операцию. Вероятнее всего, вставили спицу в бедро.

— Марти Стивенс говорит, что он немного странный — одиночка, необщительный.

— Скорее серьезный. Он не часто улыбается. Марти еще что-нибудь говорила?

— Нет, но Шелли Вит (она живет возле них) сказала, что его жена тоже ненормальная. Они почти не общаются с соседями. —

Последовала короткая пауза. — Ура, наконец-то ты кого-то переехала. Не думала, что у тебя хватит духу.

Дебора не сразу поняла смысл услышанного. Потом произнесла:

— То есть?

— Ты когда-нибудь раньше попадала в аварию?

— Нет.

— А все остальные попадали.

— Джил!

— Это нормально, Дебора. Это делает тебя человеком. Я люблю тебя за это еще больше.

— Джил! — возмутилась Дебора, но тут проснулся Дилан и потянулся за очками. — О боже, нужно все тебе объяснить. Я заеду, как только отвезу детей.

— Ты ведь не поедешь на «BMW»? — спросила Джил. Она разделяла нелюбовь Деборы к этой машине, хотя скорее из-за ее стоимости, чем из-за воспоминаний о распавшемся браке.

— У меня нет выбора.

— Есть. Я заеду в семь тридцать. А когда ты будешь у папы, можешь взять его машину. Правда, тебе придется рассказать ему об аварии. Не завидую. Он не обрадуется. Он любит, когда все идеально.

Дебора это знала. Одна мысль о разговоре с отцом вызывала у нее дурноту.

— Я тоже люблю, когда все идеально. Но не всегда получается так, как мы желаем. Поверь мне, я этого не хотела. Моя машина оказалась не в то время не в том месте. Мне пора, Джил. В семь тридцать. Спасибо.

Она повесила трубку и взглянула на Дилана. В десять лет он был более замкнутым, чем его сестра в этом возрасте. К тому же он был более впечатлительным, что еще более усугубилось из-за развода и проблем со зрением.

— Ты кого-то сбила? — спросил мальчик, глядя на мать огромными, увеличенными линзами глазами.

— Это случилось на окружной дороге. Было очень темно и очень мокро.

— Его размазало по всей дороге? — не мигая, спросил он.

— Придурок, — пробормотала Грейс у Деборы за спиной.

— Его не размазало, — строго сказала Дебора. — Мы ехали не настолько быстро, чтобы причинить ему серьезный вред.

Дилан потер глаз.

— А ты раньше сбивала кого-нибудь?

— Нет, конечно.

— А папа?

— Насколько я знаю, нет.

— Я позвоню и расскажу ему.

— Пожалуйста, не сейчас, — произнесла Дебора, потому что Грэг попросит Дилана позвать ее к телефону, а потом будет доставать ее расспросами. Взглянув мимо сына на часы, она сказала: — Папа спит, а тебе нужно одеться. За нами приедет тетя Джил.

Еще один немигающий взгляд.

— Почему?

— Потому что моя машина в полиции.

— Почему?

— Они должны удостовериться, что она исправна.

— А на капоте есть кровь?

— Нет. Вставай, Дилан, — сказала Дебора и легонько подтолкнула его.

Он вылез из кровати, задумчиво посмотрел на дверь, потом обернулся.

— Кого ты сбила?

— Ты его не знаешь, — ответила Дебора и указала на дверь.

Не успел мальчик выйти, как к ней подскочила Грейс.

— Зато я его знаю, — прошептала она. — И все мои друзья знают. Спорим, Дилан сейчас позвонит папе, и тот решит, что мы не в состоянии о себе позаботиться. Можно подумать, есть кто-то еще, кто мог бы о нас позаботиться, если мы сами этого не можем. Но папе все равно. Мама, а что, если мистер МáкКенна умер на операционном столе?

— Нам бы позвонили из больницы.

— А если позвонят сегодня? Я должна остаться дома.

Дебора повернулась к дочери:

— Если ты останешься дома, то тебе придется переписывать контрольную и ты пропустишь тренировку по бегу. А это не очень хорошо, потому что в воскресенье соревнования.

Грейс была в ужасе.

— Я не смогу бежать после того, что случилось.

Дебора понимала ее чувства. Когда Грэг ушел, ей тоже хотелось лежать в кровати и зализывать свои раны. У нее и сейчас было такое желание, но от этого стало бы только хуже.

— Мне нужно работать, Грейс, а тебе — бегать. Мы попали в аварию, но не позволим этому событию остановить нашу жизнь.

— А если оно остановит жизнь мистера МакКенны?

— Врачи сказали, что не остановит.

— Ты действительно сможешь сегодня работать?

— Придется, от меня зависят люди. И от тебя тоже. Ты же надежда команды на этих соревнованиях. К тому же если ты боишься сплетен, лучше вести себя как обычно.

— А что говорить?

Дебора проглотила противный комок.

— То, что я только что сказала тете Джил. Что была ужасная гроза и что машина оказалась не в то время и не в том месте.

— Я провалю контрольную по биологии, если буду писать ее сегодня. По этому предмету мне тоже не следовало идти в сильную группу.

— Ты не провалишь контрольную. Ты ходила на курсы медсестер и прекрасно знаешь биологию.

— Как же я напишу контрольную, если почти не спала?

— Ты знаешь материал. Кроме того, когда ты поступишь в колледж, постоянно будешь сдавать экзамены после бессонных ночей. Воспринимай это как подготовку. Это закаляет характер.

— Ага, если я собираюсь закалять характер, то разве не должна пойти с тобой и подать заявление в полицию?

Дебора ощутила прилив гордости, за которым быстро последовал укол совести. Оба эти ощущения сменились страхом, когда она представила, чем все может закончиться, если она позволит Грейс взять вину на себя. Последствия будут вовсе не благоприятными.

Очень медленно женщина покачала головой. Потом поймала взгляд дочери и стала вытаскивать ее из постели.

* * *

Моясь в душе, Дебора как всегда перебирала в мыслях события вчерашнего дня. Ставя диагнозы десяткам пациентов в неделю, помогая отцу вести хозяйство после смерти Рут, выполняя обязанности матери-одиночки и постоянно сталкиваясь с необходимостью принимать серьезные решения, как сейчас, например, она часто оказывалась в затруднительном положении. Теперь Дебора стояла, опустив голову, струи горячей воды падали на плечи нерешенными проблемами. Проблем было столько, что хотелось плакать.

Чувствуя себя совершенно одинокой, она выключила воду и быстро оделась. Костюм, который она носила на работу, был идеально скроен по фигуре и внушал мысль о ее профессионализме. Макияж добавил красок на лице и смягчил беспокойство в широко расставленных карих глазах, которые были взрослой копией глаз Грейс. Но когда Дебора попыталась сколоть волосы, чтобы привести прическу в порядок, которого не было в ее жизни, ничего не вышло. Блестящие волны до плеч жили своей жизнью. Смирившись с тем, что возврата к прежнему упорядоченному существованию нет, Дебора позволила волосам рассыпаться, как им угодно, и повернулась к окну.

Слава Богу, дождь прекратился. Солнце начало пробиваться сквозь тучи, окрасив золотом деревья. Все еще мокрые ветки уже готовились выбросить почки. Обрадовавшись солнечному дню, Дебора спустилась в кухню, залила молоком хлопья для детей и позвонила в больницу. Кельвин МакКенна поправлялся, и его вскоре должны были перевести в обычную палату. Он все еще не разговаривал, но его состояние было стабильным.

Успокоившись, Дебора просмотрела записки с напоминаниями, приклеенные к холодильнику: «Уплатить налог на доход с недвижимого имущества», «Дилан к стоматологу в 16.00», «Заплатить за лагерь для теннисистов». Затем она включила электронную почту и проверила свои вызовы. Был один экстренный и еще несколько — обострение хронического отита, острая мигрень и сильная изжога — от пациентов, которых записали на восемь утра, к началу ее работы. Медсестра осмотрит тех, кто явится раньше.

Дебора обычно приезжала к половине девятого, проводив детей в школу, заехав к Джил на чашечку кофе и проведав отца. Его первые пациенты записывались на восемь тридцать, и Дебора хотела быть уверенной, что он их примет.

Ее сестра, хоть и пререкалась постоянно с отцом, это понимала. Джил появилась утром, в семь тридцать. Приехала прямо с работы, в джинсах и футболке. Джил обычно надевала красную, оранжевую или желтую футболку в тон логотипу кондитерской. Сегодня она была в красном, а короткие, стриженные под мальчика светлые волосы торчали, после того как она сняла через голову фартук. У Джил были мамины блестящие карие глаза и россыпь детских веснушек, но изящная линия подбородка была такая же, как у Деборы.

Как только Грейс и Дилан разместились на заднем сиденье, тетя передала им пакеты с любимым печеньем. Для Деборы тоже был пакет и бумажный стаканчик с горячим кофе.

Взяв кофе, она обхватила стаканчик ладонями и вдохнула умиротворяющий аромат.

— Спасибо, — наконец сказала Дебора. — Не люблю отрывать тебя от работы.

— Шутишь? — ответила Джил. — В моей машине сидят мои любимые люди. Ребята, как вы там? — спросила она, глядя в зеркало заднего вида.

Дилану было хорошо. Он ел посыпанное корицей печенье, словно не слопал только что полную миску хлопьев. Грейс почти не завтракала и сейчас едва попробовала свой кекс с черникой. Она тихо застонала, когда они проезжали место, где случилась авария.

— Это произошло здесь? — догадалась Джил. — Не скажешь.

«Да, — подумала Дебора, — не скажешь». Лишь на сосне остался маленький кусочек желтой ленты, чтобы полиция знала утром, где продолжать поиски. Если на дороге и были следы от шин, их смыло дождем.

Она попыталась поймать взгляд Грейс, но девочка не хотела на нее смотреть, а у Деборы не было сил настаивать. Отвернувшись, женщина попивала свой кофе и слушала болтовню сестры. Еще десять минут можно было не думать об ответственности.

К школе Дилана они подъехали слишком быстро, и он вышел.

— Я тоже здесь выйду, — сказала Грейс, натягивая куртку и забирая вещи. — Не обижайся, тетя Джил, но я не очень хочу подъезжать к школе на ярко-желтом фургончике с логотипом твоей кондитерской. Все будут знать, что это я.

— Разве это плохо? — спросила Джил.

— Да. — Наклонившись вперед, Грейс с жаром прошептала: — Пожалуйста, мама. Мне, правда, лучше сегодня не идти в школу. То есть я ведь в этом году пропустила всего два дня. Можно я побуду с тетей Джил?

— Чтобы меня потом вызвали в школу? — возразила Джил прежде, чем Дебора успела что-то сказать.

Грейс жалобно обратилась к тете:

— Мне сегодня будет очень плохо. Все узнают.

— Что узнают? Что твоя мама попала в аварию? Аварии случаются, Грейс. Это не преступление. Если ты сегодня пойдешь в школу, то сможешь всем сказать, что ты чувствуешь.

Грейс с минуту смотрела на нее, а потом, пробормотав что-то вроде «да, конечно», выбралась из фургона. Джил хотела окликнуть ее, но Дебора взяла сестру за локоть, и Грейс, гордо выпрямив спину, пошла прочь. Пройдя несколько шагов, она постепенно согнулась, обняв учебники, и стала вдруг очень маленькой.

Дебора обеспокоенно спросила:

— Может, нужно было оставить ее дома?

— Конечно нет, — ответила Джил. — Ей необходимо чем-то заняться. — Она завела мотор и отъехала от тротуара. — У тебя все нормально?

Дебора вздохнула, откинулась на спинку сиденья и кивнула.

— Все в порядке.

— Правда?

— Правда.

— Хорошо. Потому что у меня новость. Я беременна.

Дебора моргнула.

— Мило. Хорошая шутка для того, чтобы поднять настроение.

— Я серьезно.

— Этого не может быть потому что: а) в твоей жизни сейчас нет мужчины, б) ты с утра до ночи вкалываешь в своей кондитерской и в) это было бы слишком много для меня на сегодняшнее утро, а ты не можешь быть такой жестокой. — Она посмотрела на сестру. Джил не улыбалась. — Ты серьезно? Но от кого?

— От донора спермы № TXP334. Он блондин среднего роста, зарабатывает тем, что пишет книги для детей. Такой мужчина должен быть чутким и умным, а также творческой личностью, правда?

Дебора с трудом переваривала информацию.

— Мне нужно, чтобы ты обрадовалась, — предупредила Джил.

— Я рада. Я думаю. Просто… я не ожидала… Ребенок?

Джил кивнула.

— В ноябре.

Дата сделала новость реальной. Дебора любила детей и любила Джил, поэтому ей оставалось только раскрыть объятия, наклониться и обнять сестру.

— Ты действительно хочешь ребенка?

— Всегда хотела. Ты же знаешь.

— А работа?

— Ты же справилась в свое время.

— У меня был Грэг. А ты одна.

— Я не одна. У меня есть ты. Есть Грейс и Дилан. У меня есть… папа.

— Папа, о боже! — Ситуация усложнялась. — И ты ему еще не говорила.

— Конечно нет.

Значит, придется хранить еще одну тайну.

— Если тебе рожать в ноябре…

— Значит, уже восемь недель.

— Восемь? — Дебора ощутила запоздалую обиду. — Почему ты не сказала мне раньше?

— Я не была уверена, что ты позволишь мне это сделать.

— Позволю? Джил, ты всегда все решаешь сама. Всегда.

— Но мне хотелось, чтобы ты одобрила мое решение.

Дебора внимательно изучала лицо сестры.

— Ты не изменилась. Тошнит по утрам?

— Немного, время от времени. Чаще всего от радостного волнения.

— А ты уверена, что беременна?

— У меня два месяца нет месячных, — сказала Джил. — И я видела ребенка на ультразвуке, Дебора. Видела, как бьется маленькое сердечко. Доктор показывала мне на экране.

— Какой доктор?

— Анна Буркхарт. Она работает в Бостоне, и пожалуйста, — лицо Джил стало серьезным, — не говори, что ты злишься из-за того, что я не спросила у тебя, к кому обратиться. Я хотела выбрать сама. Мы обе знаем, что с папой будут проблемы. Но я его уже столько разочаровывала, что еще один раз ничего не изменит. Ты здесь ни при чем, я так и скажу папе. И я никому ничего не хочу говорить, пока не пройдет двенадцать недель.

— Ты только что сказала мне, — возразила Дебора. — Поэтому я уже при чем. Хотя бы потому, что должна хранить секрет. Что, если папа спросит?

— Не спросит. Он даже не догадается, пока я не поставлю его перед фактом. Он считает, что я не в состоянии построить нормальные отношения с мужчиной, а тем более завести ребенка. Возможно, в том, что касается мужчин, он прав. Я старалась, Дебора, ты же знаешь, но за последние несколько лет мне не попался ни один, хоть отдаленно подходящий на роль мужа. Папа был бы рад, если бы я вышла замуж за какого-нибудь отвратительного типа, лишь бы забеременеть традиционным путем. Но взять, например, тебя. Ты соблюдала все правила, а теперь тоже мать-одиночка.

Деборе не нужно было об этом говорить. Это напомнило ей обо всех совершенных ошибках, и в первую очередь об аварии. Она убрала волосы назад.

— Почему ты говоришь мне об этом сейчас? Именно в эту ужасную минуту, когда моя голова занята совсем другим?

— Потому что, — неожиданно жалобно ответила Джил, — как я уже говорила по телефону, после прошедшей ночи ты стала человечнее. Поэтому я подумала, что именно сейчас ты поймешь и все так же будешь любить меня.

Дебора уставилась на сестру. Джил только что усложнила ее и так не простую жизнь, но маленький ребенок — это маленький ребенок. Дебора наклонилась и взяла сестру за руки.

— У меня есть выбор?

* * *

Грейс стояла за школьным забором и грызла ногти, пока не прозвенел звонок. Тогда, запахнув поплотнее куртку, она побежала по дорожке и, присоединившись к другим опоздавшим, понеслась вверх по лестнице в здание школы.

Низко наклонив голову, она прошла к своей парте и совершенно не слышала, о чем говорил директор, пока тот не сообщил, что мистер МакКенна попал под машину, находится в больнице и заслуживает короткой молитвы. Грейс на минуту опустила вместе со всеми голову и помолчала, а потом выскользнула из класса как раз тогда, когда звонок прозвенел снова, и, присев у своего шкафчика, старалась не привлекать к себе внимания. Друзья остановились на пару минут поболтать.

— Вы знаете, что у Джарреда мононуклеоз?

— Почему это Кенни Барон изо всех сил старается стать президентом студенческого совета?

— А вы идете в субботу на вечеринку к Ким?

Грейс поднялась, только когда до первого урока оставалось несколько секунд. Мэган и Стефи подбежали и оттащили ее в сторону прежде, чем она открыла дверь.

— Мы все время пытались к тебе дозвониться, — прошипела Мэган.

— Где ты была? — спросила Стефи.

— Кайл сказал мне, что мистера МакКенну сбила машина твоей мамы.

— Ты там была? Что ты видела, Грейс? Это было ужасно?

— Я не могу об этом говорить, — сказала Грейс.

— Я думала, умру, когда увидела твою маму на улице, — тихо проговорила Стефи.

— Что она знает? — спросила Мэган у Грейс. — Она что-то заметила?

— Нет, — ответила Грейс.

— И ты ей не сказала? — спросила Стефи.

— Нет.

— И не говори, — приказала Мэган.

— Не скажу.

— Это хорошо. Потому что если мои родители хоть что-то узнают, меня запрут дома до осени.

Запрут до осени? Это Грейс пережила бы. Время наказания прошло бы, и стало бы легче.

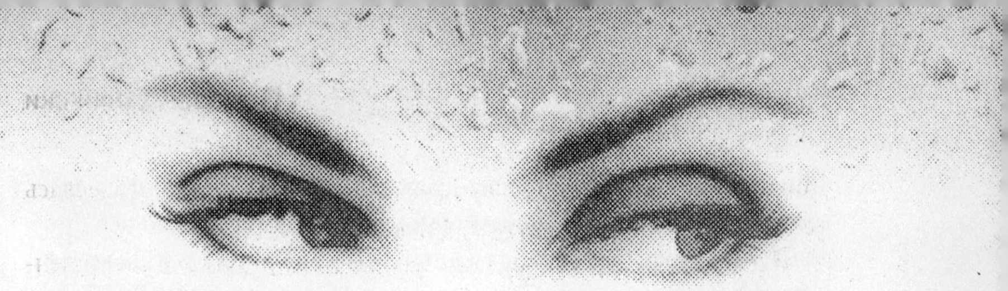

3

Майкл Барр был в Лейланде уважаемым человеком. Он стал семейным врачом задолго до того, как семейные врачи вошли в моду, и всю жизнь проработал в этом городке. Майкл лечил три поколения местных жителей, и они платили ему своей преданностью.

Он жил в голубом доме в викторианском стиле как раз за городским парком. Именно в этом доме выросли Дебора и Джил. Пациентов Майкл принимал в соседнем коттедже. Оба строения разрослись за эти годы. Последний раз коттедж перестраивали восемь лет назад — отец хотел убедить Дебору работать вместе с ним.

Честно говоря, ее не пришлось уговаривать. Дебора обожала отца, ей приятно было видеть гордость на его лице, когда ее приняли в медицинский колледж и потом, когда она согласилась работать с ним. Она заменила ему сына, которого у него никогда не было. К тому же они с Грэгом уже жили в Лейланде, и это оказалось очень удобно. Грейс было шесть лет, она родилась незадолго до того, как Дебора поступила в медицинский колледж. А к тому времени, когда их жилье было готово, она уже носила под сердцем Дилана. Мать Деборы — прирожденная нянька — присматривала бы за детьми, если бы ее старшая дочь и Грэг не наняли семью де Сузас. Ливия сидела с детьми, Адинальдо выполнял работу по дому, а еще было множество родственников де Сузас, которые ухаживали за садом, ремонтировали крышу, чинили сантехнику. Ливия по-прежнему приезжала убрать и приготовить обед, а с тех пор как мама Деборы умерла, они все продолжали делать ту же работу для папы. Он был не таким хозяйственным, как она, но ведь никто не мог сравниться с Рут Барр.

С трудом удерживая в руках сумку с лекарствами, пакет с выпечкой и кофе, Дебора подняла утреннюю газету и вошла в дом через боковую дверь. Об аварии точно напишут в четверг в местной еженедельной газете. Но женщина надеялась, что в сегодняшней бостонской газете ничего нет.

На кухне никаких следов пребывания папы не было — ни включенной кофеварки, ни кружки на столе, ни рогалика на салфетке рядом. Дебора решила, что он опять проспал. С тех пор как умерла Рут, он часто смотрел допоздна старые фильмы, сидя в кабинете, пока не уставал до такой степени, что засыпал.

Дебора сложила свои вещи на кухонном столе и уже не в первый раз пожелала, чтобы папа не был таким упрямым и попробовал наконец выпечку из кондитерской Джил. Люди ехали за несколько миль, чтобы купить ее знаменитые ореховые булочки. Но не Майкл. Кофе и рогалик из супермаркета — вот все, что ему нужно.

Дебора ненавидела саму мысль о том, что придется сказать отцу о беременности Джил.

— Папа? — позвала она из прихожей и подошла к лестнице. — Ты проснулся?

Сначала она ничего не услышала, потом скрипнул стул. Дебора пересекла гостиную и нашла его в кабинете. Он сидел, обхватив голову руками, во вчерашней одежде.

Дебора разочарованно опустилась у его ног.

— Ты так и не ложился в постель?

Майкл посмотрел на нее покрасневшими непонимающими глазами.

— Похоже, что нет, — наконец проговорил он и запустил пальцы в волосы. После смерти жены они стали совсем белыми. Майкл заявлял, что это придает ему солидности в глазах пациентов, а Дебора считала, что так он выглядит аристократичнее.

— У тебя на утро записан пациент, — напомнила она. — Примешь душ, пока я приготовлю кофе? — Когда он не сдвинулся с места, она обеспокоилась. — С тобой все в порядке?

— Всего лишь болит голова.

— Аспирин? — робко предложила Дебора. Это была их любимая шутка. Они знали все новейшие лекарства, но аспирин оставался излюбленным средством.

На лице Майкла промелькнуло выражение, которое можно было принять и за гримасу боли, и за улыбку. Он взял дочь за руку и позволил ей помочь ему встать.

Когда отец вышел из комнаты, Дебора заметила бутылку виски и пустой стакан. Она быстро убрала бутылку в бар и отнесла стакан в кухню.

Ожидая, пока сварится кофе, женщина разрезала рогалик и позвонила в больницу. Состояние Кельвина МакКенны по-прежнему было стабильным. Это была хорошая новость, как и то, что в газете, как оказалось, не упоминалось об аварии.

Услышав шаги на лестнице, Дебора сложила газету и налила кофе в чашку. Она уже намазывала рогалик плавленым сыром, когда к ней присоединился отец. Он опять стал прежним.

— Тебе лучше? — спросила Дебора, подождав, пока он сделает несколько глотков.

— О да. — Если не обращать внимания на покрасневшие глаза, он прекрасно выглядел. — Спасибо, солнышко. Ты просто спасительница.

— Не совсем, — возразила она и осторожно продолжила: — Вчера мы с Грейс попали в аварию. С нами все в порядке, ни царапины. Но мы сбили человека.

Ее отец с минуту переваривал услышанное. На его лице отразилось беспокойство, потом облегчение, потом недоумение.

— Он внезапно возник перед машиной. Это случилось на окружной дороге. Видимость была очень плохая. — Казалось, отец не успевал за ходом ее мыслей. — Был дождь, помнишь?

— Да, помню. Это же ужасно, Дебора. Кто-то из наших знакомых?

— Он преподает историю в старшей школе. И у Грейс тоже.

— Он один из наших?

Один из пациентов?

— Нет.

— Насколько серьезно он пострадал?

Она рассказала то, что знала.

— Угрозы для жизни нет, — решил отец, выслушав ее.

Он отхлебнул свой кофе. Дебора уже начала думать, что сможет легко отделаться, когда отец вдруг неожиданно резко спросил:

— С какой скоростью вы ехали?

— Ну, мы не превышали дозволенного.

— Тогда как ты могла его не заметить?

— Был ливень и очень темно. И на его одежде не было светоотражающих элементов.

Отец оперся о стол.

— Не очень похоже на поведение хорошего врача. А если подумают, что ты была пьяной? — Он посмотрел ей в глаза. — Ты пила?

«За рулем была не я», — чуть не сказала Дебора. Она попыталась взять себя в руки.

— Прошу тебя…

— Это естественный вопрос, дорогая. Кто знает, что могло заставить тебя напиться. Твой муж бросил тебя одну в огромном доме, с огромными обязательствами и огромным винным погребом.

— А еще он оставил мне огромный счет в банке, который позволяет содержать этот огромный дом, но дело не в этом. Я не пью, папа. И ты это знаешь.

— А тебе уже прислали повестку в суд?

У нее внутри все сжалось. Может, из-за одного слова, а может, от чего-то неуловимого в голосе отца.

— Нет. Нет никакой спешки. Они составляют полный отчет.

— Серьезно, — сухо заметил Майкл. — У этого человека есть семья?

— Жена. Детей нет.

— А если он на всю жизнь останется хромым, думаешь, он не подаст в суд?

От упоминания о судебном иске, особенно после слова «повестка», которое к тому же свидетельствовало о разочаровании отца, у Деборы похолодело внутри.

— Надеюсь, нет.

Майкл Барр шумно выдохнул.

— Судебные дела имеют мало общего с реальностью, скорее это касается жадности. Почему, как ты думаешь, мы отдаем свои кровные на страховку от преступной небрежности врача при лечении больного? Мы можем быть ни в чем не виноваты, но на то, чтобы это доказать, можно истратить тысячи долларов. Наивность не поможет, Дебора, — Майкл фыркнул. — Я мог ожидать подобного разговора с твоей сестрой, но не с тобой.

«А ты угадай, что она сделала на этот раз!» — хотела закричать Дебора, но сказала только:

— Джил молодец.

— Повариха? — отозвался он. — Ты знаешь, сколько часов в день она работает?

— Не больше, чем мы.

Дебора нанимала няню. Джил тоже может, хотя ей скорее всего не придется этого делать. Она живет над кондитерской, поэтому может оборудовать детскую в подсобке и все время быть рядом с ребенком. Она даже может попросить помочь ей кого-то из своих работников. Они ей уже как родные.

— Джил еле сводит концы с концами, — возразил Майкл. — Она ничего не понимает в бизнесе.

— Вообще-то понимает, — ответила Дебора.

Отец продолжал:

— Ты ведь уже позвонила Холу? Он лучший адвокат в округе.

— Мне не нужен адвокат. Сегодня я дам показания и все.

— Дашь показания в отделении полиции? Чтобы их записали, а потом твои слова были использованы против тебя? — Его голос зазвучал громче. — Пожалуйста, Дебора, послушай меня. Это *ты* кого-то сбила. То есть преступница — ты. И если ты собираешься давать показания в полиции, тебе нужен адвокат.

— Разве это не будет свидетельствовать о моей вине?

— Вине? Да нет же. Это профилактическая мера. Не так ли?

* * *

Дебора ездила к пациентам на дом. Это было не совсем то, чем она собиралась заниматься, когда училась в колледже и начала работать. Если же пациенту необходимо было сдать анализы или пройти обследование, не могло быть и речи о вызове на дом. Таких пациентов она принимала либо в своем офисе, либо в местной больнице.

Но иногда визит на дом становился необходимостью. Однажды, несколько лет назад, одна из ее постоянных пациенток пожаловалась на сильный приступ боли в спине, который не позволял ей приехать на прием. Ей нельзя было не помочь. Пациентка была одинокой мамой с маленьким ребенком на руках и парализованной тетей. Дебора не могла бросить ее в беде.

Визит на дом заставил Дебору пересмотреть диагноз. В квартире — пять комнат на втором этаже в доме на две семьи — царил полный хаос. Везде валялась одежда, детские принадлежности, грязная посуда. Когда Дебора разговаривала с пациенткой по телефону, та сказала, что боль появилась оттого, что она носит ребенка на руках. На самом же деле женщина, которую увидела Дебора, была просто раздавлена жизнью. Существовали специальные социальные службы, которые могли бы помочь ей, но Дебора не сообщила бы им о случившемся, если бы не побывала в доме.

Лечить людей — это все равно что разгадывать головоломку. Бывали случаи, когда визит в больницу давал достаточно информации, иногда этого не хватало. Деборе нравился такой стиль работы, и ездить к пациентам она любила больше, чем отец, поэтому все вызовы на дом доставались ей. Благодаря этому у нее к тому же было меньше пациентов и более свободный график, что только приветствовалось после ухода Грэга.

Сегодня, отчаянно пытаясь себя занять, Дебора выехала, когда еще не было девяти утра, чтобы навестить пожилую женщину, которая неделю назад упала с кровати и сильно ударилась головой. Сотрясение было легким по сравнению с ее страхом снова упасть. Пара поручней и тросточка, которые она с гордостью продемонстрировала Деборе, вернули часть ее былого спокойствия.

Второй вызов Деборы был по той же дороге к семье с шестью детьми, где у троих младших была высокая температура. Родители могли бы привезти детей, но зачем подвергать риску заразиться остальных посетителей в приемной? Дебора не видела в этом смысла, тем более что у нее все равно был вызов неподалеку.

Воспаление уха, у всех троих. Симптомы налицо, риск ошибиться в диагнозе минимален.

Следующая пациентка, Дарси ЛиМей, жила в соседнем городке. Ее муж три недели в месяц проводил в разъездах, оставляя жену одну в прекрасном доме наедине со сложной формой остеоартрита. Дарси наблюдалась у врача, от которого Дебора регулярно получала отчет с рекомендациями. Сейчас женщина жаловалась на такую острую боль в лодыжке, что даже переживала, нет ли там перелома.

Дебора позвонила и вошла, когда увидела, что дверь незаперта.

— В кухне, — крикнула Дарси, хотя в этом не было необходимости. Она всегда была в кухне. А почему бы и нет? Это была прекрасная кухня, оборудованная изысканными шкафчиками из вишневого дерева, гранитными столешницами, с плитой, которая являла собой произведение искусства, и различными устройствами, настолько продуманно встроенными, что их практически не было видно. На полках стояли керамические тарелки: золотые, оливковые и терракотовые, расписанные в Тоскане, как объяснила Дарси, когда Дебора в один из предыдущих визитов выразила свое восхищение.

Дарси, одетая в длинный свитер и колготки, сидела в углу, за шестиугольным столом, положив больную ногу на соседний стул. Стол был завален бумагами.

— Как продвигается книга? — спросила Дебора, ставя сумку на стол и с улыбкой показывая на бумаги.

— Медленно, — ответила Дарси и принялась ругать свою ногу за то, что отвлекает, врача за неотзывчивость, а отсутствующего мужа за безразличие.

Слушая это, Дебора понимала, что пациентка ищет козла отпущения. Более того, ей не нужно было смотреть на щиколотку Дарси, чтобы понять, в чем проблема, но тем не менее она провела тщательный осмотр.

— Перелома нет, — заключила Дебора, убедившись, что не ошиблась в своих предположениях. — Просто обострился ваш артрит.

— Так сильно?

Как можно мягче Дебора сказала:

— Вы опять немного поправились.

Дарси протестуя замотала головой:

— Мой вес такой же.

К поиску виноватых присоединилась ложь. Подойдя ближе, Дебора заглянула под стол.

— Это пакет чипсов?

— Они с низким содержанием жира.

— Они все равно остаются чипсами, — сказала Дебора. — Мы с вами уже говорили об этом. Вы — красивая женщина, которая носит на себе двадцать лишних килограммов.

— Не двадцать. Может, десять.

Дебора не возражала. У Дарси было десять килограммов лишнего веса, когда она в последний раз приходила на прием в больницу, а это было два года назад. Вызов врача на дом был удобным оправданием, чтобы не становиться на неподкупные больничные весы.

— И еще одно, — так же мягко сказала Дебора. — Артрит — это серьезная болезнь. И мы знаем, что она у вас есть. Лекарства, которые вы принимаете, помогают. Но вы со своей стороны тоже должны помогать себе. Представьте, что вы целый день носите в руках груз весом в двадцать килограммов. Подумайте, какая это нагрузка на ваши щиколотки.

— Но я на самом деле ем совсем немного, — чуть не плача ответила Дарси.

— Возможно. Но то, *что* вы едите, вам вредно. К тому же вы не занимаетесь спортом.

— Как я могу заниматься спортом, если почти не хожу?

— Сбросьте вес — хоть немного — и сможете ходить. Поднимитесь наверх в комнату, Дарси. Работая здесь, в кухне, вы постоянно что-то едите. Начните с малого: три раза в день ходите вверх-вниз по лестнице или к почтовому ящику и обратно. Я же не заставляю вас бежать марафон.

— Лучше не надо, — предупредила Дарси. — Скорость — не всегда хорошо. Я слышала о вашей аварии.

Эти слова застали Дебору врасплох.

— О моей аварии?

— Так всегда случается, когда превышаешь скорость.

Дебора могла бы сообщить ей, что скорость здесь ни при чем, но это был нежелательный поворот беседы.

— Мы говорили о вашем весе, Дарси. Вы можете обвинять артрит, или своего мужа, или доктора Хабиба, или меня. Но только вы способны изменить свою жизнь.

— Я не умею лечить артрит.

— Да, но вы можете облегчить себе жизнь. Вы уже думали о том, чтобы найти работу вне дома? — Они долго говорили об этом в прошлый визит Деборы.

— Если я это сделаю, то никогда не закончу свою книгу.

— Вы можете работать неполный день.

— Дин зарабатывает более чем достаточно.

— Я знаю. Но вам нужно найти дополнительное занятие, особенно когда его нет дома.

— Как я буду работать, если я не могу ходить? — спросила Дарси, и Дебора начала терять терпение. Она взяла из сумки блокнот, написала имя и номер.

— Эта женщина — физиотерапевт. Самый лучший. Позвоните ей.

Она положила блокнот обратно в сумку.

— А она приходит на дом?

— Не думаю. Скорее всего, вам придется подъехать к ней, — сказала Дебора с чувством злобного удовлетворения, которое испарилось, как только она ушла. Как и у многих ее пациентов, причины болезни Дарси ЛиМей выходили за рамки физического здоровья. У одних причиной было одиночество, у других — скука, протест, низкая самооценка. В другой раз Дебора, возможно, потратила бы больше времени, убеждая Дарси. Но сегодня был не обычный день.

Не успела Дебора подъехать к своему офису, как позвонила школьная медсестра и сказала, что Грейс вырвало в туалете и ее нужно забрать домой. Разве Дебора могла отказаться? Она знала, что дочь уже написала контрольную по биологии и что она пропустит оставшиеся уроки плюс тренировку по бегу. Но если желудок Деборы сжимался от одной только мысли об аварии, то можно представить, каково было Грейс.

Лицо девочки было бледным, а лоб горячим. Когда Дебора помогала Грейс подняться с кушетки, медсестра сказала:

— Мы слышали об аварии. Уверена, что разговорами Грейс не поможешь.

Дебора кивнула, но не собиралась обсуждать это в присутствии дочери.

Оказавшись в машине, Грейс откинулась на спинку сиденья и закрыла глаза.

Дебора завела машину.

— Как контрольная?

— С контрольной проблем не было.

— Откуда стало известно об аварии?

— Объявили перед началом уроков.

— Сказали, что его сбила *наша* машина?

Грейс промолчала, но Дебора сама могла ответить на этот вопрос. В школе не говорили об аварии, но МакТалли сказал Марти Стивенс, она своим детям, дети Марти в свою очередь рассказали друзьям в школьном автобусе, а те — всем остальным в школе. И это еще не считая звонков, которые успела сделать Шелли Вит по дороге от кондитерской до работы. Даже Дарси ЛиМей, которая жила в соседнем городке, уже знала об аварии. Сплетни, как всегда, распространялись с пугающей скоростью гриппа.

— Тебя о чем-то спрашивали?

— Это было не обязательно. Вопросы прямо витали в воздухе.

— Это был несчастный случай, — сказала Дебора не столько Грейс, сколько себе.

Девочка открыла глаза.

— Что, если у тебя отберут права?

— Не отберут.

— Что, если оштрафуют?

— Не оштрафуют.

— Тебе что-то говорили в отделении полиции?

— Я там еще не была. Завезу тебя домой и поеду. — Девочка оживилась. — Нет, ты со мной не поедешь.

Грейс снова закрыла глаза. На этот раз Дебора ее не трогала.

* * *

Отделение полиции Лейланда располагалось рядом с городским советом в небольшом кирпичном здании. Там было три кабинета и одна камера. В штате было двенадцать человек, восемь из которых работали полный день. Вполне достаточно для городка с десятитысячным населением. Бытовые драки, вождение в нетрезвом состоянии и редкие мелкие кражи — вот и все преступления.

Когда Дебора вошла, ее тепло поприветствовали люди, которых она знала почти всю жизнь. Во время невинных фраз о детях, стареющих родителях и предвыборных обещаниях продавать спиртное в супермаркетах промелькнули все же один-два смущенных взгляда.

Джон Колби провел Дебору в свой кабинет. Джон был умным, мог бы быть еще и представительным, но ему не хватало решительности. Он доверял интуиции, а не бросался с головой в расследование. К тому же он был скромным, предпочитал огораживать лентой место происшествия, а не вывешивать свои грамоты и благодарности на стене. Кроме больших часов и нескольких фотографий с изображением окрестностей, других украшений в его кабинете не было.

Джон закрыл дверь, взял со стола несколько бланков и передал их Деборе.

— Здесь все довольно понятно, — сказал он. — Возьмите домой, заполните и вернете, когда вам будет удобно.

— Мне не нужно заполнять их здесь?

Он отмахнулся.

— Не-а. Вы же не удерете из города.

— Кто знает, — пробормотала Дебора, просматривая бумаги. Там было три страницы с вопросами. Понадобится время, да и дома заполнять их было бы удобнее. — У вас уже есть какие-то результаты?

— Только то, что касается вашей машины. Похоже, все прекрасно работало. Здесь никаких нарушений нет.

Неплохо для местной мастерской, но Дебору беспокоил отчет из округа.

— А когда вам будет известно остальное?

— Через неделю. Может, через две, если лаборатория загружена. Некоторые результаты требуют математических расчетов, которые могут оказаться довольно сложными.

— Но это же всего лишь несчастный случай, — сказала Дебора.

Джон потянулся к письменному столу.

— Это только формальность. Наша работа — расследовать, что мы и делаем.

— Я всю жизнь помогала людям, а не калечила их. Я чувствую себя ответственной за Кельвина МакКенну. — Это было правдой, хоть эта правда и не разубеждала Джона, что за рулем была Дебора. Даже сейчас, разговаривая с человеком, которого она знала и которому доверяла, женщина не могла упомянуть имя Грейс. Вместо этого Дебора в который раз спросила: — Что же, в конце концов, он там делал?

— У нас пока не было возможности его об этом спросить, — сказал Джон. — Но мы это сделаем. А пока заполните бланки протокола. У вас должно быть три экземпляра.

— Три? — испуганно переспросила Дебора.

— Один для нас, один для вашей страховой компании, один для реестра транспортных средств. Так положено.

— Зачем?

— Запись об аварии будет храниться в вашем файле.

— У меня раньше никогда не было аварий. Вы видели повреждения на моей машине? Они совсем небольшие. Я сомневаюсь, что страховая компания будет этим заниматься.

— Все равно нужно подать копию в страховую компанию. Когда дело касается человеческих жертв, вы обязаны это сделать. Если у мистера МакКенны нет страховки, он может предъявить вам иск на оплату медицинских услуг и вашей страховой компании придется заплатить.

А она посчитала отца паникером, когда он заговорил о суде. В устах Джона Колби это звучало по-другому.

— Вы действительно думаете, что он подаст в суд? — спросила Дебора. — А как же дождь? И то, что на нем не было светоотражающих элементов? Какой иск он может предъявить?

— Это зависит от того, что обнаружит группа по восстановлению деталей происшествия, — ответил начальник полиции, глядя на телефон. — Я сообщу вам, когда придет их отчет. — Его круглое лицо смягчилось. — Как ваша дочь все это переживает?

— Не очень хорошо, — ответила Дебора, хоть на этот раз имея возможность сказать правду. — Мне пришлось забрать ее из школы. Ей тяжело, и беседы не помогают.

— А что говорят другие дети?

— Я не знаю. Она мне не рассказывает.

— Это такой возраст, — сказал Джек, кивнув головой. — Трудный. Они хотят отвечать за свои поступки, пока не получат такой возможности. Кстати, — добавил он, почесывая верхнюю губу, и посмотрел на Дебору, — должен вас предупредить. Сегодня утром мне звонила жена мистера МакКенны. С ней могут быть проблемы.

— Какие проблемы?

— Она очень расстроена. И хочет быть уверенной, что вы не отвертитесь благодаря хорошей репутации. Именно из-за миссис МакКенны вам нужно заставить свою страховую компанию пошевеливаться. Она очень сердита.

— И я тоже! — взорвалась Дебора. — Не надо ему было бегать в темноте! Она сказала, что он там делал?

— Нет. Похоже, ее не было дома, когда он ушел. Но не беспокойтесь. Мы выполняем свою работу, и никто не сможет сказать, что мы предвзято относимся к той или другой стороне. — Джон побарабанил пальцами по столу и встал. — Если я задержу вас надолго, мои люди этого не одобрят. После обеда вы должны навестить новорожденного сына офицера Боудоина. А он без ума от ребенка.

Дебора наконец-то улыбнулась.

— И я. Обожаю навещать новорожденных.

— Вы подходите на эту роль.

— Сегодня это станет моим девизом. — Она встала, держа бланки в руках. — Когда это нужно вернуть?

* * *

Она должна была сдать заполненные бланки в течение пяти дней с момента аварии. Но едва выйдя из отделения полиции, Дебора решила покончить с этим как можно быстрее.

Она сделала копии и весь вечер заполняла их. Пришлось несколько раз переписывать, пока она не почувствовала, что написала все правильно. Потом Дебора сняла копии с окончательного варианта, одну для полиции, одну для реестра и одну для страховой компании. Последние две она вложила в конверты, подписала, наклеила марки и спрятала в сумку.

Но убрав бумаги с глаз, Дебора не могла выбросить их из головы. Первое, о чем она подумала, проснувшись на следующее утро, был отчет.

Вторая мысль была о Дилане. Не успела Дебора выйти из своей спальни, как тихий звук электронного пианино заставил ее подойти к двери в комнату сына. Он играл песню Боба Дилана «Blowin' in the Wind» с такой душевной простотой, что у нее к горлу подкатил комок. Ее взволновала не песня, а вид сына. Он сидел с закрытыми глазами, еще не надев очки. Дилан играл с четырехлетнего возраста, на слух подбирая мелодии на рояле в гостиной, задолго до того, как начал заниматься с учителем музыки. Даже сейчас, когда учитель пытается заставить его читать ноты, мальчику куда больше нравится играть мелодии, которые так любил его папа.

Не обязательно быть психологом, чтобы понять, что Дилан любит музыку только потому, что может играть без очков. Уже в три года у него была сильная дальнозоркость, а к семилетнему возрасту развилась дистрофия роговицы глаза. Очки исправляли дальнозоркость, но из-за дистрофии правый глаз будет видеть все нечетко, пока не станет достаточно взрослым для операции по пересадке роговицы.

Войдя в комнату, Дебора, как обычно по утрам, обняла сына.

— Почему ты такой грустный?

Он убрал руки с клавиатуры и аккуратно пристроил очки на нос.

— Скучаешь по папе? — спросила она.

Он кивнул.

— Ты с ним увидишься через неделю, на выходных.

— Это не то, — тихо сказал Дилан.

Она понимала это. Два дня в месяц не компенсировали четыре недели без отца. Они с Грэгом всегда знали, что им сложно будет распределить время между семьей и работой, но тогда речь не шла о разводе.

Дебора достала из комода футболку с символикой «Red Socks», и Дилан воскликнул тонким от испуга голосом:

— А где футболка с Бобом Диланом?!

— В корзине для грязного белья. Ты надевал ее вчера.

— Я могу надеть ее и сегодня.

— Солнышко, она вся в соусе для спагетти, который готовила Ливия.

— Но это моя счастливая футболка.

Отец подарил ему эту футболку на день рождения, и еще плеер, с песнями в исполнении его тезки. Отсюда и звучавшая несколько минут назад песня. Дебора понимала, что Грэг пытался привлечь сына к чему-то, что любил сам. Но футболку нужно было постирать.

— Папе нравится, как Ливия готовит соус к спагетти? — спросила она.

— Он его ненавидит.

Точно.

— Думаешь, ему понравится соус на твоей футболке?

— Нет, но ты слишком часто стираешь эту футболку. Она полиняет.

Дебора импровизировала на ходу.

— Полинявшая футболка — это круто. Папа согласился бы со мной, — добавила она, чтобы окончательно убедить Дилана, хотя совсем не была уверена, что это так.

Грэг был ненамного выше Деборы, но тем не менее обладал эффектной внешностью. У него были густые светлые волосы, он стильно одевался. Но все это осталось в прошлом. Она не знала мужчину, которым он стал сейчас. Она не знала, каким мужчиной нужно быть, чтобы вот так, одним махом, бросить жену и детей.

— Можно ему сейчас позвонить? — спросил Дилан.

— Не-а, слишком рано. Позвонишь ему после обеда. — Дебора взъерошила густой шелк его волос. — Пока надевай эту футболку, а папину мы постираем, чтобы она принесла тебе удачу завтра.

Взгляд Дилана был грустным.

— А папа когда-нибудь придет на мою игру?

— Сказал, что придет.

— Я знаю, почему он не приходит. Он ненавидит бейсбол. Он никогда не играл со мной в эту игру. Я тоже ненавижу бейсбол. Я не вижу мяча.

У Деборы сжалось сердце.

— Даже в новых очках?

— Ну, может быть. Но я все равно почти все время сижу на скамье запасных.

— Тренер Даффи говорит, что в следующем году ты будешь играть чаще. Он рассчитывает, что ты станешь правым принимающим игроком вместо Рори Мейхана, когда тот уйдет играть в старшую лигу. Дорогой, нужно собираться, а то опоздаем.

* * *

Дебора была в душе, когда зазвонил телефон. Грейс вошла в ванную, высоко держа трубку, чтобы мать ее увидела.

— Тебе нужно ответить на этот звонок! — громко произнесла девочка.

Выключив воду, Дебора схватила трубку. Звонили из больницы. Хотели сообщить, что мистер МакКенна умер.

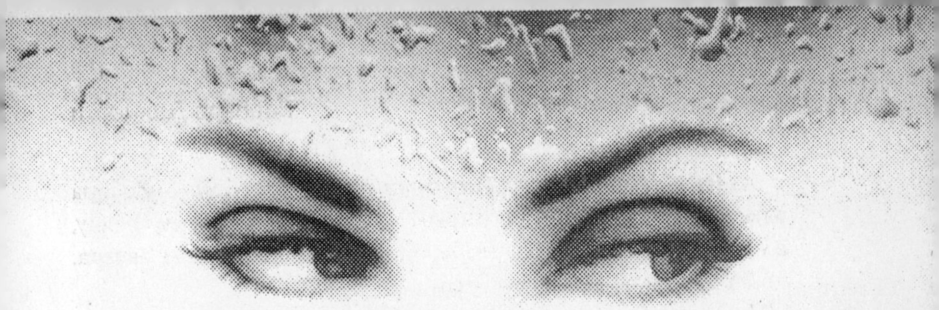

4

Сердце Деборы остановилось. Когда она наконец смогла говорить, в ее голосе слышалась едва сдерживаемая паника:

— Умер? Как?!

— Кровоизлияние в мозг, — сообщила медсестра.

— Но ему делали сканирование мозга, когда привезли. Почему ничего не увидели?

— Тогда кровоизлияния не было. Мы предполагаем, что оно случилось вчера. К тому времени, когда основные показатели состояния организма изменились, было слишком поздно.

Дебора не понимала, что произошло. Она сама осмотрела его на дороге. Никаких опасных для жизни повреждений, ровный пульс. Он хорошо перенес операцию и пришел в сознание. Он не мог умереть.

Стянув полотенце на груди, она спросила:

— Вы уверены, что говорите о мистере МакКенне?

— Да. Вскрытие будут делать позже.

Дебора не вытерпела:

— Кто дежурил, когда это произошло?

— Доктор Райд и доктор МакКолл.

— Я могу поговорить с кем-то из них?

— Вам придется подождать. Только что привезли людей с аварии, во время которой столкнулось много машин. Передать, чтобы вам перезвонили?

— Да, пожалуйста. — Дебора поблагодарила и нажала на кнопку «отбой».

Грейс была в слезах.

— Ты говорила, что он не умрет!

Совершенно растерянная, Дебора отдала ей телефонную трубку и, чувствуя, что сама сейчас расплачется, сказала:

— Не знаю, что пошло не так.

— Ты говорила, что повреждения не опасны для жизни.

— Так и было. Грейс, для меня самой это загадка. — Она изо всех сил пыталась понять, что происходит. — Его состояние было стабильным. Осмотр и анализы ничего не показали. Не имею ни малейшего понятия, как это произошло.

— Мне плевать, как это произошло, — всхлипывала девочка. — Я боялась представить, как буду смотреть ему в глаза на уроках, зная, что это я его сбила. Но теперь никаких уроков не будет. Я его убила.

— Ты не убивала его. Убить — значит сделать это намеренно. Это был несчастный случай.

— Но он все равно умер, — плакала Грейс.

Смерть была частью работы Деборы. Она часто видела ее, часто с ней боролась. Смерть Кельвина МакКенны была ни на что не похожа.

Никаких подходящих слов в голову не приходило. Чтобы успокоиться самой и успокоить дочь, Дебора молча обняла Грейс.

* * *

Ей не хватило смелости заставить Грейс пойти в школу. Девочка справедливо полагала, что все будут говорить о случившемся, и было бы нечестно делать ее объектом всеобщего внимания, пока не появятся какие-то новости. Никто из докторов не перезвонил, и Дебора ничего не могла сказать, чтобы успокоить Грейс.

Объяснений, почему умер учитель, не было. Дебора так и сказала Маре Уолш, школьному психологу, когда та вошла. Они с Марой часто работали со студентами, страдающими от анорексии или от наркотической зависимости. И когда год назад от лейкемии умер студент, они вместе собирали команду психологов для работы с родителями и однокурсниками.

Сегодняшняя новость шокировала Мару. Она задавала вопросы, на которые Дебора не могла ответить, и сама мало что могла рассказать о мистере МакКенне, кроме того, что у него была ученая степень по истории. Для Деборы это стало неожиданностью, поскольку об ученой степени нигде не упоминалось.

Повесив трубку, она обнаружила, что Дилан все слышал.

— Умер? — спросил мальчик. Лицо его было бледным, а глаза за стеклами очков огромными. С тех пор как три года назад умерла бабушка, он знал, что такое смерть.

Дебора кивнула.

— Я жду, когда перезвонит доктор и объяснит, почему это случилось.

— Он был старый?

— Не очень.

— Старше папы?

Дебора поняла, к чему он клонит. Развод, случившийся через год после смерти Рут Барр, усилил его чувство одиночества.

— Нет. Не старше папы.

— Но папа старше тебя.

— Немного.

— На много, — сказал мальчик, и в его голосе слышалось почти то же разочарование, какое Дебора услышала в словах своих родителей, когда в двадцать один год вышла замуж за мужчину на семнадцать лет старше. Но она никогда не ощущала этой разницы в возрасте. Грэг всегда был энергичным и молодым. Вольнолюбивый в юности, он не повзрослел и после тридцати, и сам в этом признавался. Поэтому они с Деборой чувствовали себя гораздо ближе по возрасту, чем было на самом деле.

— Папе пятьдесят пять, — сказала она, — а это не значит, что он старый, и он не умирает. Мистера МакКенну сбила машина. Если бы этого не произошло, он был бы жив.

— Тебя арестуют за то, что ты его убила?

— Конечно нет. Это был ужасный несчастный случай. Всему виной сильный ливень.

— Как в ту ночь, когда умерла бабушка Рут?

— Бабушка Рут умерла не из-за несчастного случая. Но погода тоже была ужасной. — В ночь, когда умерла Рут, дождь принесло ураганным ветром. Дебора никогда не забудет, как она ехала, чтобы провести с матерью последние часы.

— Его похоронят?

— Уверена, что похоронят. — Определенно будут похороны и заголовки в местной газете. Она уже видела статью на первой странице с описанием аварии и перечислением тех, кто был в машине.

— Его похоронят рядом с бабушкой Рут?

Дебора взяла себя в руки.

— Хороший вопрос. Мистер МакКенна жил здесь не очень долго. Возможно, его похоронят в другом месте.

— Почему Грейс не одевается?

Грейс сидела, сгорбившись на табурете у кухонного стола. На ней были футболка и шорты, в которых она спала. Девочка грызла ноготь большого пальца.

— Грейс! — взмолилась Дебора, и когда та убрала палец ото рта, повернулась к Дилану. — Она не идет в школу. Грейс останется дома, пока не появятся новости. — Дебора включила ноутбук. Пациенты присылали сообщения. Решение их проблем отвлекло бы ее.

— Я тоже хочу остаться, — сказал Дилан.

Дебора ввела пароль.

— В этом нет необходимости.

— А если тебя арестуют?

— Меня не арестуют, — мягко возразила она.

— Могут. Разве полиция не этим занимается? А если я приду домой, а ты уже будешь в тюрьме? Кто тогда о нас позаботится? Вернется папа?

Дебора взяла Дилана за плечи и наклонилась, чтобы их глаза оказались на одном уровне.

— Дорогой, я не попаду в тюрьму. Начальник нашей полиции, не кто-нибудь, сказал, что нет причин для волнений.

— Это было до того, как этот человек умер, — сказал мальчик.

— Но деталей аварии это не изменило. Никто не сядет в тюрьму, Дилан. Даю тебе слово.

Но, едва успев пообещать, Дебора заволновалась. Ей пришлось заставлять себя писать ответы пациентам. «Ким, нет причин для беспокойства, ваша дочь принимала антибиотики меньше суток», «Да, Джозеф, мы привозим наполнитель для ингалятора», «Спасибо за сообщение, миссис Уоррен, я рада, что вам уже лучше».

Днем раньше, когда отец предложил позвонить Холу Труттеру, Дебора отказалась. Даже теперь она не была уверена, нужна ли ей юридическая консультация. Но ей нужна была уверенность.

— Карен, — сказала Дебора, когда подруга взяла трубку, — это я.

— Кто «я»? — обиженно спросила Карен. — Моя подруга Дебора, которая не удосужилась вчера позвонить, чтобы хотя бы предупредить, что не пойдет в спортзал? Которая допустила, чтобы я узнала об аварии от своей дочери? Даниель все время звонит Грейс и не может дозвониться.

Дебора вдруг ощутила приступ глубокого раскаяния. Она не могла ничего сказать насчет Грейс, которая любила Даниель как сестру, но Карен была ее лучшей подругой. Она позвонила бы раньше, если бы не Хол. Опять виноват он. Но Дебора не могла сказать об этом подруге.

— Прости. Я никому не звонила, Карен. Вчера был тяжелый день. Мы были расстроены.

— Именно поэтому тебе нужно было позвонить. Если бы я не смогла тебя успокоить, то это удалось бы Холу.

Дебора кашлянула.

— Поэтому я и звоню. Кельвин МакКенна только что умер.

Карен ахнула:

— Ты серьезно?

— Да. Я не знаю подробностей. Но подумала, что могу переговорить с Холом. Он дома?

— Он на другой линии. Подожди секунду, дорогая. Я соединю.

Голос Хола был почти такой же обиженный, как и у жены.

— Долго собиралась позвонить, Дебора. В чем причина?

Она могла бы сказать: «Прежде всего в том, что ты бы все неправильно понял», но с ней в комнате была Грейс. К тому же Дебора не знала, осталась ли Карен на линии. Поэтому сказала:

— Это был несчастный случай. Все, что мне нужно, это информация. Не думаю, что мне необходим адвокат.

— Тебе нужен я, — протянул Хол, наверняка подмигивая жене. К сожалению, он действительно так думал. Он много лет любил Дебору. По крайней мере, заявил об этом, когда ушел Грэг. И хотя она прервала его, сказав: «Ни за что. Я не люблю тебя, а твоя жена одна из моих лучших подруг», своих слов он не забрал. Родительские собрания, спортивные мероприятия, дни рождения — Хол использовал любую возможность, чтобы напомнить о своих чувствах. Он ни разу не прикоснулся к ней. Но его глаза говорили, что он окажется рядом по первому требованию.

Из-за этого Дебора попала в ужасное положение. Они с Карен вместе переживали беременности, проблемы детей, рак груди у Карен и развод Деборы. А теперь у Деборы с Холом было что-то, к чему Карен не имела отношения.

И хранить этот секрет было почти так же невыносимо, как и думать о том, что произойдет, если она все расскажет.

Хол сделал ее соучастницей своего преступления. И за это она его ненавидела.

— Не думаю, что будут проблемы, — сказала Дебора, — но хочу быть уверена в этом. Вчера я заезжала в отделение полиции.

— Знаю, я разговаривал с Джоном. Он не видит повода для беспокойства.

В другой раз Дебора разозлилась бы из-за того, что Хол разговаривал о ней с полицией без ее ведома, но она знала, что отец прав: Хол был лучшим адвокатом в округе. А еще он регулярно играл в покер с Колби, поэтому его словам можно было верить. Конечно, со вчерашнего дня ситуация изменилась.

— Кельвин МакКенна только что умер, — сказала Дебора. — Только не спрашивай почему. Я сама жду подробностей. Думаешь, это меняет картину?

В трубке повисло молчание — нужно отдать ему должное, адвокат уже работал, — потом она услышала осторожное:

— Возможно. Во время столкновения ты делала что-то, в чем считаешь себя виноватой?

Вот она, прекрасная возможность расставить все точки над «і» и сказать, кто был за рулем. Дебора знала, что лгать — неправильно. Но она уже дала показания. А тот факт, что пострадавший умер, заставлял ее защищать Грейс с еще большим усердием. Кроме того, Дебора так часто повторяла эту фразу, что язык сам сказал:

— Моя машина просто оказалась не в то время не в том месте. Если мне не собирались предъявлять обвинение в создании аварийной ситуации до этого, разве смерть пострадавшего что-либо меняет?

— Это зависит от того, что обнаружит группа по восстановлению деталей происшествия, — ответил Хол, не так, как хотелось бы Деборе. — И еще от окружного прокурора.

— Какого окружного прокурора? — нервно спросила Дебора.

— Нашего окружного прокурора. Из-за смерти может понадобиться его участие в деле.

А она позвонила, чтобы успокоиться.

— Что значит «может понадобиться»?

— Ты начинаешь паниковать. Не надо, дорогая. Я вытащу тебя, что бы ни случилось.

— Но что может случиться? — спросила Дебора, желая знать хоть горькую, но правду.

— Когда дело касается смерти, — сказал Хол размеренным тоном, — изучают все нюансы. Случайная смерть может рассматриваться как гибель в результате дорожного происшествия, или даже как убийство из-за халатности. Это зависит от того, что обнаружат люди из округа.

Дебора судорожно вздохнула.

— Они не смогут много найти, — выдавила она наконец. Конечно, она даже подумать не могла, что Кельвин МакКенна умрет.

— Тогда с твоей стороны нет ничего криминального, — сказал Хол и добавил: — Но истцу не сложно подать гражданский иск. В этом случае много доказательств не требуется. Джон говорит, что ему уже звонила миссис МакКенна. Она ищет виновных. А это было еще до того, как ее муж умер.

— Но мы ехали со скоростью не больше тридцати миль. А по правилам там можно ехать со скоростью сорок пять миль в час.

— Вы могли ехать и двадцать миль в час, но если миссис МакКенна наймет опытного адвоката, который убедит присяжных, что в такую грозу нужно было ехать со скоростью пятнадцать миль в час, она сможет что-то получить. Послушай, — Дебора догадалась, что он улыбается, — у тебя тоже опытный адвокат. Я позвоню Джону. Узнаю, какие анализы проводились, чтобы определить уровень алкоголя или присутствие в крови наркотических веществ. Джон сказал, ты взяла домой бланки протокола. Уже заполнила?

— Вчера вечером.

— Я бы хотел взглянуть на них прежде, чем ты их сдашь. Одно неверное слово может свидетельствовать о твоей вине. Ты побудешь некоторое время дома?

— Вообще-то нет. — Она была рада, что есть причина не встречаться с ним дома. — Мне нужно отвезти Дилана в школу, и поскольку полиция уже закончила осмотр моей машины, хочу загнать ее на станцию техобслуживания. Сможешь подъехать в кондитерскую Джил, скажем, через двадцать минут?

* * *

Кондитерская Джил Барр «Сладкое на обед» была ярким пятном в центре города. Оставив машину в мастерской на ремонт, Дебора дошла до кондитерской пешком, перекинув сумку с лекарствами через плечо. Не отрывая взгляда от замысловатого узора тротуарной плитки, женщина старалась не думать о жене Кельвина МакКенны. Не думать о гибели в результате дорожного происшествия. Не думать о людях, которые смотрели, как она идет по тротуару центральной улицы, и, возможно, видели ее сейчас в совсем другом свете.

Дебора почувствовала сладкий запах, еще не успев подойти к маленьким железным столикам на улице. Три из четырех были заняты. Она кивнула нескольким постоянным посетителям, и знакомый аромат разогнал ее страхи.

Внутри кондитерской все — стены, столики, стулья, диванчики — было золотым, оранжевым и красным. У Деборы был любимый диванчик в углу, куда она обычно сразу направлялась. К ней часто подходили люди, иногда даже просили проконсультировать: «Скажите, это дерматит или что-то другое?» Это были издержки работы врача в маленьком городке. Обычно ей это не мешало, но сегодня хотелось побыть одной.

Несколько посетителей стояли в очереди. Еще человек пять сидели тут и там. Опустив голову, чтобы не встретиться взглядом ни с одним из них, Дебора прошла в кухню, а оттуда прямо в кабинет Джил.

Не успела она сесть в кресло за столом, как в кабинет вошла сестра, неся на подносе три кофе и три фирменные булочки.

— Я так понимаю, что сегодня завтракаю с тобой? — спросила она.

— Именно.

Взяв чашку, Дебора изучающе посмотрела на сестру. Беременна? С коротко стриженными светлыми волосами и с веснушками, в короткой майке и облегающих джинсах, Джил сама была похожа на ребенка.

— Не могу поверить, — сказала Дебора в непонятном замешательстве. — Ты хорошо себя чувствуешь?

— Прекрасно.

— Волнуешься?

— Больше, чем могла себе представить.

Дебора взяла ее за руку.

— Ты будешь изумительной мамой.

— Значит, ты не переживаешь за меня?

— Конечно, переживаю. Будет нелегко вставать по ночам к плачущему ребенку, когда некому тебя подменить. Ты до смерти устанешь, но больничный взять не сможешь.

Джил выдернула руку.

— Почему некому? Посмотри туда.

Деборе не нужно было смотреть. Она достаточно часто бывала в кондитерской, чтобы знать троих человек, которые ловко сновали за прилавком между кофеварками и корзинами с выпечкой, слушая, как посетители выбирают сладости из списка, сделанного мелом на высокой доске. Два кондитера работали в кухне до обеда, выдавая горы свежайшей выпечки — от пончиков до глазированных булочек. А еще был Пит, который приходил помогать Джил с обедом.

Дебора все поняла.

Но сестра все равно сказала:

— У меня прекрасный штат, тщательно подобранный и вышколенный. Как ты думаешь, кто присматривал за магазином, когда я бегала по врачам? У меня своя жизнь, Дебора. И она заключается не только в работе.

— Я этого не говорила.

— Я люблю свое дело. Не так давно я сама месила тесто. И фирменные глазированные булочки пекут по моему рецепту. А фирменный салат? Если ты думаешь, что мне не нравится готовить каждый день по маминому рецепту, ты не права. Честно говоря, иногда ты похожа на папу. Он думает, что это все тяжелая монотонная работа и что я здесь одна. Он не знает Ская и Томаса, которые приходят сюда в три утра, и Элис, которая сменяет их в семь. Он не знает, что у меня есть Миа, Кишан и Пэт. Он не знает о Донне и Пите.

— Он знает, Джил, — сказала Дебора. — Люди рассказывают.

— Разве он не видит, что моя кондитерская — это успешный бизнес? Когда мне было восемь лет, я хорошо играла на пианино, и поэтому он решил, что я должна стать профессиональной пианисткой. В двенадцать я победила на олимпиаде по точным наукам, и он решил, что я стану нобелевским лауреатом. Я всегда была недостаточно хороша, отец всегда ожидал большего. — Джил приложила руку к груди. — Я хочу этого ребенка. Он сделает меня счастливой. Разве это не должно сделать счастливым нашего папу?

Она говорили не о ребенке, а о куда более серьезной проблеме родительских ожиданий. Хотя Джил было тридцать четыре, она все равно оставалась ребенком Майкла Барра.

— Скажи ему, что ты беременна, — сказала Дебора. Возможно, это было эгоистично с ее стороны, но ей ужасно не хотелось хранить еще и эту тайну.

— Скажу.

— Сейчас. Скажи ему сейчас.

Вместо ответа Джил спросила:

— Ты знала, что Кельвин МакКенна преподавал в нескольких группах подготовки для поступающих в колледж?

Дебора достаточно долго смотрела на сестру, чтобы понять, что та так просто не сдастся. Вздохнув, она сделала глоток кофе.

— Да, знала.

И Джил это знала, поскольку он преподавал историю у Грейс.

— Вчера здесь были несколько его учеников. Разговаривали.

Отковыряв орешек от глазированной булочки, Дебора поднесла его ко рту, потом положила обратно.

— Это было до того, как он умер. Сегодня я разрешила Грейс остаться дома. Я правильно поступила?

— Папа сказал бы «нет».

— Я не спрашиваю папу. Я спрашиваю тебя.

Джил ответила не колеблясь:

— Да, ты поступила правильно. Уже одной аварии было достаточно, а теперь Грейс, которая знала этого мужчину, будет еще труднее. Известно, отчего он умер?

— Еще нет. — Дебора уже открыла рот, чтобы сказать правду. Ей очень хотелось разделить этот груз, и если она могла кому-то доверять, то только Джил. Но прежде чем она успела что-либо сказать, вошел Хол Труттер.

Во внешности Хола не было ничего изысканного. На мужчине, одетом в темно-синий костюм и красный галстук, словно светилась надпись: «АДВОКАТ». Зная это, Дебора подозревала, что все в кафе догадались, зачем он сюда пришел.

Хол взял кофе с подноса на столе и посмотрел на Джил.

— Хочешь дать свидетельские показания или не желаешь оставлять нас наедине?

Джил не любила Хола. Она не раз говорила об этом Деборе, даже не зная, что он имеет виды на сестру. Возможно, это было ее обычное недоверие к слишком самоуверенным мужчинам. В ответ на его вопрос Джил скрестила руки на груди и ответила:

— И то и другое.

Чувствуя себя в относительной безопасности, Дебора достала из сумки бланки со своими показаниями. Хол развернул бумаги и стал читать.

За первую страницу Дебора была спокойна. Обычное перечисление: место происшествия, ее имя, адрес, номер водительского удостоверения, модель машины и регистрация. Она занервничала, когда Хол перешел ко второй странице: там была маленькая строчка, которая начиналась со слова «Водитель».

Пытаясь преодолеть чувство вины, Дебора неотрывно смотрела на Хола. Он снова откусил кусок булочки и продолжал читать.

Джил не выдержала:

— Смотри не измажь бумаги глазурью.

Как раз в этот момент зазвонил мобильный телефон Деборы. Вытащив его из кармана, она взглянула на экран, тихо выругалась и встала.

— Я сейчас вернусь, — сказала она и пересекла кухню. — Да, Грэг.

— Я только что получил сообщение от Дилана. Что у вас там произошло?

Дебору не удивило, что Дилан позвонил отцу. Ей хотелось бы, чтобы он сделал это позже, но все равно Кельвин МакКенна был мертв. Грэг когда-нибудь узнал бы обо всем.

Выйдя на задний двор и спрятавшись за контейнером для мусора, Дебора рассказала ему об аварии. Последовавшие вопросы были предсказуемыми. Хоть Грэг и переехал в Вермонт, чтобы открыть в себе талант художника, для Деборы он все еще оставался исполнительным директором, который, вдаваясь в мельчайшие детали, привел свой бизнес к успеху.

Следует отдать ему должное, первый вопрос был о Грейс и о том, не ранен ли кто-то из них. А потом началось: «В котором часу ты выехала из дому, в котором часу забрала Грейс, в котором часу произошла авария? На каком именно участке дороги это случилось, далеко ли отбросило жертву, когда приехала «скорая»? В какой он был больнице, кто был лечащим врачом, приглашали ли специалиста?»

— Специалиста не было, — ответила Дебора. — С ним все было в порядке. Никто не ожидал, что он умрет.

Короткое молчание, а потом:

— Почему я узнаю об этом от своего десятилетнего сына? Ты замешана в аварии с человеческими жертвами и не считаешь это достаточно важным, чтобы сообщить мне?

— Мы в разводе, Грэг, — напомнила Дебора грустно.

В его голосе звучала неподдельная обида, это было так похоже на того чуткого человека, за которого она вышла замуж, что ее захлестнула волна воспоминаний.

— Ты говорил, что вычеркиваешь свою жизнь здесь. Я пыталась тебя оградить. Кроме того, до сегодняшнего утра никаких человеческих жертв не было, а с тех пор я была немного занята.

Грэг немного смягчился.

— Грейс расстроена?

— Очень. Она была в автомобиле, который сбил человека.

— Она должна была позвонить мне. Мы могли бы поговорить.

— Ох, Грэг, — устало вздохнула Дебора. — Вы с Грейс не разговаривали — по-настоящему, — с тех пор как ты ушел.

— Может, как раз настало время.

Она не знала, говорит он о разговоре по телефону или о личной встрече, но не была уверена, что сейчас Грейс согласилась бы на какой-либо из вариантов. Девочка виделась с отцом раз в несколько месяцев, да и то по настоянию матери.

— Сейчас не очень подходящий момент, — сказала Дебора. — На нее и так достаточно навалилось.

— Сколько она еще будет на меня злиться?

— Не знаю. Я пытаюсь говорить с ней об этом, но она все еще ощущает себя покинутой.

— Потому что ты это ощущаешь. Ты навязываешь ей свои чувства?

— Мне не нужно это делать, — сказала Дебора с внезапной злостью. — Грейс и сама чувствует себя достаточно одинокой. Ты ее отец, и тебя не было здесь в течение последних двух лет ее жизни. Буквально. Ты не соизволил приехать ни разу. Ни разу! Ты хочешь, чтобы дети приезжали к тебе. Дилана это, возможно, устраивает, но у Грейс здесь своя жизнь. У нее здесь уроки, тренировки, друзья. — Дебора посмотрела на часы. — Я не могу сейчас этим заниматься. Я была занята, когда ты позвонил, и мне нужно вернуться к работе.

— Вот в чем причина, видишь?

— Причина чего?

— Того, что наш брак развалился. Тебе всегда нужно было работать.

— Извини меня! — закричала Дебора. — Это говорит тот, кто работал по шестнадцать часов в день, пока наконец не бросил все это? К твоему сведению, Грэг, я хожу на соревнования Грейс по бегу и на бейсбольные матчи Дилана. Я посещаю концерты в музыкальной школе и школьные спектакли. Это у тебя никогда не хватало времени на нас.

Грэг тихо сказал:

— Я просил тебя переехать сюда со мной.

Деборе хотелось плакать.

— Как я могла это сделать, Грэг? Здесь мои пациенты. Я присматриваю за отцом. Грейс в старших классах, а у нас одна из лучших школ в штате, ты сам это говорил. — Она расправила плечи. — Если бы я переехала с тобой на север, мы жили бы втроем: ты, Ребекка и я. Грэг, ты сделал мне предложение, которое я не могла принять. Поэтому если хочешь поговорить о том, как я развалила наш брак — пожалуйста. Но не сегодня, не сейчас. Мне нужно идти.

Удивившись тому, что рана все еще кровоточила, Дебора отключила телефон прежде, чем Грэг успел еще что-либо сказать. Глядя на желтый фургон сестры с логотипом на борту — стилизованное изображение торта с надписью кремом «Сладкое на обед» — она сделала несколько глубоких вздохов. Немного успокоившись, Дебора вернулась внутрь.

Хол уже закончил читать ее показания. Он стоял, уперев руки в бока. Джил не шевельнулась.

— Все в порядке? — нервно спросила Дебора.

— О'кей. — Хол протянул бумаги. — Если здесь все изложено точно, было бы неплохо узнать, что этот парень делал там под дождем и не был ли он под кайфом от выпивки или наркотиков. Любой человек в здравом уме отошел бы к обочине, увидев приближающуюся машину. Поэтому он под огромным вопросительным знаком. Он, а не ты. Я не вижу ничего, что могло бы тебе угрожать.

Чувствуя себя немного лучше, Дебора сложила бумаги.

— Я пошлю копии для реестра и в страховую компанию. Ты не против?

— Ты обязана это сделать. Только не разговаривай больше с Джоном без моего присутствия. Хорошо?

— Почему?

— Потому что жертва умерла. Потому что я твой адвокат. Потому что я знаю Джона, а Джон знает всю эту кухню. И еще, Дебора, не разговаривай с корреспондентами. Из «Леджера» точно позвонят.

Конечно, позвонят. Тем более что речь идет о смерти. Деборе стало страшно.

— Что я скажу?

— Что твой адвокат посоветовал тебе ничего не говорить.

— Но тогда они подумают, что я что-то скрываю.

— Ладно. Тогда скажи, что ты потрясена смертью Кельвина МакКенны и на данный момент других комментариев у тебя нет.

Деборе такой вариант понравился больше. Она нервно спросила:

— Ты же не думаешь, что будут проблемы?

— Ну, ты убила человека на своей машине. Было это намеренно? Нет. Это случилось в результате неосторожного вождения? Нет. Были ли какие-то нарушения относительно технического состояния машины? Нет. Если группа по восстановлению событий подтвердит все вышесказанное, ты будешь чиста перед законом. Тогда нам придется ждать, что скажет его жена.

Дебора медленно кивнула. Это была не совсем та радостная и благополучная картина, которую ей хотелось бы видеть, но умер человек. И в этом не было ничего радостного.

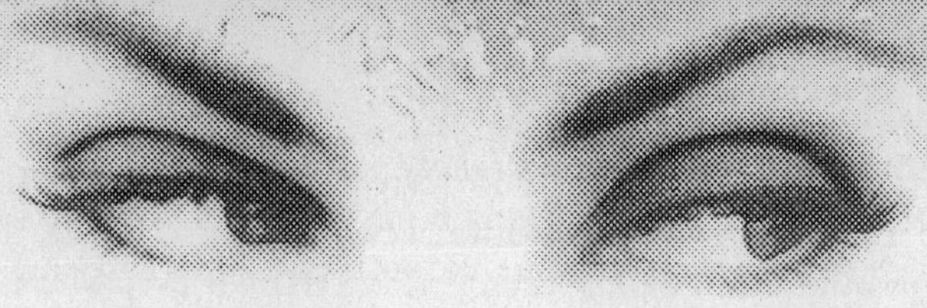

5

К дому отца Дебора подъехала позже, чем обычно. Услышав шум воды в ванной, она включила кофеварку и приготовила ему рогалик. Шум воды не прекращался, и женщина подумала было о том, чтобы пройти в офис и начать разбираться с бумагами, но гостиная была слишком сильным искушением.

Высокое кресло, обтянутое выгоревшей розовой парчой, стояло в дальнем углу. Упав в него, Дебора поджала ноги, как делала десятки раз, пока росла здесь. Высокие кресла изначально создавались для того, чтобы защитить людей от сквозняков или от жара камина. Дебора нуждалась в защите другого рода. Она пользовалась креслом, когда нужно было справиться с требованиями родителей, и оно спасало ее столько раз, что и не сосчитать. Ее родители были уверены, что она сильная, что она в состоянии позаботиться о себе в отличие от младшей сестры. Но даже если со стороны это выглядело именно так, на самом деле Дебора часто бывала напугана до смерти. Садясь в это кресло, она словно надевала шоры. Это позволяло ей сосредоточиться.

Она умела думать только об одной проблеме. Когда ее мысли были заняты смертью Кельвина МакКенны, Дебора не могла размышлять о беременности Джил, об обвинениях Грэга или о том, что Хол предает ее лучшую подругу.

Выбросив последние три мысли из головы, Дебора в сотый раз оживила в памяти подробности аварии, отчаянно пытаясь найти свою ошибку. Она прокручивала в голове разговоры с полицейскими, потом с Грейс, но ничего нельзя было изменить. Именно так и поступают родители, особенно те, которые заставили детей страдать из-за развода.

Шум воды наверху прекратился. Встав с кресла, Дебора снова направилась в кухню, по дороге остановилась, вошла в кабинет и забрала стакан и пустую бутылку из-под виски. Стакан она поставила в посудомоечную машину, бутылку выбросила в ведро для мусора и развернула газету.

Новость о смерти Кельвина МакКенны еще не попала в утренний тираж. Наверное, об этом напишут завтра. Дебора очень боялась этого. Хотя еще больше она боялась рассказывать отцу о том, что пострадавший умер.

Как оказалось, отец уже знал обо всем. Когда он прошел прямиком к кофеварке, весь его вид выказывал нетерпение. Седые волосы были аккуратно причесаны, щеки побледнели. Разочарование сделало его еще старше.

— Звонил Малькольм, — объяснил Майкл, наливая кофе в чашку. Малькольм Харт был главным хирургом и его давним другом. — Похоже, у нас проблемы.

— Малькольм еще что-нибудь знает? — спросила Дебора.

— О причинах смерти? — Отец отхлебнул из чашки. — Нет. Вдова не разрешает делать вскрытие. Она не хочет, чтобы оскверняли тело ее мужа. В конечном счете, ее мнение не имеет значения. По закону вскрытие обязательно в случае насильственной смерти. Она просто тормозит ход дела.

— Разве она не хочет узнать, отчего он умер?

Майкл пожал плечами и сделал еще глоток.

— Но раз она собирается подавать в суд, ей необходимо знать точную причину смерти, — рассуждала Дебора. — Если только нет какой-либо причины, о которой она знать не хочет. Или не хочет, чтобы узнали мы.

— Например? — спросил Майкл, и в этот момент Дебора ощутила благодарность к Холу.

— Например, алкоголь или наркотики. Мы будем настаивать, чтобы сделали анализ и на то, и на другое.

На отца это, похоже, не произвело впечатления.

— На твоем месте, — сказал он, глядя в чашку, — я бы подумал о страховке. Ты уверена, что ее хватит на компенсацию, которую потребует вдова?

— Да. — Страховка была одной из статей расходов, на которые Грэг не жалел денег.

Майкл вздохнул и покачал головой.

Дебора знала, он думает, что это станет большим пятном на репутации семьи. Не желая услышать эти слова, Дебора сказала:

— Это один из тех случаев, когда я сделала бы все, чтобы повернуть время вспять.

— И как бы ты поступила? — довольно мягко спросил отец, опустив чашку. — Что бы ты изменила?

Ей не следовало пускать Грейс за руль в такую погоду. Ей никогда не следовало пускать Грейс за руль. Но сказать об этом отцу и не сказать полиции значило сделать его соучастником. А это было так же нечестно, как и поступок Хола по отношению к ней.

Поэтому Дебора сказала:

— Ехала бы еще медленнее. Возможно, надела бы очки.

Майкл, похоже, испугался.

— Ты была без очков?

— Я не обязана их надевать. В моем водительском удостоверении нет предписания. — Она носила слабые очки, иногда надевала их, чтобы посмотреть фильм, не больше.

— Разве в такую ночь не нужно соблюдать все предосторожности?

— Теперь я понимаю, что нужно.

— Твоя мама надела бы очки.

Это был удар ниже пояса.

— Она когда-нибудь попадала в аварию?

— Нет.

Но у Деборы были другие сведения. Чувствуя неудовлетворение, скорее даже злость, она сказала:

— Проверь ее личную чековую книжку. Год, когда я вышла замуж. Найдешь чек, который она выписала на несколько тысяч долларов для автомастерской Руссо. Когда мама ехала по Западной улице Вязов, то отвлеклась на что-то на пассажирском сиденье и зацепила припаркованную машину.

Отец скорчил гримасу.

— Этого не может быть. Я бы знал.

— Ее машине все равно нужен был техосмотр. Она все равно отогнала бы ее в мастерскую. Спроси Донни Руссо.

— Твоя мать никогда бы мне не солгала.

— Она и не лгала. Она просто не сказала всей правды.

— Зачем ей это?

Дебора вздохнула и осторожно ответила:

— Потому что тебе нужен идеал, а мы не всегда ему соответствуем. Разве мама меньше заслуживает любви из-за того, что зацепила машину? Я была очень расстроена, когда сбила мистера МакКенну, и просто раздавлена сейчас, когда он умер. Но это был несчастный случай. — Дебора вдруг почувствовала, что сейчас расплачется. — В этом никто не виноват, но я, похоже, единственная, кто это говорит. Я твержу это своей дочери, сыну, Холу, полиции, бывшему мужу, тебе. И было бы очень мило, если бы хоть кто-то сказал это мне. Потому что, как ни странно, папа, я не железная. У меня есть чувства. И именно сейчас мне нужна поддержка.

Дебора не хотела срываться. Но она не извинилась.

Майкл странно смотрел на нее.

— Ты рассказала мне о своей матери, чтобы я не сердился на тебя?

— Дело не в том, что ты сердишься. Дело в понимании.

— Тогда пойми вот что, — сказал он и поставил чашку. — Я любил твою мать. Я был женат на ней сорок лет, и за это время у меня ни разу не было причины в ней усомниться. Похоже, ты пытаешься свалить вину на нее и на меня, чтобы выйти сухой из воды. Ты убила человека, Дебора. Может, лучше смириться с этим?

Эта атака сбила Дебору с толку, и она слишком долго формулировала свой ответ. Что она могла ему сказать? Почему для пациентов его сострадание было безграничным, а для нее не оставалось ни капли? Ответ был известен: она — член его семьи, а от семьи требуешь большего.

* * *

Требования пациентов всегда неизменны. Семейные врачи не болеют, не берут длительный отпуск, не уходят по средам раньше, чтобы поиграть в гольф или, как в случае Деборы, посидеть с Грейс. Среда Деборы бесконечно тянулась между десятью приемами в офисе и четырьмя вызовами на дом. Последней пациенткой, которая ждала ее в офисе, оказалась Карен Труттер.

— Если гора не идет к Магомету… — сказала подруга с легкой улыбкой. На ней была спортивная одежда, достаточно стильная, чтобы сочетаться с бриллиантовыми сережками-гвоздиками, которые ей подарил муж и которые она никогда не снимала.

Дебора закрыла дверь и посмотрела на Карен. Забота, которой они обменивались на протяжении восемнадцати лет, вернула ее к жизни.

— Извини, — наконец сказала Дебора, пересекая небольшое пространство, чтобы обнять подругу. — Ты заслуживаешь большего.

— Ты занятая женщина.

Дебора отодвинула стул и присела.

— Эта женщина бегала, пытаясь сделать столько, сколько возможно, пока не случилось непоправимое.

— Это был несчастный случай.

— Спасибо. Но только… — Дебора понимала, что даже если не думать о том, кто именно был за рулем, важен сам факт обмана. То, что Карен ничего об этом не знала, еще больше усложняло ситуацию.

— Даниель говорит, что Грейс не было в школе.

— Как я могла ее заставить? — спросила Дебора. — Она просто сама не своя.

— Возможно, ей нужна консультация специалиста?

— Нет. Только время. Прошло еще слишком мало времени. Ты что-нибудь слышала о похоронах?

— Похороны состоятся в пятницу после обеда. Здесь в городе.

— Здесь? — Дебора была разочарована. Она надеялась, что похороны будут далеко отсюда. — Странно. Мистер МакКенна прожил в Лейланде не очень долго.

— Занятия отменят, чтобы ученики могли прийти на похороны. А в пятницу вечером в школе будет поминальная служба. Хол помог тебе сегодня утром?

— Сколько смог. Еще слишком многое остается неизвестным. У меня все внутри переворачивается, когда я думаю об этом.

— Джон Колби не будет тебе ничего предъявлять, — сказала Карен. — Он знает, что ты значишь для этого города.

— Это может обернуться против него, — заметила Дебора. — Он уже получил предупреждение насчет своей необъективности. Именно из-за того, кем я являюсь для этого города, он, возможно, будет ко мне более строг.

— Почему?

Но Деборе не хотелось опять перечислять возможные обвинения.

— Пусть Хол тебе расскажет. С его стороны было очень мило встретиться со мной.

— Почему бы нет? Он любит тебя.

Во второй раз за сегодняшний день при упоминании о Холе Труттере Дебора почувствовала себя обманщицей.

Карен нахмурилась, видимо, собираясь сказать что-то еще, и на секунду Дебора испугалась, что Хол рассказал жене о своих чувствах. Потом Карен закрыла рот, прокашлялась и тихо сказала:

— Вообще-то я здесь по делу. У меня уже две недели жутко болит локоть. Ты говорила, что я должна сообщать тебе, если что-то долго меня беспокоит.

— Жутко болит? — переспросила Дебора, сразу заволновавшись. — Какой локоть?

Когда Карен протянула правую руку, Дебора взяла ее и начала нажимать пальцем.

— Болит?

— Нет.

— Здесь?

— Нет.

Чтобы исключить перелом, она нажала еще в нескольких местах, стараясь не причинить подруге боль.

Оставив в покое локоть, Дебора осмотрела запястье, подвигала его в суставе. Это заставило Карен вскрикнуть. Когда Дебора повторила движение, Карен опять запротестовала. Дебора еще раз осмотрела локоть, на этот раз обращая особое внимание на боковое сухожилие.

— Здесь, — сказала Карен, шумно вдохнув.

Дебора села.

— Сколько раз на этой неделе ты играла в теннис?

— Каждый день, но…

— Это не праздное любопытство. Карен, у тебя «локоть теннисиста».

— Женщины в моей команде не получают подобной награды.

Дебора облегченно хихикнула.

— У тебя воспаление локтевого сустава, вызванное игрой в теннис.

— Но я уже пять лет играю каждый день. Почему же вдруг появилась боль?

— Потому что ты играешь каждый день в течение пяти лет.

— Я думала, что-то с костью. Ну, знаешь, правая грудь, правая рука…

Дебора прервала ее.

— Знаю, дорогая. В прошлом году были ребра, в позапрошлом — плечо. Это происходит каждый год.

Карен моргнула.

— Каждый год?

— Ну, последние три года. Сколько прошло после мастэктомии*, шесть лет?

Карен сглотнула.

— Ага. Но страх все еще остался.

— Страх будет всегда. Поэтому ты приходишь ко мне на прием.

— Но если причина психосоматическая, почему я ощущаю боль?

— Ох, Ка. Это не психосоматика. Повреждение настоящее. У тебя воспалено сухожилие на внешней стороне локтя. В другое время года ты просто не обратила бы на это внимания. Причина во времени года.

— Но я же не напоминаю себе сознательно, что приближается годовщина.

— Это необязательно. Твое подсознание и так все помнит.

Похоже, Карен наконец-то расслабилась.

— Локоть теннисиста? Ты уверена?

— Девяносто девять процентов.

— И не нужно делать рентген?

---

* Удаление грудной железы. (*Здесь и далее примеч. пер.*)

— Нет, если ты возьмешь на пару дней больничный, будешь прикладывать к руке лед и принимать противовоспалительное. Если не наступит улучшение, сделаем снимки.

— Ты думаешь, с моей стороны было глупо бежать сюда?

— Вовсе нет, — возразила Дебора. — Я сама говорила, чтобы ты приходила. Ты перенесла рак груди, и врачам приходится относиться к тебе со всей серьезностью. И поверь мне, я так и делаю. Воспаление сухожилия произошло по другой причине, но я понимаю твое беспокойство.

— Ты единственная. Я не могу говорить об этом с Дани. У нее свои страхи.

— А Хол?

— Он не хочет слушать. Начинает нервничать. — Она закусила нижнюю губу, прежде чем выпалить: — По крайней мере, я всегда так думала. Дебора, я должна тебя кое о чем спросить. Как ты думаешь, у Хола когда-нибудь кто-то был?

Дебора спокойно переспросила:

— Ты имеешь в виду любовницу?

Карен кивнула.

— Мне позвонили в понедельник вечером. Какая-то женщина. Она спросила, знаю ли я, где мой муж.

Дебора широко раскрыла глаза.

— А ты знала?

— Я знала, где он должен был находиться. Он должен был находиться на работе. Но что-то в ее голосе говорило, что, возможно, его там нет.

— Ты поинтересовалась, кто она?

— Нет. Я повесила трубку.

— А номер определился?

— Высветилось «номер неизвестен». Хол пришел домой на час позже. Сказал, что был на встрече. Но он насквозь промок после дождя. Я бы заметила, если бы его встреча прошла в постели номера «люкс» и он приехал домой сразу после душа.

— О Карен.

— Это не первый раз.

— Она звонила раньше?

— Однажды, пару месяцев назад. Голос показался мне знакомым. Потом я поняла: мне так показалось из-за того, что я слишком часто вспоминала тот звонок. — Карен теребила одну из своих бриллиантовых сережек. — Ну? Как ты думаешь, Хол смог бы?..

«Конечно нет», — хотелось сказать Деборе, но это было бы неправдой. И без того чувствуя себя предательницей, она пробормотала:

— Я думаю, он относится к тому типу мужчин, на которых женщины обращают внимание. Возможно, кто-то из офиса к нему неравнодушен, а поскольку шансов на взаимность нет, она в отместку звонит тебе и надеется, что ты устроишь Холу допрос.

— Я ничего не спрашивала у него. Он бы очень расстроился, если бы узнал, что я ему не доверяю.

— Может, он хотел бы знать об этом звонке. Чтобы поговорить с той, кто это делает.

— Нет, нет. Я просто поделилась с тобой. — Протянув здоровую руку, Карен нежно погладила подбородок Деборы. — Ты права. Это была женщина, которая хотела бы, чтобы Хол был свободен, а это не так. — Она широко улыбнулась. — Видишь? Ты помогла мне сегодня дважды. — Она провела по волосам Деборы, убрав несколько выбившихся прядей. — Знаешь, тебе очень идет эта стрижка. Когда я вспоминаю о тебе, то мысленно представляю тебя с длинными волосами. Так ты выглядишь более раскованной.

— Мне все время кажется, что у меня на голове беспорядок.

— В этом есть какой-то вызов. Это новая ты, Дебора.

Дебора отступила. Новая Дебора была обманщицей.

— Вызов, да? Мой отец говорит, что это непрофессионально.

— Отлично. Пусть лечит свой артрит у кого-то другого, — посоветовала Карен, потом помолчала. — Как он относится к аварии?

Дебора ничего не ответила.

— Значит, плохо, — догадалась Карен.

Ощущая ту же боль, что и сегодня утром, Дебора бросилась его защищать:

— Честно говоря, у него сейчас непростой период в жизни.

— Он все еще тоскует по твоей матери?

— Очень.

— Ты тоже.

— Но ему сложнее. Он возвращается в пустой дом. Они были родственными душами, всегда были вместе. По вечерам, на выходных он просто не знает, чем себя занять.

— Он мог бы помогать в кондитерской. Рут там очень нравилось.

Дебора фыркнула.

— Папа ни за что не признается, что это так. Он никогда не любил кондитерскую. — Она подумала, изменится ли его отношение, когда там появится его внук.

— Он мог бы отвезти Дилана на рыбалку, — предложила Карен.

Они уже обсуждали это раньше. Рыбалка определенно была подходящим вариантом для мальчика с дальнозоркостью. Дилан отличался усидчивостью, любил подумать и, поскольку далеко он видит хорошо, мог бы наслаждаться видом. Возможно, ему даже удалось бы насадить наживку на крючок.

— Я уже предлагала, — сказала Дебора, — но у папы всегда находится список неотложных дел, которые ему необходимо выполнить.

— Они действительно неотложные?

— Некоторые — да. А некоторые — просто отговорки.

— Отправляй его на вызовы несколько раз в неделю. Почему только ты должна нестись в больницу посреди ночи?

— Я не должна. Мне нравится, особенно с постоянными пациентами. В таких случаях я лучше всего чувствую себя в роли доктора. У папы уже прошел период, когда это необходимо.

— Возможно, именно поэтому ему это нужно. Может, он забыл, как это.

— Может, — согласилась Дебора. — Но дело не в том. Я уже и не помню, когда меня последний раз вызывали посреди ночи.

* * *

Как и следовало ожидать, после таких слов Дебору в три часа ночи вызвали в больницу. Пациенткой была женщина двадцати семи лет, которая дважды за последние несколько недель приходила с жалобами на боли в животе. В первый раз ее осматривал Майкл, во второй — Дебора. В обоих случаях анализ крови не показал никаких изменений, и, следовательно, не было оснований предполагать аппендицит.

Сейчас же женщина, похоже, обезумела от невыносимой боли. У нее был жар, и ее рвало.

Дебора быстро оделась, разбудила Грейс, чтобы предупредить о своем уходе, и отправилась в больницу. Она подъехала туда одновременно с пациенткой, которую привез перепуганный муж. Деборе удалось помочь им быстро пройти в отделение «скорой помощи» и сдать необходимые анализы. Потом она соединила их с хирургом, который должен был делать операцию, проводила женщину наверх и немного посидела с ее мужем. Потом решила найти докторов, которые тоже приехали сегодня на вызов.

Одна из них, Джоди Райд, наблюдала за состоянием своего пациента после операции. Она присоединилась к Деборе в холле.

— Хочешь узнать о Кельвине МакКенне, — догадалась она, жестом приглашая Дебору к ближайшему компьютеру. Включив его, Джоди махнула рукой, показывая на экран. Там был отчет лаборатории. Дебора сразу же выделила одно слово.

— Коумадин? Я не знала, что мистер МакКенна его принимал.

— Мы тоже не знали, а я была здесь, когда его привезли.

— На нем не было медицинского браслета с предупреждением?

— Нет. Ни кошелька, ни документов, ничего. И к тому же он не разговаривал. Мы специально спросили его о том, какие лекарства он принимал, и о наличии аллергии, но мистер МакКенна не ответил. От его жены тоже помощи не было. Она только качала головой, когда мы спрашивали. Ни слова о состоянии сердца, ни намека на то, что пациент принимает антикоагулянт вроде коумадина.

— Но ведь на упаковке есть специальное предупреждение, — не сдавалась Дебора, — «Сообщите своему врачу». Как она могла не знать?

— Неизвестно. Но это объясняет, почему у мистера МакКенны произошло кровоизлияние.

Дебора не могла поверить. Они с отцом давали пациентам, принимающим препараты наподобие коумадина, специальные карточки, которые следовало носить в бумажнике. Но это помогало, только если пациент всегда имел при себе бумажник.

— В крови еще что-то было? Наркотики? Алкоголь?

— Нет. Только коумадин.

6

— С юридической точки зрения это значит, — объяснил Хол, когда Дебора позвонила ему на рассвете, — что есть обоснованные сомнения в том, что его смерть наступила в результате аварии. Это хорошая новость, Дебора. Да, я надеялся, что он был мертвецки пьян. Тогда я сказал бы, что он не мог ровно идти, его занесло под машину и он сам стал причиной аварии. Но коумадин увеличивает наши шансы. Это значит, есть нарушения с его стороны и его жена не предупредила врачей в больнице об угрозе кровотечения. Что ты об этом думаешь?

— Как врач? — спросила Дебора. — Думаю, что это очень печально. Это была случайная смерть. Как жена, я в замешательстве.

— Бывшая жена, — вставил Хол.

— Если бы мой муж принимал какие-либо серьезные препараты, — продолжала Дебора, игнорируя его замечание, — я бы постаралась, чтобы любой врач, который будет его лечить, узнал об этом в первую очередь.

— А что ты чувствуешь как водитель машины, которая сбила мистера МакКенну? Облегчение?

Она на минуту задумалась.

— Нет. Умер человек.

— Но ты здесь ни при чем.

— При чем. Его сбила моя машина. С этого все началось.

— А разве кровотечение не могло произойти без аварии?

— Ты имеешь в виду, — сухо спросила Дебора, — не могло ли у него случайно случиться кровотечение через день после полета в воздухе от столкновения с машиной и удара о дерево?

— Именно это я и имею в виду, — ответил Хол как ни в чем не бывало.

— Подозрительное совпадение.

Он настаивал:

— Ты врач. Говоря медицинским языком, такое возможно?

— Я не травматолог.

— Дебора!

— Да. Это возможно.

Он вздохнул.

— Спасибо. — Удовлетворенный допросом, Хол заискивающе добавил: — А вы очень щепетильны, Дебора Монро.

— Именно так, — в тон ему ответила Дебора. — Особенно когда речь идет о том, как поступить. Можно тебя кое о чем спросить, Хол?

— Все, что угодно, дорогая.

— Ты говорил, что мог бы завести со мной роман. А другие женщины у тебя были?

Последовало молчание, потом Хол изумленно произнес:

— Это еще что за вопрос?

— Он мучает меня с тех пор, как ты впервые об этом заговорил.

— Ты обдумываешь мое предложение?

— Конечно нет.

— Тогда почему ты меня сейчас об этом спрашиваешь? — Хол опять стал сама деловитость. — Я лучший адвокат, которого ты сможешь найти, и, если дело дойдет до суда, даже не возьму с тебя денег за свои услуги, а это немаловажно. Кстати, я разговаривал с Биллом Спеллингом. — Билл был главным редактором местной газеты. Дебора лечила его детей с рождения. — Он не будет упоминать имени Грейс в сегодняшней заметке. Вот что я делаю для людей, которых люблю.

* * *

— Коумадин? — осторожно повторила Грейс, когда Дебора произнесла это слово.

— Это препарат для разжижения крови, часто используется после сердечных приступов, — объяснила Дебора. — Он предотвращает образование тромбов, которые могут стать причиной еще одного сердечного приступа или инсульта.

От кухонной двери послышался перепуганный вопрос Дилана:

— У папы был инсульт?

Дебора не слышала, как он подошел.

— Нет, — мягко ответила она. — У папы не было инсульта. Это лекарство принимал мистер МакКенна. — Она притянула Дилана к себе. — Препараты для разжижения крови также могут стать причиной сильного кровотечения, — сказала она Грейс. — Вполне вероятно, что именно это стало причиной кровоизлияния у мистера МакКенны. Если бы врачи в отделении «скорой помощи» знали, что он принимает это лекарство, то, возможно, смогли бы предотвратить его смерть.

— Как?

— Нейтрализовали бы действие антикоагулянта другими лекарствами. Более тщательно наблюдали бы за ним.

Дилан поднял на мать широко раскрытые глаза:

— Мой врач тщательно за мной наблюдает.

— Это совсем другое, дорогой. Твой доктор наблюдает за твоими глазами, чтобы удостовериться в правильности предписаний. В твоем заболевании нет ничего хоть отдаленно угрожающего жизни.

— А что, если состояние роговицы будет ухудшаться, а никто кроме меня об этом не узнает? Что будет тогда?

Деборе стало дурно. Очки исправляли его дальнозоркость. Проблема с роговицей не имела к этому никакого отношения, и вылечить ее можно было только с помощью пересадки.

— Ты чувствуешь, что что-то изменилось?

— Нет. Но если бы изменилось?

— Ты бы сказал мне, и мы пошли бы к врачу. Ты действительно что-то чувствуешь? — спросила она еще раз, потому что речь шла не о дерматите, который сразу заметен на коже, и даже не о воспалении уха. Она не могла видеть, что происходит с его роговицей.

— Нет, но если бы мы не сказали врачу? Что бы произошло?

— Ты бы просто не смог хорошо видеть.

— Я бы ослеп?

Дебора наклонилась ближе.

— Сынок, все стало еще больше расплываться?

— Я просто спрашиваю, мама. Я бы ослеп?

— Нет. Мы уже говорили об этом. Во-первых, решетчатая дистрофия роговицы у тебя только на одном глазу. Во-вторых, как только ты перестанешь расти, мы навсегда устраним эту проблему.

— Мама, — резко перебила ее Грейс, — зачем мистер МакКенна бегал, если у него были проблемы с сердцем?

Дебора посмотрела на Дилана, которого ее ответ, похоже, не совсем удовлетворил, потом повернулась к Грейс:

— Люди со слабым сердцем всегда бегают. Очень важно заниматься спортом.

— Как ты в спортзале? — спросил Дилан. — А папа чем занимается?

«Папа расхаживает по комнате взад-вперед», — хотела сказать Дебора, но это, конечно, было не так. Сбежав от корпоративной жизни, он больше не расхаживал.

— Йогой, — ответила она. Дебора могла даже пошутить на этот счет — настолько это не вписывалось в новый образ Грэга, — но в силу йоги верила. Она бы хотела, чтобы Грейс тоже попробовала. Техники расслабления могли бы решить ее проблему с обкусыванием ногтей.

Дебора осторожно убрала руку дочки ото рта, но не была уверена, что Грейс это заметила.

— Думаешь, у мистера МакКенны был сердечный приступ, когда он выбежал на дорогу? — спросила девочка. — То есть, возможно, он не соображал, что делает, или потерял ориентацию и пытался попросить о помощи?

— Врачи не нашли ничего, что указывало бы на проблемы с сердцем.

— И что для нас значит тот факт, что он принимал коумадин?

— Это значит, — сказала Дебора, обрадовавшись надежде, появившейся в голосе дочери, — что в его смерти не было нашей непосредственной вины.

***

— Коумадин? — переспросил отец за утренним кофе. И только тогда посмотрел ей в глаза. Его глаза были красными, и он выпил пару таблеток аспирина, прежде чем приступить к кофе. Бутылка виски в кабинете — новая бутылка, вероятно, открытая вчера вечером — была нейтрализована третьей таблеткой. Хотя это очень беспокоило Дебору, проблема ее собственного спасения была более насущной.

— В больнице с облегчением вздохнули, — сказала она. — И теперь вопрос не в том, почему мистер МакКенна умер, а в том, почему никто не знал, что он принимал этот препарат. Все нужные вопросы были заданы, но ответа не было. Пациент не разговаривал, а его жена ничего не сказала о коумадине. Она не назвала даже имени доктора, у которого наблюдался мистер МакКенна.

— Коумадин нельзя купить без рецепта. Кто-то его назначил. Миссис МакКенна должна знать, кто это сделал. Если, конечно, этот парень ничего от нее не скрывал, как, по твоим словам, это делала моя жена.

Это обвинение застало Дебору врасплох. Она неуверенно произнесла:

— Я сказала тебе это только потому, что ты воздвиг маму на пьедестал, которого никто из нас не может достичь. Она была человеком. А люди ошибаются.

— Она умерла. И ничего не может сказать в свое оправдание.

— Мама не оправдывалась бы, папа. Она бы во всем призналась, и ты сразу бы ее простил. Поэтому я признаюсь. Я попала в аварию, о которой очень сожалею. Я хотела бы быть идеальной дочерью для тебя. Но я не идеальна.

— Ладно тебе, Дебора, — проворчал Майкл. — Разве я когда-нибудь требовал, чтобы ты была идеалом?

— Может, ты и не говорил этого прямо, но у тебя высокие требования. Возьмем к примеру Джил. Она не соответствует твоим стандартам, но она любит то, чем занимается, папа. Правда, у нее отличный бизнес. Разве ты не можешь как-то заехать и просто… посмотреть? Или Дилан. Возможно, он и не суперспортсмен, но он был бы в восторге, если бы ты пришел на его игру.

— Я приду. Приду.

— Он играет сегодня после обеда.

— Сегодня не смогу. В другой раз.

Дебора знала, сколько было записано пациентов, и не понимала, почему сегодня «не смогу». Но вопрос мог бы разозлить Майкла.

— А как насчет Джил? Она бы обрадовалась, если бы ты заехал. Ты бы видел, сколько людей стоит в очереди…

— Сейчас, — прервал ее Майкл, — меня больше беспокоишь ты, чем твоя сестра. Ты говорила Холу о коумадине?

— Хол обрадовался. Ему кажется, что дело можно повернуть так, что причиной смерти будет выступать не моя машина, а лекарство.

Майкл внимательно изучал свою чашку.

— Это может меня оправдать, — сказала Дебора. — Я знала, что у мистера МакКенны не было смертельных повреждений, когда осматривала его. По крайней мере, теперь я понимаю, почему он умер. — Не дождавшись ответа, она добавила: — Хол все время на связи с полицией.

Майкл поставил чашку.

— Это хорошо. Он будет в курсе событий. Чем больше ответов мы получим, тем лучше. Половина пациентов, которых я вчера принимал, спрашивали об аварии, а ведь местная газета еще не вышла.

* * *

В полдень газета продавалась на всех углах городка. Дебора увидела ее во время обеденного перерыва на столе в маленькой офисной кухне.

Статья была не такой плохой, какой могла бы быть. Ее напечатали на первой странице, но внизу. А это значило, что она будет не первым, что прочтут люди. К несчастью, в таком маленьком городке как Лейланд большинство жителей читают местную газету от корки до корки.

Статья была посвящена Кельвину МакКенне: когда и почему он приехал в Лейланд, где жил со своей женой, что преподавал. Учителя отмечали, что он был интеллектуалом, отзывались о нем как о человеке, который и во время обеда в кафетерии читал книги по истории. Ученики говорили о том, насколько умным он был. Все выражали восхищение его способностями, но никто ни разу не сказал «любимый учитель».

Корреспондент сжато изложил события того вечера — короткая и сухая хроника. Деборе хотелось бы, чтобы упомянули тот факт, что ее машина ехала на скорости намного ниже ограничения, по своей полосе. Но в тексте просто сообщалось, что превышения скорости не было и в суд никого не вызывали. Что же касается похорон, все было так, как говорила Карен.

Никаких слов вдовы. Ни — спасибо совету Хола — слов Деборы.

Лучшим в статье было то, что имя Грейс нигде не упоминалось. Худшим — что весь мир увидел в ней имя Деборы, а значит — ложь росла.

* * *

Грейс думала, что умрет. Ее друзья никогда не читали местную газету. По крайней мере, не на уроках. Но поскольку умер мистер МакКенна, сегодня, как и следовало ожидать, все было иначе. Она даже не знала, где они брали газету, но куда бы Грейс ни повернулась, у кого-то был экземпляр.

— Ничего страшного, — заметила Мэган, дочитав статью до конца и шурша страницами. — Здесь даже не сказано, что ты была в машине.

Но, по мнению Грейс, это не имело никакого значения. Теперь весь город знал, что это их машина сбила мистера МакКенну. Полшколы останавливало девочку в холле с глупыми вопросами вроде: «Ух ты, это твоя мама его сбила? Слышишь, а она знала, что это он? А когда ты об этом узнала? А ты чувствуешь себя виноватой?»

Единственный человек, с которым можно было бы поговорить, это Даниель. Но была одна проблема — как могла она сказать Даниель неправду? А если сказать правду, это может повредить маме.

Поэтому Грейс сбросила звонок Даниель так же решительно, как и звонки остальных друзей, и отправилась на следующий урок, опустив голову, хоть это и не мешало людям обращаться к ней. Во время обеденного перерыва Грейс пришлось отбиваться от такого количества вопросов, что в конце концов она взяла свой поднос, так и не поев, выбросила содержимое в мусорное ведро и просидела в женском туалете до звонка.

Но тогда начали приходить текстовые сообщения. Во время уроков запрещено было посылать сообщения, но все всегда это делали. Нарушали правила, и никто не обращал на это внимания. *Они* нарушили правила, и никому не было до этого дела.

Грейс выключила телефон.

На тренировке было еще хуже. Вопросов было столько, что тренер принял гениальное решение и попросил ее сделать короткое заявление. А что она могла сказать? «Это был ужасный вечер — видимость нулевая — нам теперь очень плохо». Только слова. Они даже приблизительно не передавали того, что она чувствовала. А чувствовала она себя обманщицей. Но не было никакой возможности сказать правду и не выставить обманщиками маму, дядю Хола, полицию, корреспондента из газеты и всех остальных, кто рассказывал о случившемся в тот вечер.

Сегодня она бегала неважно. Первую дистанцию пробежала плохо, вторую еще хуже. А восемьсот метров — свой конек — настолько жалко, что тренер отпустил ее прежде, чем она добежала дистанцию.

Грейс наполовину дошла, наполовину добежала до кондитерской. Телефон все еще был выключен, и она скрылась в тетином кабинете, пока все — из школы, просто все, кого она знает и кто может начать задавать вопросы, не уйдут домой. Она бы сидела здесь до маминого прихода, если бы не проголодалась. Грейс жадно проглотила булочку и два морковных пончика, запила это все эспрессо, который сама сделала, когда тетя не видела. Дело было не в эспрессо. Просто Джил терпеть не могла, когда племянница пила кофе вообще и точка. Но если сегодня еще нужно до ночи делать домашнее задание и учить новые слова, то как обойтись без кофеина?

Девочка чувствовала себя виноватой за то, что действует за спиной Джил, — но не настолько виноватой, чтобы не выглянуть и, прежде чем выйти, не удостовериться, что никого знакомого за прилавком нет. Она осмотрелась, думая, чем помочь тете. До закрытия осталось меньше часа, людей в магазине не было, и остальные работники ушли. Дилан уже вытирал столы, что обрадовало

Грейс, поскольку она терпеть не могла эту работу. Ей нравилось сверять чеки по кредитным картам, но Джил делала это сама. Поэтому девочка начала складывать на поднос оставшуюся выпечку. Присев за витриной, она спряталась от тех, кто мог войти.

Грейс поглядывала на дверь. Дилан делал то же самое, бросая обеспокоенные взгляды между взмахами тряпкой, но у него были на то свои причины. В пять у него бейсбольная игра, и он переживал, что мама опоздает. Он уже надел форму и три раза спрашивал Джил, отвезет ли она его на стадион, если Дебора не приедет вовремя. И дважды спросил Грейс, пойдет ли она смотреть игру, если мама не сможет.

Грейс изо всех сил хотела этого избежать. Она просто не смогла бы стоять у всех на виду, глядя, как кучка десятилетних мальчишек пытается ударить по мячу.

Ее уже начала охватывать паника, когда мама наконец приехала. И не из спортзала, как предполагала Грейс. На ней все еще была одежда, в которой она ушла на работу. Мама обняла Дилана, сжала локоть Джил и повернулась к Грейс. Присев рядом, Дебора тихо сказала:

— Я пыталась дозвониться тебе. Как прошел день?

— Хорошо. Пока не вышла газета, — ответила Грейс с неожиданной злостью. Да, злостью на маму. Ведь это Дебора начала этот обман. — Все ребята вытягивали шеи, чтобы посмотреть на меня. Я чувствовала себя преступницей.

— Они просто читали о мистере МакКенне. Не каждый день умирает учитель.

— Они читали о тебе, — возразила Грейс злым шепотом, — и если они не задавали мне вопросы, то смотрели на меня так, будто знали правду. Я еле выдержала тренировку. То есть я плохо пробежала, даже не добежала восемьсот метров, это вообще никуда не годится. Вся команда смотрела на меня.

— Ты выдумываешь.

— Нет, мама. Они смотрели и говорили о похоронах. Все пойдут. А мне что делать? Он был и моим учителем. Мне тоже идти?

— А ты хочешь?

— О боже, конечно нет, — прошипела Грейс. — Это было бы ужасно, быть там, зная… зная… — Она не могла выговорить это. — Но все остальные идут. Если я не пойду, это будет выглядеть ужасно. — Она поникла. — Становится все хуже и хуже, мама. Это просто… невыносимо. Если бы я все еще любила папу, я бы уехала к нему до конца учебного года, — произнесла девочка с угрозой, ожидая возражений. Грейс знала, как мама не любит, когда она говорит, что ненавидит отца.

Но Дебора смотрела сквозь стекло витрины на Дилана. Он перешел к следующему столу и стал вытирать его размашистыми медленными движениями. Хотя он стоял к ним спиной, по движениям головы можно было предположить, что он следит за своей рукой. Грейс достаточно знала о его глазах, чтобы обеспокоиться.

Она встала рядом с матерью, и в следующую минуту они наблюдали уже вдвоем. Потом Дебора подошла к Дилану и положила руку ему на голову. Он подпрыгнул от неожиданности.

— Все нормально, дорогой? — спросила она.

Он интенсивно закивал.

— Все в полном порядке.

— Ты очень близко рассматривал эту тряпку. Ты четко ее видишь?

Он покачал головой.

— Ты бы сказал мне, если бы видел ее расплывчато?

— Мама! Ничего не расплывается. Мы же скоро выезжаем, правда? — спросил он и встревоженно посмотрел на Грейс. — Ты ведь тоже едешь?

— О Дилан. Я не думаю…

— Ты должна поехать, — отчаянно прервал он. — Видишь? Вот почему тренер не выпускает меня на поле. Потому что моя семья не ходит на игру. Зачем ему меня выпускать?

— Погоди минуту, — сказала Дебора. — Я не пропустила ни одной игры. Разве я не семья?

— Одна маленькая часть. — Мальчик опять взглянул на Грейс и взмолился: — Пожалуйста, ну пойдем! — От этого сестре захотелось плакать, потому что она не могла отказать, когда он так на нее смотрел. Он был ее младшим братом с ужасно слабыми глазами, который так кошмарно играл в бейсбол, что больно было глядеть. Грейс не понимала, зачем родители разрешили ему играть.

Хотя нет, понимала. Они разрешили, потому что играть в бейсбол — это нормально, а родители хотели, чтобы он был нормальным. Они хотели, чтобы у него были друзья. Они хотели, чтобы он был обычным мальчишкой. Они хотели, чтобы он любил спорт.

— Еще пять минут, — сказала сыну Дебора и повернулась, чтобы он не увидел, как она одними губами попросила Грейс: — Пожалуйста, пойдем. Мы нужны ему.

— Как вообще кто-либо из нас может туда пойти? — прошептала Грейс, когда мама оказалась ближе. — Мы убили человека.

— Мы не…

— Разве это не будет выглядеть нехорошо, если мы там будем?

— Возможно. Но неужели у нас есть выбор? Ведь речь идет о Дилане. Разве можно наказывать его за то, что мистер МакКенна умер?

Грейс разрывалась на части.

— Ладно, — проворчала она. — Я поеду на игру, но не пойду на похороны. Я просто не могу этого сделать.

Когда они уходили, к ним присоединилась Джил.

— Вы пойдете на похороны? — спросила она Дебору.

— Я собиралась пойти, из уважения.

— Но ты же была за рулем машины, которая его сбила.

«Вот именно», — подумала Грейс.

— Разве это не причина, чтобы пойти? — спросила Дебора.

Грейс затаила дыхание. Обычно тетя была на ее стороне.

В этот раз Джил только нахмурилась.

— Для таких случаев должен быть свой этикет. Может, нужно спросить у Хола?

* * *

Дебора позвонила из машины. Хол отмел идею без малейших размышлений:

— Оставайся дома.

— Почему? — спросила Дебора уже с офисного телефона Джил.

— Потому что твое присутствие может расстроить вдову.

— Но ведь это же похороны. Будет полно людей. Я постою с краю. Она даже не узнает, что я там была.

— А ты не думаешь, что тебя увидят другие? Дебора, это быстро станет известно.

Это она понимала. После выхода местной газеты авария была новостью номер один. Если Дебора начнет прятаться после того, как самоуверенно разъезжала по городу, будет только хуже.

— Разве это так плохо? — спросила она. — Ты не разрешил мне разговаривать с прессой, но я ужасно чувствую себя из-за всего этого, Хол. Я же не специально переехала его. Я ведь живу не в городе с миллионным населением и знала этого человека. Я отвечаю за то, что произошло.

— Вдова может этим воспользоваться.

— Тем не менее моя машина сбила ее мужа. Пойти на похороны — это меньшее, что я могу сделать.

— Как друг, дорогая, я понимаю, — терпеливо ответил Хол. — Как твой адвокат советую тебе не ходить. Мы все еще не знаем, что собирается делать вдова. Твое появление может ее спровоцировать, и станет только хуже.

* * *

Дебора не спрашивала Хола насчет похода на игру младшей лиги, потому что не хотела, чтобы он запретил и это тоже.

Доставив Дилана на поле, они с Грейс встали вместе с другими семьями за боковой линией. Воздух становился прохладнее. Родители стояли плотными группками, кутаясь в пальто и куртки, что всегда мешало нормально разговаривать. С Деборой и Грейс все держались достаточно приветливо. Если бы люди считали, что Деборе здесь не место, они бы дали ей это понять.

Первые восемь подач Дилан просидел на скамье запасных. Наконец на девятой подаче, когда его команда выигрывала семь очков, тренер выпустил мальчика на поле. Дилан вышел на площадку, надевая сначала каску, затем очки. Он поднял биту и занял позицию. Он смотрел, как первый мяч пролетел высоко над его головой.

— Молодец, — выкрикнула Дебора, переживая, чтобы он не сдался. Когда вторая подача оказалась такой же, как и первая, а мальчик все ждал, она закричала: — Смотри, Дилан! Смотри!

— Его сейчас уведут, — пробормотала Грейс. Тут же третий мяч полетел через площадку. Дилан сильно размахнулся и не попал. Над толпой пронесся стон.

— Все хорошо! — закричала Дебора, хлопая в ладоши и пытаясь его подбодрить.

Грейс приставила руку ко рту:

— Следующая будет лучше, Дилан!

Это произошло на следующей подаче. На этот раз мяч летел низко. Дилан не шевельнулся.

Дебора молилась. Он мог ударить по мячу. Она знала, что мог. Он делал это с Холом на прошлых выходных, и хотя Хол подавал прямо на биту, мальчик был счастлив.

Счет был три — два. Дебора не знала, кто в кого вцепился сильнее: она в Грейс или наоборот, но теперь они обе кричали, возбужденные не игрой, а чем-то другим. Но это было не важно.

Подающий крепко взял мяч, размахнулся и бросил. Мяч ударил Дилана в плечо. Мальчик развернулся, на минуту растерявшись, потом отбросил биту и счастливый побежал на первую базу. Когда следующий нападающий выбил мяч, Дилан взял вторую базу, потом перешел на третью на одинарном ударе в правое поле. А когда лучший игрок команды вышел на площадку и сыграл двойной аут, Дилан выиграл очко.

Бежать не было смысла, поскольку команда соперников была закрыта, но Дебора не видела Дилана в таком радостном возбуждении последние несколько месяцев. Она была счастлива.

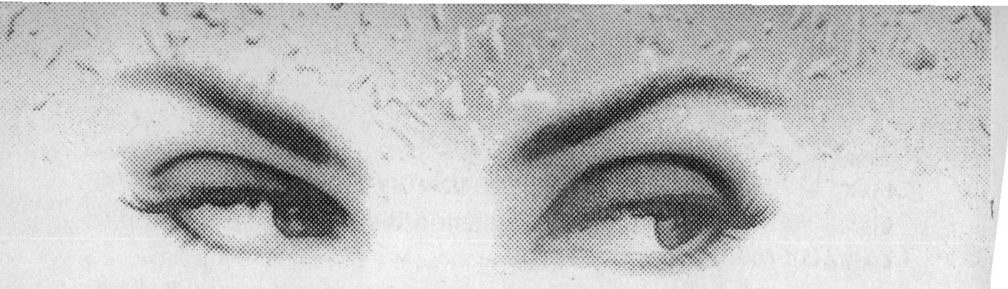

7

Эйфория продолжалась недолго. В пятницу утром Дебора проснулась с твердым намерением последовать совету своего адвоката. Она надела черную юбку, потому что это казалось уместным в печальный день. Меняя время приема пациентов так, чтобы освободить окно во второй половине дня, она говорила себе, что хочет прервать работу и почтить память Кельвина МакКенны. А когда неожиданно для себя уже ехала по дороге на кладбище, поклялась, что останется в машине.

Кладбище располагалось в южной части городка среди невысоких холмов, чьи контуры подчеркивали изгибы узких аллей. Оно было небольшим, поэтому во время многолюдных похорон вдоль аллей выстраивались ряды машин.

Дебора остановилась за последним автомобилем и стала наблюдать, как приехавшие на нем люди идут через лужайку. Спустя несколько минут не подъехала больше ни одна машина, и Дебора вышла и последовала за ними. Воздух был теплым и влажным. Серые грозовые тучи напомнили ей о грозе в понедельник. И перед глазами опять пронеслись события, которые привели сюда мистера МакКенну — Дебора вновь ощутила удар, услышала визг тормозов и опять пережила тот ужас. Она снова попыталась отыскать в памяти какое-то предзнаменование, которого не заметила, но видела только дождь.

Дебора шла по дорожкам вдоль могил. Поднявшись на вершину холма, она увидела внизу группу людей, пятно из серых и черных пальто, казавшееся еще мрачнее из-за отсутствия солнца. Священник стоял у гроба, украшенного единственным маленьким букетом белых цветов. Вдова, вся в черном, была рядом. Ее поддерживал мужчина, очень похожий на покойного. Дебора остановилась среди группок учеников. Ей казалось, все видели, что она приехала. Чувствуя себя неловко, она подошла ближе к могиле. Заметив, что вдова подняла голову, Дебора пошла быстрее в надежде затеряться среди скорбящих. Найдя место за группой учителей, она опустила глаза и стала слушать начало службы.

С минуту она ничего не слышала. Потом пронесся легкий шепот и перед ней началось оживленное движение. Она продолжала смотреть под ноги, пока крепкая рука не взяла ее за локоть. Подняв глаза, она с удивлением уставилась на мужчину, который минуту назад был рядом с вдовой. Высокий, темноволосый, он вежливо, но настойчиво вывел ее из толпы. Можно было подумать, что он провожает хорошего друга, если бы не слова:

— Вам нужно уйти. Миссис МакКенна не хочет, чтобы вы здесь находились.

Слишком ошеломленная, чтобы ответить, Дебора позволила провести себя через лужайку. Едва они дошли до ближайшей аллеи, как мужчина остановился между двумя высокими внедорожниками и отпустил ее локоть.

Скрывшись от глаз толпы, Дебора наконец сказала:

— Извините. Я не хотела ничего плохого.

Глаза мужчины были злыми, а лицо — мрачным.

— Но сделали. Один раз в понедельник вечером, а второй раз — сейчас. Так что, пожалуйста, идите, — он махнул рукой, — и уезжайте, чтобы мы могли похоронить его.

— Я не видела его в понедельник вечером. — Деборе отчаянно хотелось все объяснить. — Меня это очень мучает...

— Настолько, — перебил мужчина, — что вы наняли адвоката, у которого связи в полиции? Настолько, что заявились на похороны, чтобы заставить людей думать, будто вам небезразлично?

— Меня мучает, — прошептала Дебора, — мысль о том, что я несу ответственность за смерть человека.

Его ответ был резким:

— Вы превысили скорость? Красили губы? Разговаривали по телефону? А теперь надеетесь, что все обойдется, потому что вы всех в этом городе знаете? Кельвин МакКенна не был такой важной птицей, как вы. И теперь уже не будет. Поэтому если вы мучаетесь — это хорошо. — Мужчина кивнул в сторону могилы. — Вспоминайте его каждое утро и каждый вечер. Вы украли его будущее. Это вы во всем виноваты.

Он повернулся, быстро зашагал между машинами и скрылся из виду прежде, чем Дебора смогла ответить. Онемев от чувства вины и унижения, она пошла вдоль дороги к машине. Споткнулась о трещину в асфальте, но удержала равновесие и продолжила путь.

Дебора завела мотор и выехала с кладбища, но за воротами свернула с главной дороги, испугавшись, что ее сейчас вырвет. Съехав на обочину, она открыла дверь и, наполовину высунувшись, попыталась сделать глубокий вдох. Спустя некоторое время, почувствовав, что стало легче, она вернулась в машину и медленно поехала домой.

Ливия и Адинальдо уехали. Лужайка была аккуратно подстрижена, никаких следов фургона. На кухне в духовке ждал приготовленный Ливией обед. Дебора знала, что это что-то восхитительное. Что-то, чего она не смогла бы приготовить сама, даже если бы от этого зависела ее жизнь. Взяв из холодильника бутылку чая со льдом, она прошла в прихожую. Едва она успела поставить бутылку на нижнюю ступеньку, как в дверь позвонили.

Дебора не пошевелилась. У домашних были свои ключи, а больше она никого не хотела видеть.

Звонок повторился. Она посмотрела на бутылку. Поднесла ее ко рту. Потом остановилась и подумала о Грейс. Этим утром девочка вела себя очень тихо, даже с Диланом почти не разговаривала. Поскольку тренировку отменили из-за похорон, дочь собиралась провести вторую половину дня у Джил. Вдруг воображение нарисовало с десяток картин того, что могло произойти с Грейс по дороге от школы до кондитерской. Дебора вскочила со ступенек и открыла дверь.

Там стоял Джон Колби.

— Мне, э-э, поступил сигнал. Насколько я понял, на кладбище произошло нарушение порядка.

Дебора дала себе минуту, чтобы прийти в себя, потом спросила:

— Нарушение порядка? Я не уверена, что это можно так назвать. Он вел себя довольно спокойно. — Она отступила, приглашая Джона Колби войти, и закрыла дверь, как только начальник полиции оказался в прихожей. — Похоже, это был родственник?

— Брат. Том МакКенна. Он заезжал вчера, чтобы встретиться со мной. Хотел почитать полицейский отчет.

— Уверена, это ему удалось, — ответила Дебора и приложила холодную бутылку к виску. — Он переживает, что я выйду сухой из воды.

— Он вам как-то угрожал?

— Нет, — ответила она, махнув рукой. — Он просто хотел, чтобы я уехала. Я его почти понимаю, — добавила Дебора, несмотря на то что Хол запретил ей разговаривать с Джоном. Это было важно. — Джон, вы знаете мою семью. Мои родители ходили на похороны?

— Всегда.

Она кивнула.

— Если они имели хоть малейшее отношение к покойному, они приходили. Они считали, что это их долг как уважаемых членов общества. Мама заставила бы меня пойти туда сегодня. Она бы сказала, что так будет правильно. Поэтому я пошла. — Боль еще не утихла. — Слава Богу, Грейс со мной не было.

Джон одернул свою форменную рубашку.

— Как она?

Дебора махнула рукой.

— Не очень? — истолковал он.

— Сейчас трудный момент.

— И к тому же трудный возраст, — сказал он, хмуро глядя в пол. — Гормоны, давление друзей, ощущение, что ты взрослый, но не совсем. А вождение дает им свободу, с которой некоторые из них не в силах справиться. У Грейс есть разрешение на вождение автомобиля, ведь так?

Дебора подумала, не заподозрил ли Джон что-нибудь, и была рада, что может ответить честно.

— Да, но после случившегося она отказывается водить. Грейс так же как и я не видела этого человека на дороге. Она не знает, как можно было этого избежать, и не верит, что что-то подобное не произойдет опять. — Вдали прогремел гром. Дебора скрестила руки на груди. — Грейс расстроится, когда узнает о том, что произошло на кладбище.

— Она справится. Вы вырастили сильную девочку.

— Даже сильные девочки страдают, когда происходит что-то плохое. Она все еще переживает из-за развода.

— Что ж, у нее определенно сильный характер. Мы рассчитываем, что на завтрашних соревнованиях она займет призовое место.

— Не уверена. На этой неделе у нее неважно с бегом. — Дебора провела рукой по волосам. На голове беспорядок, как и в жизни.

— Я могу чем-нибудь помочь? — мягко спросил Джон.

У нее было несколько желаний, одно из которых — перевести назад стрелки часов и сделать так, чтобы в тот вечер она приехала за Грейс на пять минут позже. Пяти минут было бы достаточно, Кельвин МакКенна уже убежал бы.

Вернувшись к реальности, Дебора сказала:

— Мне нужны ответы. Вы могли бы побыстрее получить отчет окружной полиции?

— Я все время им звоню. Говорят, что отчет еще не готов. Слишком много работы. У меня там есть связи.

— А предварительный отчет? Например, где именно на дороге находился Кельвин, когда его сбили?

— Я стараюсь. Правда, стараюсь.

— Хорошо, — сказала Дебора, потому что верила Джону. — Тогда по поводу коумадина. Что-то еще известно?

— Пока нет. Я разговаривал об этом с вдовой. Никакого результата.

— Она не могла не знать, что у ее мужа были проблемы со здоровьем, — настаивала Дебора. — Кто-то же прописал коумадин.

— Она говорит, что ей неизвестно, кто это сделал. Но мы проверим.

Дебора вспомнила человека, который выдворил ее с похорон, и почувствовала злость.

— Спросите у брата покойного. Похоже, он умный парень. Возможно, он знает.

* * *

Может быть, это было дерзко и Деборе не следовало приходить на похороны без приглашения. Но поминальная служба в школе, которую проводили в тот же вечер, не была закрытой. Она имела право там присутствовать. И хотя часть ее после происшествия на кладбище хотела остаться дома, вторая стремилась заставить брата и вдову мистера МакКенны понять, что она считает нужным отдать дань человеку, который умер.

Дождь был с ней заодно. Как только Джон ушел, начался ливень и продолжался где-то час. Дебора в это время складывала одежду Дилана, из которой он вырос, под песни Боба Дилана, звучащие из его проигрывателя. К тому времени, когда она забрала детей из кондитерской, ливень стих, а после обеда совсем перестал.

Грейс была недовольна. Она совсем не хотела идти на поминальную службу. Но Дебора была непреклонна. Она сказала, что им необязательно приезжать туда заранее и что они смогут уехать, как только все закончится. Но выказать уважение хорошему учителю будет правильно.

К облегчению Грейс, зал освещался только стоящими впереди свечами, и когда они с мамой и братом проскользнули на задний ряд, никто их не увидел. Девочка слушала службу, все время думая, что она одна виновата в смерти Кельвина МакКенны. А рядом, выпрямив спину, сидела ее мать, которая *поступала правильно* и ожидала, что ее дочь тоже будет *поступать правильно*, а затем вырастет и станет такой же, как она.

Грейс не хотела быть врачом. Она мечтала стать невидимой. Как только служба закончилась, девочка выскользнула из зала.

— Грейс! Грейс, погоди!

Она успела пересечь холл, выйти из дверей школы и спуститься по ступенькам, прежде чем ее заметили. Даже не оглядываясь, девочка знала, что это был Кайл. Мама и Дилан пошли дальше, а она остановилась, опустив голову, и ждала.

— Грейс, — снова позвал он, догоняя ее. — Куда ты так спешишь?

Она подняла голову.

— Домой. Поминальная служба закончилась.

— Мы все идем к Райану. Ты сможешь пойти?

— Не сегодня.

— Без тебя все будет совсем не так.

Грейс бросила на Кайла испепеляющий взгляд.

— У меня нет настроения.

Увидев, что мама оглянулась, девочка медленно зашагала.

— Ты рассказала ей о пиве, да? — спросил Кайл.

— Нет.

— Ты врешь.

— Нет! — резко ответила Грейс. — Я не вру. Зачем мне врать?

— Черт, я не знаю, но всю неделю ты была какая-то странная. Что происходит?

Она пристально посмотрела на него.

— Мистер МакКенна умер.

— И мой дедушка тоже. Но я ничего не могу поделать, чтобы вернуть его. Я знаю, что ты была в машине, которая его сбила. Но это не *наша* вина.

— Я не говорила, что наша.

— Да, только потому, что у тебя не было такой возможности. Ты практически ни с кем не разговариваешь.

Грейс опять остановилась.

— Кайл, это тяжело. Понимаешь? Тяжело.

— Я все равно думаю, что дело в пиве, — сказал он, шагая впереди, повернувшись к ней лицом. — Это же не я придумал принести пиво. Стефи попросила. Как мама узнала?

— Она не знает, — стояла на своем Грейс. Обойдя Кайла, она направилась к парковочной площадке. — Дело в том, что я расстроена из-за смерти мистера МакКенны, а вам всем наплевать.

Кайл шел рядом с ней.

— Нам не наплевать. Мы же все были здесь сегодня. Мы бы заняли для тебя место, если бы ты сказала, что придешь. Но ты никому ничего не сказала.

— Я решила в последнюю минуту.

«Огромное спасибо маме».

— Так ты завтра будешь помогать мыть машины?

— Не могу. Завтра соревнования.

— Я знаю о соревнованиях, — сказал Кайл, — но они же до обеда. Нужно прийти помочь, хотя бы на час. Ты же помогала это все организовать. Заработанные деньги пойдут на поездку.

— Которая произойдет не раньше следующего года. Помою машины в следующий раз. — «Если не буду сидеть под домашним арестом или не схлопочу условный срок». Поездка с классом принадлежала к списку событий — так же как и получение водительского удостоверения или поступление в колледж, — которые Грейс воспринимала как должное. Мама могла защищать ее изо всех сил, но кто-то все равно узнает.

Девочка надеялась, что дождь не прекратится и она сможет не снимать капюшон куртки. А Дебора надеялась, что прекратится и ее волосы не будут торчать во все стороны. Угадайте, кто выиграл? Грейс ускорила шаг, чтобы поскорее укрыться в машине.

— А как же вечеринка у Ким? — спросил Кайл.

— А что такое?

— Она завтра вечером. Ты ведь пойдешь?

— Нет.

— Почему?

Грейс могла бы ответить, что ей это кажется не совсем приличным, ведь после смерти человека, которого они все хорошо знали, прошло так мало времени. Но это было полуправдой. Похоже, вся ее жизнь теперь была полуправдой.

Но девочка не собиралась говорить об этом Кайлу. Он бы передал ее слова всем остальным, и это только вызвало бы еще больше вопросов.

— Потому что я не хочу, — наконец ответила Грейс. Пробежав несколько оставшихся шагов до маминой машины, она забралась внутрь и громко хлопнула дверцей.

* * *

Чувствуя себя подавленной после службы и истощенной после бессонной недели, Дебора упала на диван. Когда зазвонил телефон, она резко поднялась, не понимая, где находится и что происходит. Только после второго звонка она сообразила, что ее разбудило, и схватила трубку.

— Алло? — хрипло сказала она.

— Грейс? — прозвучал неуверенный голос ее бывшего мужа, потом: — Дебора?

Она упала на подушку.

— Да, это я.

— Ты заболела?

— Нет, спала.

— Сейчас только половина одиннадцатого.

— У некоторых очень насыщенная жизнь, Грэг. У нас есть дети, о которых мы заботимся. Есть семья, о которой мы беспокоимся. И пожалуйста, не говори мне, что я работаю слишком много. У меня слишком много обязанностей.

— Это позволяет тебе быть стервой?

Она замолчала. Он был прав.

Смягчившись, уже другим тоном Грэг добавил:

— Тебе не обязательно работать. У тебя нет необходимости зарабатывать деньги.

— Дело не в деньгах.

Она прикрыла глаза рукой. Странно, раньше они с Грэгом всегда разговаривали в это время дня. Это был один из немногих периодов, когда он не беседовал по телефону и не сидел за компьютером. Тогда Дебора не обращала на это внимания. Сейчас это ее беспокоило.

— Хорошо, — сказал Грэг. — Я все пытаюсь дозвониться Грейс. У нее что-то с телефоном?

— Она его выключила. Не хочет ни с кем разговаривать.

— Ты имеешь в виду, со мной?

— После аварии она и со своими друзьями не хочет общаться. — Дебора потерла виски. — Грейс как черепаха спряталась в своем панцире.

— Плохо, — протянул Грэг. — И что ты планируешь предпринять?

Планируешь? Деборе хотелось рассмеяться. Не так давно она пришла к выводу, что планировать что-либо просто не имеет смысла.

— Собираюсь дать ей время.

— Может, Грейс нужно побеседовать со специалистом?

— Ей не нужен специалист. Прошло всего четыре дня. Сегодня вечером в школе проводилась поминальная служба. Воспоминания об аварии еще слишком свежи.

— Ладно. Но я хочу с ней поговорить.

— Попробуй завтра утром.

— Как я могу ей дозвониться, если она не включает телефон?

В очередной раз удивившись ограниченности мужского воображения, Дебора спокойно сказала:

— У нас дома есть еще и стационарный телефон. Позвони сюда. Завтра во второй половине дня у Грейс серьезные соревнования по бегу. Почему бы тебе не позвонить утром, чтобы пожелать ей удачи?

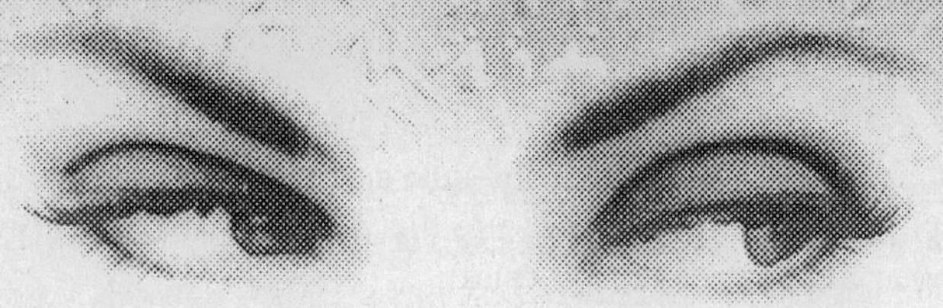

8

Выходные Деборы начались не очень удачно. Ей пришлось бежать в офис, потому что папа, который должен был принимать пациентов в субботу, позвонил в последнюю минуту и попросил его подменить. По дороге домой, думая, что же могло с ним произойти, она поссорилась с Диланом, который не хотел идти на музыку, и с Грейс, которая в ее отсутствие отказалась разговаривать с отцом по телефону, из-за чего Грэг позвонил бывшей жене и стал жаловаться. Дебора накричала на Дилана, когда тот никак не мог найти бейсбольную биту, а потом не могла избавиться от чувства вины, когда он сказал, что не видит ее. Дебора поругалась с Грейс, когда та заявила, что у нее судороги и она не может участвовать в соревновании, а потом чувствовала себя виноватой, когда девочка сошла с половины дистанции и очень расстроенная закрылась в своей комнате, как только они приехали домой.

В поисках дружеской поддержки Дебора встретилась с Карен, чтобы выпить по чашечке кофе. Но поскольку она, естественно, не могла рассказать Карен ни о Грейс, ни о своем отце, ни о своей сестре, ни о Холе, в итоге ей стало еще хуже.

В субботу вечером Дебора могла бы пойти с Диланом в кино — прекрасное развлечение для ребенка, которому нужно, чтобы все было большим и ярким. Но Грейс продолжала настаивать на том, что не хочет встречаться с друзьями, и из-за ссоры по этому поводу Деборе было так плохо, что она не смогла оставить дочь одну.

Они заказали пиццу, но ужин получился безрадостным, а в фильме по телевизору было столько крови, что Дебора выключила его, не досмотрев до конца. Дилан возразил, что видел и похуже. Грейс говорила, что все смотрят жестокие фильмы и что в таком случае вообще не надо было покупать телевизор. Затем они оба ушли в свои комнаты. Дилан слушал песню «Knockin' On Heaven's Door» снова, снова и снова, пока Грейс с плачем не пожаловалась на него Деборе. Когда мать попыталась ее утешить, девочка не захотела разговаривать, а когда Дебора попросила Дилана выключить песню — эта песня и ее приводила в уныние, — он проворчал, что папа никогда не заставлял бы его сделать это.

Неудивительно, что после всего этого Деборе не спалось. Она несколько раз просыпалась с тяжестью в животе и ужасным ощущением, что она теряет контроль над своей жизнью. Становилось все хуже и хуже, а она, похоже, была не в силах это остановить.

Дебора надеялась, что воскресенье окажется более удачным. Был прекрасный, почти майский день, теплый и ясный. На дубах появились листья, на азалиях перед домом — бутоны. В противоположность хаосу, который царил здесь после грозы, тихая погода принесла ощущение порядка. В такие дни Дебора чувствовала себя хозяйкой своей жизни.

С годами у нее появилась привычка готовить по воскресеньям праздничный завтрак. Это задумывалось как развлечение для детей. Традиционно воскресенье было днем, когда у Деборы было время готовить, когда можно было рассчитывать, что Грэг будет дома, когда заходили в гости ее родители. После того как Рут умерла, Майкл заходил один. Теперь, когда Грэг их оставил, дети еще больше нуждались в дедушке.

В это воскресенье Майкл позвонил и сказал, что не сможет прийти. По голосу было похоже, что у него похмелье, а нервы Деборы были натянуты как струны, и она не смогла промолчать.

— Что происходит, папа?

— Что ты имеешь в виду?

— Мне кажется, что у тебя… что тебе плохо. — Она не смогла заставить себя произнести слово «похмелье».

Майкл прокашлялся.

— Похоже, я подхватил грипп на прошлой неделе, когда принимал Буркесов.

— И это все? Я вспоминаю, как заезжала к тебе по утрам…

— Все это из-за твоей аварии, — ответил он, но быстро смягчился. — Сейчас это просто вирус. Спасибо, что беспокоишься. Увидимся завтра утром.

Отец повесил трубку, не дав ей сказать ни слова о его выпивке, отчего Дебора чувствовала себя полной трусихой. А потом еще и соучастницей, когда пришлось опять передавать эту полуправду детям.

Грейс обрадовалась, что официального завтрака не будет, и вернулась в свою комнату, прихватив с собой полрогалика. Но Дилан расстроился, что дедушка не придет. Мальчик отправился к себе, откусив только маленький кусочек французской гренки, которые Дебора так старательно готовила.

Оставшись в кухне наедине с остатками того, что должно было стать семейным завтраком, Дебора была в отчаянии, как никогда. Когда в дверь позвонили и она, подняв голову, увидела человека, который выпроводил ее с похорон, женщина подумала, что хуже уже быть не может. Мысленно еще раз обозвав себя трусихой, она решила не открывать.

Но по вине Дилана этот план провалился. Надеясь, что приехал папа, мальчик выскочил из комнаты и побежал по ступенькам. На полпути он споткнулся и кубарем покатился вниз. Дебора помогла ему встать. Ей пришлось буквально силой удерживать его, чтобы удостовериться, что он цел и невредим. Но Дилана было не остановить. Вырвавшись за секунду до того, как Дебора готова была отпустить его, он открыл дверь прежде, чем она смогла его предупредить. Увидев, кто пришел, мальчик разочарованно сказал:

— Я думал, это мой папа.

Посмотрев с несчастным видом на мать, Дилан побрел наверх.

Смирившись со случившимся, Дебора впустила пришедшего. Он был высоким, с такими же, как у брата, черными волосами и глазами. Вчерашний темный костюм он сменил на брюки и голубую рубашку с расстегнутым воротом и закатанными рукавами.

— Простите, — сказал мужчина, посмотрев на опустевшие ступеньки.

Дебора подняла подбородок.

— Это не ваша вина.

— Я не вовремя?

— Зависит от того, зачем вы пришли, — предупредила она и, зная, что терять нечего, добавила: — Это была нелегкая неделя. Честно говоря, я чувствую себя разбитой. Поэтому если вы пришли, чтобы сказать, что мне не следовало приходить на похороны, пожалуйста, не надо. Я поняла это еще в пятницу.

— Это было грубо с моей стороны. Я пришел извиниться.

От неожиданности Дебора сменила тон.

— Это я должна извиниться. Именно это я и пыталась сказать вам на похоронах.

— Да.

— Я действительно очень сожалею об аварии. Это был не лучший вечер для вождения. — На какое-то мгновение она забыла унижение, которое испытала в пятницу, и обрадовалась, что он пришел. — Я сожалею о вашей утрате. И приношу свои соболезнования жене Кельвина. — Это были слова, которые ей так и не удалось произнести в пятницу. — Как она?

— Нормально. Расстроена. Сердита.

Слово «сердита» напомнило Деборе о судебном иске, что в свою очередь напомнило о Холе. Если он запретил ей разговаривать с Джоном, то точно не хотел бы, чтобы она беседовала с этим человеком.

Но Хола здесь не было. А Дебора была не такой уж наивной.

— Это она прислала вас?

— Селена? Нет.

— Она знает, что вы здесь?

— Нет. И не очень обрадуется, если узнает. Я пришел, потому что пытаюсь понять, что произошло. — Нужно отдать ему должное, его озабоченность казалась искренней. — Я читал отчет полиции. Вы совсем не видели Кельвина?

— Только за секунду до удара. Было темно, и лило как из ведра.

— Но он бежал. Вы должны были заметить движение. Вы с вашей дочерью в этот момент разговаривали? Вас что-то отвлекло?

— Вы хотите спросить, не красила ли я губы? — произнесла Дебора, вспомнив его слова на кладбище. Она указала пальцем на свой рот. — Вы видите здесь помаду?

Он слегка улыбнулся.

— Сегодня воскресенье, утро. Вы дома.

— А тогда был понедельник, вечер и я ехала домой, — ответила Дебора. — Зачем мне красить губы? Извините, но здесь я вам ничем не смогу помочь. Мы смотрели на дорогу, обе, как и поступают обычно в такую погоду. Кельвин бегал без светоотражателей, и мы не увидели его из-за дождя. Все просто.

Брат Кельвина МакКенны не сдавался.

— Вы разговаривали с ним, когда он лежал там в лесу?

— Я все время звала его по имени, просила открыть глаза, говорила, чтобы он потерпел, что помощь уже едет.

— Он как-то реагировал?

— Вы говорите, что читали полицейский отчет.

— В отчетах бывают ошибки.

Его глаза были очень темными. Деборе так же трудно было оторвать от них взгляд, как и промолчать.

— Только если тот, кто их заполняет, обманывает. А зачем мне обманывать?

— Хороший вопрос.

— А вот еще один, — сказала Дебора, задетая этим замечанием. — Почему он бегал в тот вечер? В такой ливень?

И снова легкая улыбка.

— Это уже два вопроса.

Его ответ вывел ее из себя.

— А вот и третий. Вы знали, что ваш брат принимает коумадин?

Улыбка исчезла.

— Нет. Похоже, Кельвин решил ничего мне об этом не говорить.

— Почему на нем не было браслета с предупреждением?

— Он ведь не предполагал, что его собьют.

Она приложила руку к груди.

— Я тоже этого не предполагала. Именно поэтому люди всегда носят при себе такие предупреждения. Мы могли бы его спасти. Его жена должна была знать, что он принимает коумадин. Почему она ничего не сказала?

— Я не могу говорить за Селену.

— Тогда почему не сказал ваш брат? Врачи говорят, он был в сознании. У меня есть пациенты, которые принимают коумадин, и поверьте мне, это было бы первым, о чем бы они сообщили. А если нет, то я подумала бы, что они хотят покончить жизнь самоубийством. — Дебора пожалела об этих словах сразу, как только они слетели с губ. — Простите. Мне не следовало этого говорить.

— Тогда зачем сказали? — резко спросил мужчина.

— Потому что я тоже ничего не понимаю и из-за этого в моей семье хаос. — Убрав волосы назад, она попыталась найти слова для примирения. Ничего не приходило в голову, и когда гость ничего не сказал, чтобы нарушить молчание, Дебора продолжила: — Я все еще несу ответственность за аварию, но только ли моя в этом вина? Почему ваш брат не побеспокоился о том, чтобы его хорошо было видно на дороге? Почему не сказал врачам, что принимает коумадин? Почему не сказала его жена, если он сам не мог? Почему вы ничего не знали об этом препарате?

— Ответом будет еще один вопрос. Должен ли я нести ответственность за знание? Есть ли пределы ответственности? — Он выжидающе посмотрел на нее.

Дебора подняла руку.

— Если вы думаете, что у меня есть ответы, то ошибаетесь. В любом случае, моему адвокату не понравилось бы, что я с вами разговариваю.

— Зачем вы наняли адвоката?

— Я не нанимала. Он мой друг. Как бы там ни было, адвокат советовал мне не ходить на похороны. Он сказал, что мое появление может расстроить вдову. В конечном счете так и случилось.

Мужчина жестом остановил ее.

— Селена была расстроена еще до похорон.

— Оно и понятно.

Дебора не была уверена, что смерть мужа хуже, чем внезапный уход, но в смерти определенно была безвозвратность.

— Она останется в нашем городе? — Не дождавшись ответа, Дебора спросила: — Они здесь недолго прожили, я имею в виду, по меркам Лейланда. У нее есть друзья где-то еще?

— Вообще-то я не знаю.

— У нее есть родственники?

— Я... не знаю.

— А у вас есть родственники кроме Кельвина?

Брат покачал головой.

Все это делало смерть Кельвина МакКенны еще более трагичной.

— Он прекрасно преподавал историю, — сказала Дебора. — Моей дочери он нравился. Он был умным. Такая утрата для нашего города...

— Если честно, он был гением. Это ужасная потеря. И да, я думаю, Селена останется в городе, пока все не решится.

Опять намек на судебный иск. Дебора осознавала, что Хол был бы категорически против того, чтобы она разговаривала с этим человеком, и уже собиралась попросить гостя уйти, как услышала шаги на лестнице. Спускался Дилан, держась одной рукой за перила и осторожно ступая на каждую ступеньку. Что-то явно было не так.

— Дорогой?

Он поднял глаза.

— Я не могу пошевелить рукой.

Сохраняя спокойствие, Дебора подождала, пока он спустится, и начала ощупывать его локоть.

Мальчик вскрикнул.

— Вывих, — сказала она, обеспокоившись.

— Снова? — Его глаза, казавшиеся огромными за стеклами очков, блестели от слез. — Почему это постоянно со мной происходит?

— Потому что у тебя гибкие суставы. В большинстве случаев это даже хорошо.

— Только не вправляй, — скомандовал Дилан. — Больно.

— Лишь на долю секунды. Ну же, давай.

Дебора посмотрела на брата Кельвина МакКенны. Она не знала, как сказать ему, чтобы он ушел, поэтому просто отвела Дилана в кухню, усадила на стул и ловко вправила локоть на место. Мальчик вскрикнул, а потом хныкал, пока боль утихала. Согнувшись над ним, Дебора прижимала к себе его голову, чтобы он успокоился. Затем обхватила его лицо ладонями и поцеловала в лоб.

— Лучше?

Он обиженно проворчал:

— Я бы терпел, если бы это папа ждал в прихожей. Он когда-нибудь к нам приедет?

— Приедет. Ты увидишься с ним на следующих выходных.

— Только у него. Потому что там щенки. Но я хочу, чтобы он был здесь.

С тех пор как две недели назад у золотого ретривера Ребекки родились щенки, Дилан только о них и говорил, и его последняя фраза означала, что ему очень больно.

Дебора не знала, что ответить.

Дилан соскользнул со стула и пошел в комнату мимо Тома МакКенны, который наблюдал, стоя в дверях кухни.

— Это, должно быть, больно, — заметил гость, когда мальчик ушел.

«Больно ему? Или мне?» — хотела спросить Дебора. Ей стало не по себе. Неожиданно она опустилась на пол и свесила голову между коленей.

— С вами все в порядке? — прозвучало издалека.

Спустя минуту, когда угроза обморока миновала, Дебора выпрямилась.

— Вы очень побледнели, — сказал Том.

— По крайней мере, я все еще сижу. Я часто падаю в обморок.

— У врачей не бывает обмороков.

— А у мам бывают. Со мной это случается, когда моим детям больно. — Она потерла затылок и медленно сделала глубокий вдох. — Паника не поможет, — громко сказала Дебора. Это было своего рода заклинание. — С Диланом уже все хорошо.

— Ему не нужно приложить к локтю лед?

— Нет.

— Похоже, он ранимый ребенок.

— Да, это так.

— Плохое зрение?

— У него всегда была сильная дальнозоркость. В семь лет развилась решетчатая дистрофия правого глаза. Это когда на задней стенке роговицы появляются линейные помутнения. Они становятся шире, соединяются между собой, и в итоге глаз видит все очень расплывчато. С дистрофией ничего нельзя поделать, пока Дилан не станет достаточно взрослым для операции по пересадке роговицы, но прогнозы хорошие. Если после операции дистрофия вернется, ее можно будет устранить с помощью лазера. — Холодно взглянув на гостя, женщина убрала волосы назад. — Не думаю, что вам все это интересно.

— Я сам спросил, — ответил он. — Мальчику, похоже, очень тяжело.

Достав из шкафчика стакан, Дебора наполнила его холодной водой из холодильника. Сделав несколько глотков, она повернулась.

— У него проблемы с некоторыми вещами, такими как ступеньки или бейсбол.

— И разводы.

Неделю назад она, возможно, обиделась бы. Теперь же уход Грэга казался незначительным по сравнению с другими проблемами в ее жизни. Беспомощным жестом Дебора указала на стол.

— Вы голодны? Осталось много еды. Семейный завтрак не удался.

— Пахнет вкусно. Тут хватит на целую армию.

— Хотела устроить что-то вроде праздника, но никто не пришел.

— Трудно поверить. Если послушать, в городе вас все любят.

— Насчет любви ничего сказать не могу, но я прожила здесь всю жизнь.

— Моя невестка сказала, что ваш муж хотел переехать, но вы отказались.

Дебора еще немного выпила, прежде чем ответить:

— Это правда.

— Это разрушило ваш брак?

— Нет, конечно, — ответила она, хотя сама некоторое время считала именно так.

— Селена говорит, что ваши дети хотели бы, чтобы вы больше времени проводили дома, но вы продолжаете работать, а ваш отец отсылает вас на вызовы к пациентам на дом, чтобы не сидеть с вами в одном кабинете.

На этот раз Дебора не подбирала слов.

— Ваша невестка расстроена. И сердита. Но именно в этот момент моя семья страдает с нескольких фронтов.

В прихожей послышались шаги. Несколько секунд спустя в кухню вошла Грейс. Бросив взгляд на находившегося там мужчину, она закричала.

Дебора поспешила к ней и обвила рукой за талию. Она чувствовала, как девочка дрожит, почти так же, как после аварии.

— Все в порядке, солнышко.

Лицо Грейс было мертвенно-бледным.

— Мистер МакКенна?

— Не ваш учитель. Его брат.

Она все еще смотрела на него, не мигая.

— Что он здесь делает?

— Пытается понять, что произошло, как и мы.

Посмотрев на мать, Грейс прошептала:

— Он пришел за мной.

Дебора выдавила из себя улыбку.

— Конечно нет. Он пришел убедиться, что с нами все в порядке.

Можно было предположить, что это в некотором роде правда. По крайней мере, это следовало из его визита. Если Том МакКенна думал о судебном иске, то теперь знает, что у этой истории две версии.

Коумадин усложнил смерть Кельвина МакКенны.

— Я пойду, — тихо сказал Том, глядя на Дебору. — Не провожайте меня.

* * *

Вырвавшись из объятий матери, Грейс выбежала в прихожую, чтобы удостовериться, что незнакомец ушел. Она стояла у окна, глядя, как отъезжает его машина.

— Это было интересно, — сказала ее мать.

— Это было ужасно! — Грейс не замечала, что грызет ногти, пока мама не убрала ее руку ото рта. — Он выглядит совсем как мистер МакКенна.

— Сразу видно, что они родственники. Только этот более плотный.

— Что ты имеешь в виду?

— Физически более плотный. Твой учитель был хрупкого телосложения. Прошлой осенью на собрании он постоянно чесал голову, словно его что-то укусило.

Она скопировала жест.

— Не чесал голову, — поправила Грейс, — а подбирал мысль. Он так всегда делал, когда задумывался.

— Его брат ни разу так не сделал.

Грейс поежилась.

— Сколько он здесь пробыл?

— Десять-пятнадцать минут.

— Убеждался, что у нас все в порядке? — Грейс не поверила в это ни на минуту. — Он знает.

— Знает что?

— Знает об аварии. Он смотрел на меня.

— Ты смотрела на него. И закричала.

Но Грейс настаивала:

— Он знает, что мы не все рассказываем об этой аварии. Он спрашивал обо мне?

— Нет.

— Думаю, это было бы слишком очевидно.

Мама сжала ее руку.

— Он не знает. Честно говоря, он хотел выяснить, не красила ли я губы в момент аварии и поэтому не заметила его брата.

Грейс посмотрела на мать, а потом даже рассмеялась

— Он так спросил? Значит, он тебя не знает. Какой шовинист!

— Ага. Значит так, отвезешь меня на машине к Карен?

Грейс поникла:

— Нет.

— Даниель хочет поговорить с тобой.

— Я не могу.

— А Мэган? Можешь поехать к ней.

— Это не то же самое, что опять сесть на велосипед, мама. Люди не умирают, когда их сбивает велосипед. Спасибо, я не хочу садиться за руль. Достаточно того, что мне плохо, когда мы проезжаем то место на дороге и ты за рулем.

— Когда-нибудь тебе придется это сделать, — убеждала ее мать.

— Когда-нибудь сделаю.

— Ничего не решается само собой, если ты закрываешься от окружающего мира. Папа на самом деле очень хочет тебе помочь.

Грейс фыркнула:

— Ему хочется думать, что он помогает. Потому что это часть его нового имиджа.

— По крайней мере, он старается. Ты могла бы дать ему шанс.

— А он тебе дал? Он хотя бы намекнул, что собирается уходить? Он сказал тебе, что любил Ребекку, прежде чем встретил тебя, или что они поддерживают отношения? Он вообще сказал тебе о существовании Ребекки? Я знаю, это больно. Но мне тоже больно, мама.

Дебора взяла себя в руки, выпрямила спину.

— Возможно, мы должны смириться с тем, что произошло, и двигаться дальше. И с аварией также.

— Я не смогу забыть, что убила мистера МакКенну.

— Ты его не убивала. Он умер от потери крови, потому что никто не знал, что он принимал коумадин.

— Все равно его жизнь прервалась. Она закончилась. Я не могу это забыть.

Дебора обняла дочь.

— Я не предлагаю ничего забывать, ни аварию, ни развод. Я хочу сказать, что злиться на папу бессмысленно, как и обвинять себя в аварии. Закрываясь в комнате, ты ничего не добьешься.

— Там я чувствую себя в безопасности, — тихо сказала Грейс.

— В безопасности от кого?

— От мира. От людей, которые смотрят и, возможно, знают то, что не положено.

— Я — не мир. Ты же раньше часто проводила время здесь, внизу. Что случилось?

— Это твоя территория. А моя — в моей комнате.

Она так легко это сказала. Грейс всегда думала, что отличается от своих друзей тем, что в самом деле любит свою маму, но теперь между ними выросла стена.

— С каких это пор мы разделили территорию? — спросила Дебора.

— С тех пор как ты решила взять на себя ответственность за то, что сделала я, и не желаешь слышать, что я чувствую по этому поводу. Страшно даже представить, что будет, если кто-то узнает правду.

— Но правда — это формальность, Грейс, — настаивала мать, делая именно то, о чем только что говорила дочь; это еще раз доказывало, что она не слушала. — Я все равно отвечала за вождение. Тебе нет смысла прятаться.

— Как и тебе! — бросила Грейс, опять разозлившись. — После случившегося ты еще ни разу не была в спортзале.

— Когда у меня было время сходить в спортзал? — спросила Дебора.

Но Грейс не попалась на удочку.

— Когда у тебя вообще есть время? В неделе по-прежнему пять рабочих дней. Ты утверждаешь, это хорошо, что люди видят тебя в спортзале. Тогда они знают, что ты не просто сотрясаешь воздух, когда говоришь, что им нужно заняться спортом. Но со дня аварии ты там не была.

— Я хотела больше времени провести с тобой. Я беспокоилась. Мне хотелось, чтобы ты вчера пошла на вечеринку.

Грейс зажмурилась.

— Нет, ты не хотела этого.

— Когда случается что-то плохое, — сказала Дебора, — нужно отделить прошлое от настоящего расстоянием и событиями. Встреча с друзьями пошла бы тебе на пользу. Вчера все они были на вечеринке.

— И пиво было, — сказала Грейс, воспользовавшись единственно верным способом заставить мать замолчать.

Дебора внимательно посмотрела на дочь. Потом ее плечи опустились.

— Ты знала?

— Все дети знают.

— А родители Ким?

— Они просто забрали ключи от машины. Мы уже говорили об этом, мама. Тебе известно, что такое бывает.

— Но это же твои друзья.

— Мы что, не такие, как все?! — закричала Грейс, разозлившись. Мама думает, что у нее сотни друзей, хорошие оценки, она бегает быстрее всех — а это невозможно. Грейс не могла быть идеальной. И ее друзья тоже не могли. — Все ночевали у Ким. Девочки наверху, мальчики внизу.

— Это не значит, что это было правильно.

— Существует множество вещей, которые нельзя назвать правильными, но они случаются. Ты говоришь, ничего страшного в том, что за рулем была я, пока никто не знает. Тогда, если никто кроме тех, кто был на вечеринке, не знает о пиве, это тоже не страшно? Если люди выспались и протрезвели перед тем, как снова сесть за руль, то что здесь страшного? Страшно, — продолжала девочка, чувствуя, как становится все труднее дышать, — когда садишься за руль после выпитого пива и никому не говоришь, и что-то происходит, например, погибает человек. Вот когда это действительно плохо. — Ее горло сжалось. Голова опустилась, и волосы упали вперед. Она закрыла лицо руками и заплакала.

Вот и все. Выговорилась.

Грейс тихо всхлипывала, изо всех сил желая, чтобы мама высказала свой гнев и разочарование. Она хотела быть наказанной, потому что вождение в нетрезвом состоянии действительно было плохим поступком. А необходимость держать это в тайне от матери причиняла боль, как засевший в животе осколок стекла.

— Ох, Грейс, — мягко сказала Дебора.

— Это ужасно, — всхлипывала девочка. — То есть никто из нас не пострадал, и это было всего лишь пиво, и вообще все подростки это делают.

Мама погладила ее по голове.

— Я знаю, что такое желание не отличаться от сверстников, но все равно считаю, что с друзьями нужно общаться. Возможно, вчера был не самый лучший день. Как бы там ни было, я рада, что ты не пошла.

Понадобилась минута, чтобы услышать слова, и еще минута, прежде чем Грейс поняла: мама ее не слушала. Ее признание ни к чему не привело. Дебора не поняла. Она не желала понимать.

А Грейс не могла произнести это еще раз.

Все еще плача, она сказала:

— Зачем брат мистера МакКенны приходил сюда? Это наш дом. А теперь словно… словно… кто-то вторгся на нашу территорию.

— Ты драматизируешь, дорогая. Он пришел в наш дом, потому что здесь можно нас найти, и спросил о том вечере, потому что это одно из того немногого, что он мог сделать в своем горе. Мистер МакКенна пытается понять, почему его брат вышел из дому в такой дождь в понедельник вечером.

Последних слов Грейс уже не слышала. Чувствуя себя такой одинокой, как еще никогда в жизни, она повернулась и направилась к винтовой лестнице, которую строили, рассчитывая на то, что она, Грейс, будет спускаться по ней в свадебном платье. По крайней мере, так всегда говорил папа. А еще он, выбегая из дверей, спеша на работу, говорил, что любит свою жену, детей и этот дом. Но теперь родители были в разводе, Дилан плохо видел, а мама все еще считала Грейс идеальной, несмотря на пиво — две бутылки — и смерть мистера МакКенны.

Девочка просто не знала, что делать.

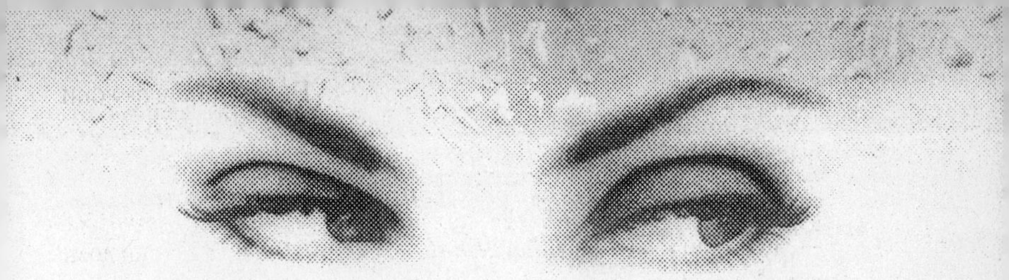

9

Завтрак в понедельник утром прошел в молчании.

— Все в порядке? — спросила Дебора у Дилана. Он кивнул.

Она наклонилась так, чтобы ему пришлось посмотреть ей в глаза.

— С глазами все нормально?

Он и раньше щурился. Честно говоря, в последнее время Дилан часто щурился. И неважно, сколько раз Дебора говорила себе, что у нее целый список детей с проблемами, намного более серьезными, чем проблема Дилана, от которой через два-три года можно будет избавиться, — это не помогало. Как матери, ей невыносима была сама мысль о том, что его зрение падает.

Дилан опять кивнул, и, хотя Деборе не очень верилось, она не могла позволить собственным страхам создавать проблемы там, где их наверняка не было. Поэтому она выпрямилась и спросила:

— А каша вкусная?

Он кивнул в третий раз и продолжил есть.

С Грейс было не лучше. Она сидела, низко склонившись над учебником французского.

Дебора опустила руку ей на плечо.

— Сегодня контрольная?

— Угу.

— Сложная?

— Угу.

Обескураженная этой лаконичностью, Дебора игриво сжала плечо дочери.

— Еще что-то? — Когда Грейс вопросительно посмотрела на мать, Дебора сказала:

— В школе? Сегодня?

Дочь кивнула головой и вернулась к своему учебнику.

Поездка в город была не намного лучше. На первый взгляд казалось, что Грейс все еще читает учебник. Потом Дебора увидела, что, хотя голова девочки склонилась над книгой, глаза смотрят мимо страницы. Погруженная в свои мысли, Грейс подпрыгнула, когда Дебора дотронулась до ее руки.

— Эта неделя будет лучше, — мягко сказала Дебора.

— Чем?

— Уже не так больно.

— Тебе уже не так больно? — спросила девочка осуждающе.

Дебора обдумала ответ.

— Не так. Но это не значит, что я не расстроена или что у меня не сжимается все внутри, когда я думаю, что мистер МакКенна мертв. Это не значит, что я не горюю. — Отчаянно желая продолжить этот разговор, она добавила: — Я понимаю, что ты чувствуешь, Грейс. Ты не была бы чутким человеком, если бы не испытывала этого.

Дочь отвернулась.

— Я действительно так думаю, — сказала Дебора, но Грейс не поднимала головы, и, слушая ее молчание, мать подумала, правильно ли она выразилась. У нее бывали моменты, когда она размышляла, правильно ли поступила в прошлый понедельник. Грейс всегда была таким счастливым ребенком, жизнерадостным, разговорчивым. Теперь она молчала.

Они утратили взаимопонимание.

Дебора хотела узнать, что чувствует Грейс, но девочка ничего не сказала, пока Дилан не вышел из машины. Тогда она посмотрела на Дебору и холодно произнесла:

— Мне не следовало говорить тебе о пиве. Ты кому-нибудь скажешь?

Сердце Деборы сжалось.

— Я хочу, чтобы ты рассказывала мне о таких вещах. Ты можешь мне доверять. Все, что ты скажешь, не пойдет дальше меня.

— Если ты кому-нибудь расскажешь, мои друзья меня возненавидят.

— Разве я когда-то предавала твое доверие?

— Меня там даже не было, — предупредила Грейс, — поэтому я не могу сказать наверное, что там было пиво. Если пива не было, ты подставишь меня без причины. У меня и без этого неприятности.

— Авария произошла в результате несчастного случая. У тебя не будет неприятностей из-за этого.

— Ты сегодня выяснишь что-то о полицейском отчете?

— Не знаю. Но беспокоиться не о чем. С нашей стороны не было неосторожного вождения.

— Там вообще не было «нас». В отчете укажут, кто был за рулем?

Дебора подъехала к школе.

— Я… не понимаю, как они смогут узнать?

— На руле мои отпечатки пальцев, — сказала Грейс.

— Они не будут снимать отпечатки пальцев, — возразила Дебора. — Полиция полагает, что за рулем была я. О тебе ничего не спрашивали. Кроме того, я прикасалась к рулю после тебя, когда доставала документы из бардачка.

— Специально? — спросила Грейс, ее голос казался испуганным.

Дебора вдруг почувствовала себя виноватой.

— Нет. Я подумала об этом уже потом. — Она судорожно вздохнула. — Не смотри на меня так, дорогая. Я этого не хотела. Если бы полиция хоть раз спросила, кто был за рулем, я бы сказала. Я всегда ценила честность, ты это знаешь. — Грейс фыркнула. — И то, что в этом случае мы не совсем честны, мучает меня так же, как и тебя. Я приняла решение, которое считала правильным. Могло быть и по-другому, но что сделано, то сделано.

Сначала Грейс ничего не сказала. Она посмотрела в свой учебник, потом на школу. Когда ее взгляд наконец остановился на Деборе, в глазах читался вызов.

— Так ты пойдешь сегодня в спортзал?

— Да, — пообещала Дебора. — Обязательно.

* * *

Дебора не пряталась. Скорее, старалась казаться незаметной. Но принимая во внимание смерть Кельвина МакКенны, это было естественно.

Прислушавшись к замечаниям Грейс, она посмотрела на ситуацию с другой стороны. Как обычно по утрам, Дебора заехала в кондитерскую и специально поздоровалась с каждым лично. Когда одна женщина спросила, как у нее дела, Дебора решила провести эксперимент и ответила:

— Прекрасно.

Расположившись на диване, где всегда сидела, она выпила кофе и съела ореховую булочку, просматривая медицинский журнал. Она была у всех на виду. Никто не мог обвинить ее в том, что она прячется.

— У тебя все хорошо? — спросила Джил, одетая сегодня в желтую футболку. Она поставила на стол свой напиток и сказала: — Есть что-нибудь новенькое насчет того, чего нельзя беременной женщине? Ни вина. Ни рыбы. Ни красного мяса. Ни искусственных подсластителей. Ни кофеина. Не спать на правом боку. Погоди, или на левом? Никаких обезболивающих сильнее тайленола. Речь идет о новейшем методе предохранения — придумать столько запретов, чтобы женщина задумалась, а стоит ли заводить детей.

Дебора улыбнулась и посмотрела на троих работников за стойкой, которые принимали заказы.

— Кто-нибудь здесь знает?

— Нет. Я только что раскатала тесто на целую партию печенья, как делаю каждое утро. И никто не догадается, что я пью кофе без кофеина, а не черный. Я придумала несколько видов печенья, но так на меня могло подействовать и лето. Со вкусом манго, черники, малины. Это определенно лучшее время года для беременности.

— Мне бы действительно очень хотелось, чтобы ты рассказала папе о ребенке. Это бы его встряхнуло. Выходные выдались тяжелыми.

— Почему?

— В субботу утром он не принял нескольких пациентов, а вчера не приехал на завтрак.

— Странно, — сухо заметила Джил. — В последний раз, когда я была у папы, он ухаживал за кустами мимозы так, словно жить без них не может.

— Возможно, так оно и есть, — сказала Дебора. — Он меня иногда беспокоит. Проводит вечера в одиночестве.

— Пьет.

Дебора кивнула.

— Он тоскует по маме.

— И я тоскую, но не напиваюсь, чтобы заполнить пустоту.

— Ты не была жената на ней сорок лет.

— Нет, но она была моей мамой. И моим партнером по бизнесу. Мы мечтали о том, чтобы открыть свою кондитерскую, еще когда я училась в школе. Уверена, ты об этом не знала.

— Не знала, — удивленно ответила Дебора.

— Я думала, что для меня это будет идеальным решением, потому что я всегда любила помогать маме на кухне, а работа кондитера не требует высшего образования. Я не подозревала, сколько мне придется узнать о бизнесе. Но мама в меня верила. Бедняжка, она всегда балансировала в разговорах с папой, когда речь заходила обо мне.

Дебора поняла, что Рут Барр балансировала во многих вещах. Майкл не был тираном. Просто он был человеком определенных взглядов. В девяноста восьми случаях из ста он оказывался прав. Остальные два неизбежно касались завышенных требований по отношению к детям.

Дебора закончила есть и вытерла руку салфеткой.

— Мама когда-нибудь лгала нарочно?

— Не думаю, — ответила Джил. — Она просто не говорила отцу того, чего ему не следовало знать.

— Правильно. Так, значит, нам следует побеседовать с ним о выпивке?

— Зависит от того, насколько это серьезно.

— Он пьет вечером, пока не уснет.

— Каждый вечер?

— Думаю, практически каждый. — Дебора откинулась на спинку дивана. — Папе одиноко. Ему не хватает цели в жизни. Скажи ему о ребенке, Джил. Думаю, это поможет.

— Чтобы мой ребенок стал объектом его злости?

— Это может дать ему новый смысл в жизни.

— Если у папы недостаточно причин, чтобы жить, мой ребенок не поможет. Это его только разозлит.

— Возможно. А может, и нет.

— То, что он пьет, как-то отражается на работе?

Дебора сделала глоток кофе, затем поставила чашку.

— Отец не может вовремя проснуться. Он раздражителен по утрам.

— Это негативно влияет на него как на врача?

— Пока нет. И я за этим слежу. Можешь представить, что будет, если он неправильно поставит диагноз из-за того, что по чуть-чуть пьет из бутылки, лежащей в ящике стола? — Это был оправданный страх, достойный повод для страхования от ошибок практикующих специалистов*. — С прошлой недели папа зациклился на моей репутации. А как насчет его собственной? Что будет с моей репутацией, если он сделает что-нибудь не так? Может, мне следует с ним поговорить? В разговорах с пациентами я часто использую выражение «злой гений». Я злой гений отца?

Джил взяла ее за руку и встала.

— Я не собираюсь об этом разговаривать. Не знаю, чем занимается отец, потому что он держит меня на расстоянии вытянутой руки. Ты подаешь ему выпивку? Нет. Ты заставляешь его пить? Нет. Ты отказываешься признавать, что это может привести к проблемам? Да, потому что ты боишься его реакции. Я бы на твоем месте тоже боялась. Видишь, в чем мне повезло? Твоя жизнь тесно связана с его жизнью. Моя — нет.

— Связана, — возразила Дебора, потому что честность для нее была превыше всего. Она думала о том, как Джил бунтовала дома и в школе по поводу того, что ее воспринимали как ребенка. — Слишком многие из твоих поступков — это вызов ему. Так было всегда. А насчет нежелания признавать…

— Это не одно и то же, — заметила Джил с легкой улыбкой. — Если ты будешь отрицать, что он пьет, рано или поздно ты поплатишься за это. Если я не буду признавать его влияние на меня, на мне это никак не отразится.

---

* Страхование врача от риска судебных разбирательств по поводу ненадлежащего исполнения профессиональных обязанностей.

* * *

Вскоре Дебора подъехала к дому. Если поведение отца на выходных было предвестником того, что ожидает ее сегодня, то ей предстояла ссора. Собравшись с духом, она вошла в кухню.

Майкл уже был там, бодрый и веселый, сидел за столом. Он оделся, сделал кофе и, обхватив ладонями кружку, читал газету. Отец не только съел свой рогалик, но, судя по темным крошкам на тарелке, сначала его поджарил.

— Доброе утро, — облегченно вздохнув, поздоровалась Дебора.

— Доброе утро, — улыбаясь, сказал он. — Дети в школе?

— Да. — Она прислонилась к двери. — Ты хорошо выглядишь. Это новый галстук?

Майкл посмотрел вниз. Взял галстук в руку.

— Твоя мама подарила мне этот галстук незадолго до того, как заболела. Я не хотел его носить. — Он поднял голову и подмигнул. — Она говорит, что мне нужно взять себя в руки, и этот галстук должен мне помочь. Думаешь, поможет?

Улыбка Деборы стала еще шире.

— Наверняка. — Она почувствовала огромное облегчение — и оттого, что опять видит отца таким же жизнерадостным, как раньше, и оттого, что избежала ссоры. — Что еще говорит мама?

— Что я утонул в жалости к себе. — Он приподнял бровь.

— Возможно. Что еще?

— Что то, что я не принял утренних пациентов, непростительно.

Дебора взмахнула рукой.

— Непростительно? Я бы сказала... обидно для тех пациентов, которые предпочли бы встретиться с тобой, а не со мной.

— Она также сказала, что нужно было прийти вчера на завтрак.

А это уже интересно. Если бы отец пришел на завтрак, у нее не получилось бы такого разговора с братом Кельвина МакКенны.

Не желая поддерживать эту тему, Дебора просто сказала:

— Нам тебя не хватало. Прошлая неделя выдалась нелегкой. Дети страдали не меньше, чем я. Завтрак без тебя не удался.

Похоже, отец искренне раскаивался.

— Мне очень жаль. Я утонул в жалости к себе, твоя мама права.

Дебора обняла его, впитывая силу, которую она помнила с детства.

Утро в офисе тоже оказалось удачным. Майская пыльца привела толпы пациентов с острыми приступами аллергии. Четыре смотровые комнаты были постоянно заняты, вращающаяся дверь не останавливалась, а Майкл и Дебора сновали туда-сюда.

К счастью, администратору удалось перенести два вызова на дом на вторник, что позволило Деборе принимать пациентов в офисе и во второй половине дня. Все это были ежегодные профилактические осмотры, а поскольку Дебора любила подробно обсуждать детали с каждым пациентом, она обрадовалась, когда в последнюю минуту один визит отменили. Перерыв позволил ей сделать последний анализ крови самой, а потом Дебора устроилась за письменным столом.

Переговоры со страховыми компаниями были самой нелюбимой частью ее работы, и с каждым годом становилось все хуже. У отца, человека старой закалки, было еще меньше терпения, чем у нее, когда приходилось заполнять все эти бланки. Дебора уже закончила с первым и приступила ко второму, когда в дверях появился Майкл. От веселого мужчины, которого она видела утром, не осталось и следа. Его рука вцепилась в дверную ручку, и выражение лица не предвещало ничего хорошего.

— Звонит Дин ЛиМей, — произнес он. — Он хочет знать, почему ты на прошлой неделе обругала его жену.

Дебору словно ударили.

— Я ее не ругала. — Она отчетливо вспомнила свой визит. — Просто сказала, что ей нужно похудеть.

— Дин говорит, что ты совершенно не принимала во внимание ее артрит. Говорит, что ты ей сказала, будто она придумала перелом, чтобы не двигаться.

— Я такого не говорила.

— Он утверждает, будто ты заявила, что ей необходимо поднять свою задницу и найти работу.

— Ей это необходимо.

Щеки Майкла покраснели.

— Ты это сказала?

Чувствуя боль от его упреков, Дебора ответила:

— Вовсе нет. Не этими словами. Я разговаривала с ней мягко, но это не первый наш разговор на эту тему. Миссис ЛиМей отказывается признавать, что у нее проблемы с лишним весом и что это влияет на ее щиколотки. Я предложила ей попробовать хоть немного походить вокруг дома, как советовал и ее лечащий врач. Она сидит в кухне, папа. Ест. Я предложила найти работу на полдня, чтобы выходить из дому.

— Дин считает, что это был оскорбительный намек на его заработок.

— Это его проблемы.

— Это станет нашей проблемой, если они решат поменять врача.

Дебора почувствовала гнев.

— Да? Мне не платят за время, которое я трачу на дорогу к дому Дарси. Если ей не нравится то, что я говорю, пусть найдет врача, который будет ездить туда и говорить то, что она захочет. Если она думает, что артрит — это плохо, пусть узнает, что такое диабет или проблемы с сердцем, потому что именно это ее и ждет.

Майкл оттолкнул дочь от двери.

— Я сказал Дину, что перезвоню, когда все уточню. Что ему сказать?

Дебора все не могла успокоиться.

— Почему он позвонил тебе? Почему не позвонил мне? — Она подняла ладонь. — Хорошо. Похоже, он сейчас меж двух огней. Дарси нужен козел отпущения, а я подходящая кандидатура.

Зазвонил телефон.

— Что мне ему сказать? — повторил отец.

Дебора положила руку на трубку. Звонок был на личной линии, а это значило, что звонит кто-то из детей, Джил или один из немногих друзей, которые знали этот номер.

— Что я потратила много времени, разговаривая с Дарси, именно потому, что не ругаю пациентов. Но проблема ее избыточного веса существует. Что ты и я с удовольствием поговорим с ними обоими, если они захотят прийти.

Едва отец отвернулся, она взяла трубку.

— Алло, — сказала Дебора после короткой паузы.

— Ой, — послышался несмелый голос Карен. — Хочешь, я перезвоню в другой раз?

Дебора выдохнула.

— Нет, нет, Ка. Все в порядке. Просто у меня был неприятный разговор об одной из наших пациенток. — Ее все еще мучило чувство обиды после звонка Дина ЛиМея, но она заставила себя успокоиться. — У тебя все в порядке?

— Ну, рука уже лучше, а это значит, что ты была права. То есть мне придется сократить свои тренировки по теннису, а это меня не радует. В любом случае, я звоню по двум причинам. Во-первых, как там Грейс? Даниель все пытается к ней дозвониться, но твоя дочь даже не прислала ни одного сообщения.

— У нее сложный период.

— Сегодня, возможно, Дани к ней заедет.

Дебора обрадовалась.

— Она ангел. Надеюсь, Грейс сдастся. Попроси Дани не отступать.

Карен фыркнула.

— Эта не отступит. Она любит твоих ребят. — Ее голос стал серьезным. — А вторая причина — это Хол. Он рядом?

— Здесь? Нет. Почему ты спрашиваешь?

— Он сказал, что собирается встретиться с тобой, чтобы поговорить о МакКенне.

Сердце Деборы забилось быстрее.

— У него какие-то новости от Джона?

— Ничего такого, о чем я бы не знала.

— Хол не говорил об отчете из округа?

— Нет. Только между прочим сказал, что заедет к тебе. Он не казался обеспокоенным.

Дебора немного расслабилась.

— Что ж, тогда он просто сюда еще не доехал.

— Его секретарь пытается его найти. Мобильный не отвечает.

— Может, он играет в гольф?

— Ну не в понедельник же после обеда. Да еще не предупредив меня.

Дебора знала, о чем думает подруга. И мысли эти не имели ничего общего с возможным несчастьем, а имели непосредственное отношение к телефонному звонку на прошлой неделе.

— Она звонила еще раз? — осторожно спросила Дебора.

— Нет, — ответила Карен упавшим голосом. — Но что-то происходит. Хол цепляется ко мне по мелочам. Например, почему пустые баки для мусора за гаражом стоят в неправильном порядке. Или зачем я отбираю рекламные листовки из почты и выбрасываю. Я делала это годами. Вчера вечером Хол сказал мне, что в одной из этих рекламных листовок могло быть что-то, что ему нужно, и что я не должна проверять его почту. Проверять его почту?

— Может, что-то на работе, — попыталась оправдать его Дебора. Запищал интерком. — Несговорчивый истец? Сложный клиент?

— Не знаю. Он не говорил. Если я задаю вопросы, Хола это раздражает. Может, у него кризис среднего возраста? Думаю, так и есть. — Карен помолчала. — А ты как считаешь?

— Возможно.

— Тогда это так, — решила Карен. — Спасибо, Деб. Ты всегда помогаешь.

Дебора ничего не сделала и теперь чувствовала вину еще и за это.

— Если Хол здесь появится, я скажу, чтобы он тебе перезвонил. — Опять прозвучал вызов от администратора. — Дай ему еще немного времени, дорогая. Он может даже не знать, что его мобильный отключен.

Для Хола мобильный — это святое. Если он отключен, это всегда нарочно. Дебора догадывалась, что Карен тоже об этом знала, но ни одна из подруг не была готова произнести это вслух.

— Уверена, что так и есть, — сказала Карен, — а тебе нужно ответить администратору. Выпьем попозже кофе?

— Не могу. Я пообещала Грейс, что пойду в спортзал. Хочешь встретиться со мной там и помахать ногами?

— Говори когда.

— Четыре тридцать.

— Отлично. Иди, отвечай на звонок.

Дебора нажала кнопку.

— Да, Кэрол?

— На третьей линии Том МакКенна. Он проявляет нетерпение. Говорит, что это личное.

«Личное» было подходящим словом. А еще были другие, например, «рискованно», которое значило, что ей не следует с ним разговаривать. Но в воскресенье утром он был достаточно дружелюбен, и если у него появились новости насчет коумадина, она хотела их знать.

— Я отвечу, — сказала Дебора и нажала кнопку.

В его голосе звучали уже знакомые нотки.

— Я не вовремя?

— Нет, все в порядке. Я только что закончила. Что случилось?

— Я боюсь, что вчера напугал вашу дочь. С ней все нормально?

Он уже второй раз проявляет беспокойство. Это вызывает подозрения. Дебора не могла забыть сцену на кладбище и, конечно, не могла забыть, что это ее машина стала причиной смерти его брата.

Но было похоже, что Том говорил искренне. Поэтому она ответила:

— Очень мило, что вы спросили. С ней все в порядке. Грейс все еще переживает из-за аварии, но думаю, она уже поняла, что вы не привидение Кельвина. Вы действительно очень на него похожи.

Повисло молчание, а потом уже веселее Том сказал:

— Мы пошли в мать.

— Вы были близки?

— С матерью — нет, — ответил он.

— А друг с другом?

— Когда как. — Он заколебался, прежде чем добавить: — Чаще нет. Мы были абсолютно разными.

Из естественного любопытства Дебора спросила:

— В чем именно это выражалось?

Опять короткая пауза. Она уже подумала, что, наверное, переступила какую-то грань и он сейчас сменит тему, когда Том задумчиво ответил:

— Кельвин любил, чтобы все было так, как положено. Он любил знать, что должно произойти. Вот почему он занимался историей. В книгах по истории неожиданностей не бывает. Ты знаешь, чем все закончится. Кельвин любил ясность. Его дом был таким же, ничего лишнего и все четко организовано, каждый предмет мебели на своем месте, книги аккуратными рядами на полках, а сверху с равными промежутками расставлены три большие морские раковины. Он любил точность.

Ободренная его развернутым ответом, Дебора спросила:

— А вы?

— А я — неряха.

Это было так грубо и неожиданно, что она рассмеялась.

— Вы серьезно?

— Вполне.

— Вы стали таким из-за Кельвина?

— Нет. Я старше на четыре года.

— Нет ничего плохого в том, чтобы быть неряхой.

— Есть, — возразил Том, — если это значит, что из-за беспорядка ты ничего не замечаешь. Я все время думаю: я должен был знать о том, что брат принимал коумадин.

— Откуда вы могли об этом знать, если он решил вам не рассказывать?

— Мы давно не разговаривали. Мне не следовало позволять этому молчанию затянуться. — Его голос потеплел. — Я все еще выясняю, почему Кельвин принимал этот препарат. Что вы о нем знаете?

— О коумадине? Это антикоагулянт, широко используется после сердечных приступов или инсультов для предупреждения образования тромбов в артериях и венах.

— Можно предположить, что у Кельвина был сердечный приступ или инсульт?

— Необязательно, у него мог быть тромб. В этом случае коумадин прописывают, чтобы не образовывались другие тромбы. Вообще-то ваш брат был слишком молод, чтобы иметь такие проблемы.

— Это наследственное, — сказал Том. — В сорок восемь лет мой отец перенес серьезный инсульт. — Он помолчал, потом осторожно спросил: — А мог Кельвин принимать коумадин для профилактики?

— Сомневаюсь. Слишком большой риск побочных эффектов. — Дебора подумала, не проверяет ли он ее. Но она была врачом и, все еще переживая из-за звонка Дина ЛиМея, сказала Тому то, что знала: — Обычно люди, в чьей семье уже были подобные случаи, просто проходят регулярный осмотр. Они стараются следить за весом, за такими вещами, как кровяное давление и холестерин. Ваш брат это делал?

— Он был стройным. А насчет остального я не знаю.

— Его беспокоило, что у него могут быть те же проблемы, что у отца?

— Нас обоих это беспокоило.

— Вы принимаете профилактические меры?

— Нет. Но мы, неряхи, не любим соблюдать режим, — сказал Том, усмехнувшись. — Если бы мне пришлось ежедневно принимать таблетки, я бы сошел с ума. Кельвин же лопал их как конфеты.

— Лекарства?

— Витамины. Но я не знал, что он принимал что-то посерьезнее. Он мог выпить слишком много коумадина?

— Возможно. Но даже стандартная доза способна вызвать кровотечение. Именно поэтому тем, кто принимает это лекарство, нужно носить браслет с предупреждением.

— А какая обычная доза?

— Одна таблетка в день. Срок приема зависит от пациента. Некоторые люди принимают коумадин на протяжении определенного периода, скажем, шести месяцев. Другие — всю жизнь. Последние — это обычно пациенты, у которых уже случались неоднократные приступы с угрозой для жизни. Удивительно, что ваш брат принадлежит к этой категории и никто об этом не знал.

— Да, — сказал Том и продолжил: — Откуда вам все это известно? Лично вы назначаете коумадин? Или вы поинтересовались об этом после смерти Кельвина?

Дебора улыбнулась.

— Лично я его не назначаю. Но я читаю журналы, общаюсь с коллегами на конференциях. Я многое узнаю от специалистов, у которых наблюдаются мои пациенты. Одно я могу сказать точно: пациенты, принимающие коумадин, должны находиться под постоянным наблюдением. Ни один врач не назначит коумадин повторно без осмотра и анализов. И эти анализы делают не в обычной лаборатории, как у нас. Если бы состояние вашего брата требовало приема коумадина, он должен был наблюдаться у специалиста. Его страховая компания должна знать об этом.

Том кашлянул.

— Да. Я разговаривал с ними сегодня утром. Проблема в том, что это конфиденциальная информация. Они ничего не смогут сообщить, если Селена не подпишет разрешение.

Дебора почувствовала, как изменился его голос, когда он назвал имя невестки. Это придало ей смелости.

— Почему бы ей не подписать разрешение? Эта информация понадобится ей, если она решит подать на меня в суд. — И если миссис МакКенна это сделает, напомнила себе Дебора, Том станет врагом. — Кстати, мой друг, адвокат, не одобрил бы этот разговор. Он боится, что я скажу что-то, что вы сможете использовать против меня в суде. Я только хочу, чтобы вы знали: я честна с вами, насколько это возможно. Я так же, как и вы, хочу узнать правду.

— Я это почувствовал. Поэтому и позвонил.

Ей послышалась искренность в его голосе. Или он был прекрасным актером, или слух ее не обманывал. Чтобы убедиться, что это действительно так, Дебора решила услышать больше.

— Как дела у Селены?

— Не знаю. Я с ней сегодня не разговаривал.

— О! — удивленно произнесла Дебора. — А разве вы остановились не у нее?

— Слава Богу, нет. Я живу в Кембридже.

— Кембридж. — Это было неожиданно. Она думала, что Том живет в другом штате и приехал сюда на похороны. Из Кембриджа сюда удобно добираться. Но было еще это «Слава Богу, нет», которое говорило о не очень теплых отношениях с невесткой. Дебору больше интересовали его отношения с братом.

— А вы не часто виделись с Кельвином?

— Если бы мы виделись, я бы знал больше о его здоровье, — резко ответил Том. — Если бы я знал больше о его здоровье, то смог бы предупредить врачей. При условии, что Селена позвонила бы мне раньше. Она бы так и сделала, если бы мы с Кельвином были дружны. Как грустно, когда два брата ничего не знают о жизни друг друга!

Деборе стало его жалко:

— Такое случается намного чаще, чем кажется.

— Но разве от этого становится менее грустно?

— Нет.

Последовало короткое молчание и тихое:

— Спасибо.

— За что?

— За честность. Легче обманывать себя, чем говорить правду. Я готов поспорить, что дома вы так же прямолинейны.

Она смутилась.

— Зачем вы это говорите?

— Вы кажетесь честным человеком.

Какая ирония! Деборе вдруг пришло в голову, что, вполне возможно, ее просто заманивают в ловушку.

— Быть прямолинейной и быть честной — не одно и то же. Прямолинейность может причинить боль. Я пытаюсь быть честной, не причиняя боли.

— Говорите то, что думаете.

Снова ирония.

— Обычно да.

— А когда нет?

Она глубоко вдохнула.

— Когда честность может предать доверие. — Дебора подумала об утреннем разговоре с Грейс. — Моя дочь рассказывает мне о своих друзьях, и это мне приходится держать при себе.

— Что-то серьезное?

— Иногда. Это бывает сложно. Если бы Грейс сказала мне, что кто-то из ее друзей собирается вскрыть себе вены, мне было бы трудно ничего не предпринимать. Нанесение себе увечий — это крик о помощи.

— Разве Грейс этого не поняла бы?

— Надеюсь, поняла. Она, возможно, не захочет знать подробности, например, кому я позвонила. Но ей скорее всего станет легче, если я разделю с ней ответственность.

— Потому что она вам доверяет. А вы кому доверяете? С кем разделяете ответственность?

— С папой, когда дело касается работы.

— А дома?

— Иногда с сестрой. Чаще сама с собой.

— А ваш бывший муж занимается детьми?

«Конечно, — хотела сказать Дебора. — Он им все время звонит». Так было бы менее унизительно для нее. Но ведь речь шла о лжи.

— Не очень активно, — сказала она, стараясь, чтобы голос не изменился. — Он живет другой жизнью.

— Но у него все еще есть двое детей.

— Он полагает, что я в состоянии справиться самостоятельно.

— И вас это устраивает?

— Нет, конечно! — взорвалась Дебора. — Всю жизнь люди считают, что я могу справиться самостоятельно, и обязанностей у меня все больше и больше. Бывают моменты, когда ответственность вызывает у меня отвращение! — И тут она заметила, что в дверях ее кабинета стоит Хол. — Кстати об ответственности. Мне пора. Можно, э-э, оставить вам номер моего мобильного? — спросила она.

— Пожалуйста. — И через несколько секунд она услышала: — Записал.

— Вы сообщите мне, если что-то узнаете?

— Конечно.

Делая вид, что она разговаривает вовсе не с человеком, который может вызвать ее в суд за убийство своего брата, Дебора повесила трубку и встретилась взглядом с Холом. У него был мрачный вид. Ее охватило нехорошее предчувствие.

— Ты разговаривал с Джоном?

— Давно, — ответил он. — Новостей нет. Я думал, что смогу тебе что-то сообщить. Благодаря гриппу, возможно, понадобится еще неделя. В лаборатории не хватает людей для расшифровки данных.

Дебора расстроилась. Она все время говорила себе, что Грейс ничего не нарушила, но не могла успокоиться, пока окружная полиция этого не подтвердит.

— А если бы речь шла о том, что пьяный водитель въехал в толпу и сбил пять человек? Болезнь так же задержала бы отчет и позволила преступнику разъезжать по дороге?

— Нет. Преступник был бы в тюрьме. Это совсем другое. Есть свои приоритеты. Твое дело не очень срочное.

— Хорошо им говорить, — сухо произнесла Дебора. — Ведь это я нахожусь в подвешенном состоянии. Ты же, наоборот, выглядишь так, словно только что из спа-салона.

Волосы Хола были влажными и причесанными, а щеки слегка покраснели.

— Не из спа-салона, — сказал он, — а с рэкетбольного корта.

Обеспокоенный голос Карен эхом отозвался в ушах Деборы.

— Где это?

— В спортзале в Бостоне, — ухмыльнулся Хол. — Недалеко от здания суда.

— Не знала, что ты играешь в рэкетбол.

— Я не играю. Но несколько моих друзей серьезно этим увлекаются. Я попробовал, чтобы понять, то ли это, что мне нужно.

— И? — спросила она, думая, что спортзал в Бостоне обеспечивает долгосрочное прикрытие.

— Может быть, — ответил Хол. Похоже, он был приятно удивлен. — Я имею в виду, я никогда так не потел. Как кардиотренировка это просто отлично. А ты что думаешь? Следует мне этим заниматься?

— Я думаю, — сказала Дебора, — что ты должен найти спортзал поближе. И в следующий раз взять Ка с собой.

— Ка играет в теннис, — спокойно возразил он. — У нее нет времени на рэкетбол.

— Она бы нашла время, если бы ты попросил.

— Чтобы она у меня выиграла? Ни за что. — Он склонил голову набок. — Она тебе звонила?

Дебора кивнула.

— Я же сказал ей, что буду в Бостоне, — пожаловался Хол. — Она заставила мою секретаршу обзвонить всех на свете. Что с ней происходит в последнее время?

— Ничего такого, чего нельзя было бы решить, ответив на звонок мобильного. А если ты понадобишься клиенту?

— Ни один клиент не может быть настолько важным, чтобы не подождать часок.

— Если это так, — сказала Дебора, и в ее словах была только доля шутки, — я поищу себе другого адвоката. Если Джон позвонит, я хочу сразу же знать об этом.

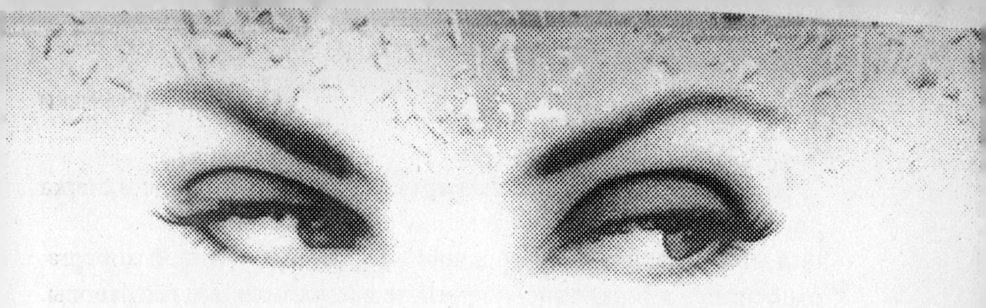

10

Дебора вернулась к бумагам на столе, но мысли ее были далеко. Она то сердилась из-за звонка Дина ЛиМея, то вспоминала довольное лицо Хола, то думала о Кельвине МакКенне. Исходя из слов его брата, получалось, что Кельвин МакКенна был немного зациклен на порядке. А разве она не такая? Она любила, когда все было так, как положено. И шло по плану. Ей понятен был комфорт, который ощущал Кельвин МакКенна, зная, чем заканчиваются исторические книги.

Одной из самых больших проблем, с которыми пришлось столкнуться Деборе в первые несколько месяцев после ухода Грэга, была неуверенность в завтрашнем дне. Даже когда документы для развода были готовы, в глубине души она верила, что он одумается и поймет, как глупо поступает.

Она всегда обвиняла его. Но сейчас, когда злость ушла, Дебора понимала, что все относительно. Они оба были виноваты.

Что же касается лжи о том, кто был за рулем в тот вечер, когда умер Кельвин МакКенна, в этом виновата она одна. Вскоре, когда зазвонил телефон, Дебора почувствовала на своих плечах всю тяжесть этой вины. Это была Мара Уолш, школьный психолог.

— Я знаю, ты, должно быть, занята, Дебора. Прошлая неделя оказалась для тебя непростой. Но я беспокоюсь о Грейс.

Дебора сглотнула.

— Почему?

— Другие дети перенесли смерть Кельвина МакКенны довольно спокойно. Мы создали команду специалистов для консультаций, но это мало кому понадобилось. Все достаточно хорошо относились к МакКенне, но дети не восприняли его смерть как личную утрату. У некоторых учителей складывается особое взаимопонимание с учениками. У Кельвина этого не было.

— А что же Грейс? — спросила Дебора.

— У Грейс есть особая причина, чтобы горевать из-за его смерти: она видела, как это произошло. Я предполагала, что на прошлой неделе ей будет тяжело, да и соревнования в субботу... все это вполне понятно. Я надеялась, что после выходных ей станет лучше. Но этого не произошло. Грейс избегает друзей, ходит одна, опустив голову. Если знаешь, о чем говорит язык тела, все становится ясно.

— Она очень расстроена, — согласилась Дебора.

— Здесь только что был Джон Колби. Он расспрашивал о ней.

Сердце Деборы бешено заколотилось.

— Он заезжал за своей женой, — продолжала Мара. — Она ведет уроки чтения...

— Я это знаю. Но что именно он спрашивал о Грейс?

— Он слышал от Елены, что девочка очень переживает. Джон упоминал вечеринку на прошлых выходных, на которую она не пошла.

— У Ким Хуберт. Но откуда Джон об этом знает?

— Он сказал, что разговаривал с родителями Ким. Он хотел знать, все ли у Грейс в порядке в школе.

— И что ты сказала?

— Точно то же, что и тебе. Что она очень переживает. Я бы хотела с ней поговорить, Дебора. Ты не против?

— Конечно нет, — сказала Дебора. Что еще она могла сказать? — Но я не уверена, что Грейс согласится. Мне кажется, сейчас неподходящий момент. Ты же знаешь, как это бывает, Мара. Когда с детьми разговаривает с глазу на глаз специалист, они начинают ощущать, что с ними действительно что-то не так. Грейс переживает нелегкий период, но я не думаю, что это настолько серьезно, чтобы время не могло помочь. Я не хочу, чтобы моя дочь чувствовала себя словно под микроскопом.

— Я могла бы встретиться с ней после школы.

— У нее тренировка.

— Тогда вечером, если она захочет. Я уверена, что ты с ней разговариваешь, и то, что я скажу, может оказаться лишним. Просто сегодня утром Грейс выглядела такой несчастной. Я бы хотела, чтобы она знала: если понадобится, я готова прийти ей на помощь.

Что могла Дебора сказать на это, чтобы потом ее не назвали самой черствой женщиной в мире?

— Хорошо, Мара. Приятно знать, что ты готова помочь. Давай только не будем давить на Грейс, хорошо? Если она не готова — значит, не готова.

* * *

Грейс стояла на стадионе, согнувшись пополам, и, обхватив колени руками, смотрела на асфальт между своими кроссовками. Она была мокрая от пота и тяжело дышала. Ей удалось полностью сосредоточиться на рывке.

— Хорошо, — сказал тренер, трусцой подбегая к ней.

— Это было ужасно, — прохрипела она, не поднимая головы.

— Шутишь? Ты прекрасно стартовала. Ты была на пути к личному рекорду.

— Была, вот именно. Но я не добежала.

— В прошлые выходные тебя вырвало. Исходя из этого, можно сказать, что сейчас результат хороший. Так держать, Грейс. — И он отбежал.

«Так держать, Грейс». Слова причиняли боль. Потому что она действительно очень хотела хорошо пробежать. Она сосредоточилась на дыхании, на движениях ног, не желая позволять аварии помешать ей, и почувствовала, что у нее получается. Потом Грейс увидела Джона Колби, и все пропало. По крайней мере, ей показалось, что это был он. Она не могла сказать точно, поскольку он шел в противоположную от нее сторону и многие мужчины его возраста носят рубашки цвета хаки и темные брюки. Но кто еще мог оказаться рядом со стадионом в четыре часа пополудни? Он следил за ней, потому что знал.

— Грейс, погоди!

Она оглянулась. К ней по беговой дорожке шла учительница французского.

— Рада, что поймала тебя, — сказала женщина. — Я не хотела звонить тебе домой.

На мгновение Грейс мысленно перенеслась на урок французского. Она заполняла тест карандашом и как раз подумала, что не ожидала таких легких вопросов, как ее рука остановилась, а все ответы вылетели из головы.

— Мы можем поговорить о тесте? — спросила мадам Хендрик.

Выпрямившись, Грейс моргнула, фокусируя взгляд на учительнице.

— Конечно, — ответила девочка, с удивлением не обнаружив у себя никаких эмоций.

— Ты не очень хорошо написала, — сказала учительница.

— Я не готовилась, — соврала Грейс. Когда-то в эту ложь никто бы не поверил.

— Это на тебя не похоже. В этом году ты лучшая ученица в группе. Ты знала материал. Даже не готовясь, ты могла бы получить высокий балл. — Когда Грейс ничего не ответила, мадам Хендрик продолжила: — Я переживала, что ты плохо себя чувствуешь, но только что ты прекрасно бегала. Тебя сегодня утром что-то беспокоило?

— Я не могла сосредоточиться.

— Это плохо.

— Я знаю, — сказала Грейс.

— Что ж, из-за смерти мистера МакКенны это была нелегкая неделя. Я думала об этом полдня. Я могла бы заставить тебя пересдать тест, но мы обе знаем, что ты бы написала хорошо. Поэтому давай просто отложим в сторону этот тест. Я не стану его учитывать, когда буду выводить средний балл. Ты слишком хорошая ученица, чтобы быть наказанной за один неудачный день. Тебя это устраивает?

Грейс это не устраивало. Если бы кто-то из ее друзей получил низкий балл, обязательно были бы последствия. Им пришлось бы переписывать тест и разговаривать с классным руководителем. Не сдать тест было недопустимо в этом городе. Ученики

Лейланда были яркими звездами, которых в будущем ожидал успех.

Грейс тошнило от этого.

Но поймет ли ее мадам Хендрик? Нет. Поэтому Грейс просто кивнула.

— Хорошо. Это будет нашей маленькой тайной. Спишем это на неудачный день. *Au revoir, mademoiselle**. — Явно довольная собой, учительница пошла прочь.

Грейс не отрываясь смотрела на нее, совсем не чувствуя себя довольной. Но дело было не только в тесте по французскому. Раньше в ее жизни были какие-то рамки. Были определенные правила. Но в последнее время все правила нарушались. Ее папа изменил маме. Мама солгала полиции. Мадемуазель Хендрик придумала «нашу маленькую тайну». А друзья покупали пиво.

Раньше Грейс чувствовала почву под ногами. Она знала, чего ожидать от жизни. Теперь — нет.

* * *

В спортзале в нескольких кварталах от школы Дебора занималась на тренажере. Она сгибала и разгибала руки и ноги, тяжело дыша и покрываясь потом. Это продолжалось уже сорок минут.

— Что ты делаешь? — спросила Карен с соседнего тренажера.

Дебора удивленно посмотрела на подругу.

— А?

— Ты будто собираешься участвовать в войне.

Дебора выдавила улыбку и, тяжело дыша, ответила:

— Усилие доставляет удовольствие.

— Тебе, может, и доставляет, — сказала Карен и остановилась, — но я больше не могу.

Она выключила тренажер, сдернула полотенце, висевшее на поручне, и вытерла лицо.

— Я бы и столько не занималась, если бы ты не запретила мне играть в теннис.

— Я не запретила, — с трудом выговорила Дебора, — а порекомендовала. Это моя работа.

---

* До свидания, мадемуазель (*фр.*).

Карен вытерла полотенцем руки.

— Подождать тебя?

Дебора покачала головой.

— Иди. Я еще немножко позанимаюсь.

Карен послала ей воздушный поцелуй и ушла. Минуту спустя ее тренажер заняла библиотекарша. Она коротко кивнула Деборе, надевая наушники.

Дебора позанималась еще десять минут. Сойдя с тренажера, она некоторое время потягивалась, прежде чем направиться в раздевалку.

В дверях она столкнулась с Келли Хубер. Келли уже долгое время была пациенткой Деборы. Она приходилась старшей сестрой той самой Ким, которая устраивала вечеринку в прошлую субботу. Именно Келли отменила свой визит к Деборе во второй половине дня, сославшись на болезнь.

— Келли, привет, — сказала Дебора, довольная, что ее дыхание выравнивалось. — Добро пожаловать домой. Весенний семестр уже закончился?

Келли удивленно смотрела на нее, явно не очень обрадовавшись.

— Закончился на прошлой неделе.

— Ты прекрасно выглядишь, — сказала Дебора. — Тебе, вероятно, уже гораздо лучше.

— Немного, — ответила Келли и нервно осмотрелась вокруг.

Через секунду появилась ее мать. Волосы Эмили Хубер были умело осветлены и стянуты в конский хвост, как у дочери.

Дебора улыбнулась:

— Вы, должно быть, в восторге, что вернулись домой. — Когда Эмили не ответила, она повернулась к Келли. — Какие планы на лето?

— Я, э-э, пока не знаю. Возможно, пойду в интернатуру. — Девушка бросила быстрый взгляд на мать. — Мне пора начинать тренировку. — Криво улыбнувшись Деборе, Келли проскользнула мимо.

Дебора только сейчас ощутила какую-то неловкость. Эмили сказала:

— Это был не самый приятный момент для моей дочери.

Дебора нахмурилась.

— Потому что она отменила свой визит ко мне?

— Это я его отменила, — ответила мать. — После того что случилось в субботу вечером, будет лучше, если она станет ходить к другому доктору. И Ким тоже. В конце недели я заеду за их картами.

Дебора ничего не понимала.

— А что случилось в субботу вечером?

— Обязательно было звонить в полицию?

— Не понимаю.

— Только из-за того, что Грейс не захотела идти на вечеринку к моей дочери.

— Я не звонила в полицию.

— Вы сообщили им о шумной вечеринке, но мы обе знаем, в чем дело. Вы ожидали, что они вышлют машину к дому, — сказала Эмили, понизив голос, когда две проходящие мимо женщины с любопытством посмотрели на них. — Но они знают Марти и меня. И доверяют нам, возможно, даже больше, чем вам сейчас.

— О чем вы говорите? — спросила Дебора, которую беспокоила одна мысль. Нельзя исключать возможность, что Грейс рассказала Ким правду.

— Об аварии на прошлой неделе, — сердито ответила Эмили. — Кельвин МакКенна был одним из лучших учителей в школе. Он не был похож на человека, который станет ни с того ни с сего бегать по улице. Это вы ехали слишком быстро во время дождя.

— Извините, — прервала ее Дебора, — превышения скорости не было.

Эмили подняла обе ладони.

— Ладно, но притворяться, что вы ничего плохого не сделали? Насылать полицию на других людей, хотя сами им солгали?

— В чем солгала? — спросила Дебора.

— Это классика. Вы немного выпили, поэтому хотели, чтобы у других были проблемы из-за выпивки.

— Я не пью.

— Ну а ваш отец пьет, и это всего лишь вопрос времени.

У Деборы было такое чувство, словно ее ударили.

— Что?

— Да ладно вам, — протянула Эмили. — Все знают, что доктор Барр за обедом выпивает кое-что покрепче диетической колы. Я бы ничего не сказала, если бы вы не упомянули о нас в протоколе в связи с субботними событиями.

И она с победным видом направилась вслед за дочерью в спортзал.

Удовольствие, которое Дебора получила от тренировки, улетучилось. Дрожа, она шла в раздевалку, расстроенная совсем не из-за упоминания об аварии. Она не знала, что папа пил во время обеда. Если он действительно это делал, это означало, что у них проблема.

Одна из женщин, проходивших мимо во время разговора с Эмили, стояла неподалеку. Когда Дебора посмотрела на нее, она отвела взгляд.

Все знали об аварии. Но о том, что Майкл Барр пьет? Этого не может быть. Дебора ни разу не видела на работе ни подозрительных стаканов, ни неуверенной походки. Но как все это проверить? Она не могла спросить у медсестры, видела ли та что-либо, чтобы не зародить никаких подозрений. К тому же администратор была искренней женщиной, которая подняла бы тревогу, если бы заметила что-то не то.

Дебора сказала себе, что инцидент с Эмили — всего лишь неприятность. Что это один из многих имеющихся поводов для беспокойства.

Затем она проверила свой мобильный и обнаружила сообщение от Грэга.

«Перезвони мне», — написал он.

Она могла бы проигнорировать этот приказ, если бы не чувствовала себя так одиноко. Ее жизнь разваливалась. Казалось, стоит лишь потянуть за ниточку — любую ниточку — и все распадется на куски.

Уже на парковке за спортзалом Дебора набрала номер бывшего мужа.

— Привет, — сказал Грэг довольно любезно, прежде чем перейти в наступление. — Ты разговаривала с Грейс о том, почему она не отвечает на мои звонки?

Ей понадобилась минута, чтобы собраться с мыслями.

— Да, разговаривала.

— И?

— Боюсь, это больше напоминало ссору, чем разговор.

— И кто на чьей стороне? — спросил он.

— Это не важно, Грэг. В этом случае я на твоей стороне. Я действительно хочу, чтобы Грейс поговорила с тобой. Но просто не могу заставить ее это сделать.

— Почему? — спросил он. — Скажи, что она не сядет за руль, пока не поговорит с отцом по-человечески.

— Не уверена, что это подействует. Сейчас вождение не вызывает у нее интереса.

— Тогда забери у нее мобильный. Скажи, что не отдашь, пока она не поговорит со мной.

— Та же проблема: мобильным она на этой неделе тоже не пользуется.

— Не пользуется мобильным? Что происходит?

Дебора прикрыла глаза и сжала пальцами переносицу.

— Ничего такого, чего не лечит время.

Она молилась, чтобы так оно и было. И чтобы Грейс ничего не рассказала Ким.

— Это все из-за аварии? — спросил Грэг (нужно отдать ему должное, уже мягче).

— Прошла всего лишь неделя. Грейс знала этого человека — он был ее учителем. Она чувствует себя виноватой.

— Виноватой в аварии? Она ведь только сидела на пассажирском сиденье.

Не на пассажирском. Но Дебора не могла этого сказать. Она поняла, что в этом и была проблема Грейс — во лжи. Именно ложь встала между Грейс и Деборой, Грейс и Грэгом, Грейс и ее друзьями. Эта ложь не пустила ее в субботу на вечеринку, и это разозлило Эмили Хубер. Во всем виновата ложь.

А придумала ее Дебора.

Что она могла теперь поделать? Протокол уже заполнен. Запись ее показаний в трех разных местах. И к тому же статья в местной газете... Если она сейчас откажется от своих слов, будет только хуже.

— Возможно, Грейс следует поговорить со специалистом, — сказал Грэг, прерывая размышления Деборы.

— Я с ней сама разговаривала.

— Может, ей нужно поговорить с кем-то кроме тебя. Ты, может, и врач, но ты ее мама. А это ограничивает твои возможности как профессионала. Если ты не можешь до нее достучаться, ей нужна консультация специалиста.

— Чуть больше часа назад я разговаривала со школьным психологом, — защищалась Дебора. — И все равно думаю, что прошло мало времени. Я делаю все, что в моих силах.

— Возможно, того, что в твоих силах, недостаточно.

Дебора подумала, что, может, он и прав. Она всегда верила в себя, но после аварии ее самооценка сильно пострадала. И то, что она уже лишилась двух пациентов, которые ей действительно нравились, еще более усугубляло ситуацию. Как и то, что проходящие мимо люди не смотрели ей в глаза. Как и намеки на то, что все вокруг обсуждают пристрастие ее отца к алкоголю.

— У меня когда-то был менеджер по проектам, — сказал Грэг. — Он клялся, что может справиться со всем сам, до тех пор пока его отдел не развалился. Я не хочу, чтобы это произошло с нашей семьей.

Это стало последней каплей.

— С нашей семьей? — спросила Дебора с внезапно вспыхнувшей злостью. — Мне казалось, что ты самоустранился.

— Я пытаюсь вернуться.

— Что это значит? — Она была в бешенстве. Два года назад он одним махом перевернул их жизнь. — Мы в разводе, Грэг. Ты продал свой бизнес, передал мне права на дом и ответственность за детей. Ты переехал в другой штат и женился на другой женщине. Куда именно ты пытаешься вернуться?

Он выругался.

— Что? — спросила она. — Я что-то сказала не так?

— Все так, — ответил Грэг, уже намного тише. — Ты никогда не ошибаешься, Дебора. Ты исключительно умна. Ничто никогда не может тебя остановить. Тебе никто не нужен. И ты совершенно уверена, что тебе не нужен я.

— Как раз сейчас ты мне очень нужен. Быть матерью-одиночкой невесело.

— Ты только что сказала, что для меня там места нет.

Дебора закрыла глаза.

— Но ведь это ты ушел.

— И рад, что сделал это, если наш разговор действительно отражает твои чувства ко мне.

Она вздохнула.

— Я любила тебя, Грэг.

— Ты любила то, что у тебя есть муж, есть дети. Я иногда думаю, что переезд в Лейланд был моей ошибкой. Если бы мы уехали туда, где у тебя не было прошлого, ты бы больше во мне нуждалась.

11

Как только с обедом было покончено и Дилан устроился перед телевизором, Дебора заглянула в комнату Грейс и, жестом попросив дочь снять наушники, сказала:

— Я съезжу в город. Нужно кое-что обсудить с дедушкой.

— Что обсудить? — осторожно спросила Грейс.

— Это насчет одного пациента, — ответила Дебора, не вдаваясь в подробности.

Грейс недоверчиво спросила:

— А почему именно сейчас, вечером? Разве ты не увидишься с ним завтра утром?

— Да, но это проблема, над которой ему до утра нужно будет хорошо подумать.

— В смысле?

— Если я тебе скажу, — мягко пожурила ее Дебора, — то нарушу конфиденциальность. Я ведь обещала тебе, что никогда этого не сделаю.

Грейс с минуту смотрела на нее, прежде чем опять включить свою музыку и тем самым отгородиться от матери. Вскоре Дебора уже выезжала из гаража.

Отец ужинал со своим другом Метом, а это значило, что ему не пришлось пить на голодный желудок. Тем не менее к тому времени, когда Дебора без предупреждения заглянула в его кабинет, взгляд Майкла уже помутнел. Работал телевизор. В руке Майкл держал стакан, рядом стояла бутылка.

«Нужно сказать ему, что я случайно проезжала мимо, — например, обедала с Карен и возвращалась домой. Нужно сказать, что я здесь только для того, чтобы воспользоваться ванной комнатой».

Но Дебора не могла снова лгать. Благодаря Эмили Хубер пришлось посмотреть правде в глаза и признать, что Майкл пьет. Взяв с подлокотника пульт дистанционного управления, Дебора убавила звук.

Отец неуверенно поднял руку, посмотрел на часы и с трудом пытался сообразить, который час.

— Ты уже давно должна была уехать.

«Лучше уехать. Он даже не вспомнит, что я здесь была».

Но ее отец был в беде. Они все были в беде. Дебора быстро сказала:

— Сегодня в спортзале я случайно столкнулась с Эмили Хубер. Она была в ярости из-за того, что я якобы сообщила в полицию о шумной вечеринке. Она говорит, что забирает от нас девочек.

У Майкла опустились уголки рта.

— Забирает? Что это значит?

— Они теперь будут наблюдаться у личного врача Эмили.

— Но это же бред. — Он потер подбородок. — И это из-за того, что ты позвонила в полицию?

— Я не звонила в полицию. Эмили просто так думает.

— Почему она настроена против тебя?

— Дело не только во мне, — сказала Дебора. — Эмили говорит, что не доверяет тебе.

— Не доверяет мне?! — вскричал Майкл, выпрямившись. — Почему, черт возьми?

Дебора глубоко вдохнула.

— Она заявляет, что ты слишком много пьешь.

На мгновение повисло тяжелое молчание, а потом отец возмущенно произнес:

— О чем она говорит?

Дебора перевела взгляд на бутылку.

— Боже, сейчас же десять вечера. То, чем я занимаюсь в свободное время — не ее собачье дело.

— Эмили говорит, что ты пьешь за обедом, а это уже ее дело.

— Я не пью на работе! — прогремел он. — Эмили Хубер выдумывает. Поэтому я еще раз спрашиваю: почему она настроена против тебя?

— Дело не во мне, папа. Дело в тебе. Я вижу здесь бутылку каждое утро, и раз в несколько дней ее сменяет новая. Это много виски. А ты ведь говорил, что мама заставила бы тебя взять себя в руки.

Он проигнорировал последнее замечание.

— Откуда, черт возьми, Эмили Хубер знает, что я пью? Это ты ей сказала?

— Папа, это последнее, о чем бы я ей рассказала. — Дебора присела на корточки рядом с его креслом. — Ты же знаешь, как появляются слухи. Ты сегодня ужинал с Метом. Куда вы ходили?

Майкл замолчал. Наконец он ответил:

— В «Депо».

— Это же здесь, в городе. Ты пил за ужином?

— Один бокал. Может, два. Но какое кому до этого дело?

— Когда люди видят, что ты пьешь — особенно больше двух бокалов — начинаются разговоры.

— Ты когда-нибудь видела, чтобы я пил?

— Но я заезжаю к тебе на следующее утро, и у тебя ужасно болит голова.

— Голова болит, потому что я засыпаю в этом чертовом кресле.

— А это происходит тогда, когда ты слишком много выпьешь?

— С чего ты взяла?! — взревел Майкл. — Тебя здесь не было. Ты не знаешь, что я пью. Ты ничего обо мне не знаешь.

— Ты тоскуешь по маме, — тихо сказала Дебора.

— Тоскую? Это даже отдаленно не передает мои чувства! — закричал Майкл. — Я чувствую себя так, словно половина меня умерла.

— Алкоголь не поможет, — произнесла Дебора.

— Да? — Майкл с вызовом поднял стакан и выпил содержимое одним глотком, но когда хотел поставить его обратно, промахнулся. Стакан упал на ковер. Дебора подняла его, но отец, похоже, ничего не заметил. — Откуда ты знаешь, что не поможет? Ты никогда не была на моем месте. Твой муж взял и бросил тебя, а ты чувствовала себя прекрасно, ни рыданий, ни тоски по любимому мужчине.

— Папа…

— Что «папа»? — перебил Майкл, поднимаясь, чтобы посмотреть ей в лицо. Он не очень уверенно держался на ногах. — Хочешь поговорить о том, как я переживаю утрату? Давай поговорим о тебе. Ты отдаляешься от всех.

«Он просто пьян», — подумала Дебора, хотя обвинение ее задело.

— Я пришла поговорить о том, что ты пьешь.

— Разве ты ничего не чувствовала, когда Грэг ушел?

— Чувствовала, — зло ответила она.

— Ты не подавала виду.

— Как я могла?! — закричала Дебора. Пьяный или нет, отец был несправедлив. — У меня двое детей, которые чувствуют себя покинутыми. Я должна быть им и мамой и папой. Разве было бы лучше просто сидеть и смотреть на осколки разбитой жизни? Кто-то должен был их собрать.

— Что ты сразу же и сделала, — сказал Майкл и осмотрелся в поисках стакана. Не найдя его, он взял из бара другой. — Ты обрезала волосы, — пробормотал он. — И все. Обрезала волосы. — Он налил себе еще виски.

— Пожалуйста, не пей, — попросила Дебора.

Глядя на дочь, он сделал большой глоток.

— Грэгу нравились твои длинные волосы, поэтому ты их обрезала. Только поэтому. Ты любила длинные волосы.

— Мне нужно было что-то изменить.

— Ты хотела выглядеть привлекательно, — бросил он, стукнув обручальным кольцом о стекло стакана, — потому что твой муж ушел к другой женщине.

— Он хотел другой жизни, — поправила Дебора, чуть не плача.

— …а ты хотела, чтобы все вокруг знали, что это не твоя вина. Но это твоя вина, Дебора. Мужчины любят неравнодушных женщин. Твоя мать не была равнодушной. Она всегда готова была помочь мне.

Он еще немного выпил.

— Пожалуйста, не надо, — умоляла Дебора.

— Когда я с ней познакомился, у нее были длинные волосы, — задумчиво продолжал Майкл, разглядывая остатки виски в стакане, — но за ними нужно было ухаживать, поэтому она их обрезала. Мне и короткие нравились. Но она не была врачом. Врач должен быть аккуратным.

— Я хороший врач, — прошептала Дебора.

— Если бы у меня был сын, он стал бы врачом.

Она сглотнула.

— У тебя не было сына.

— Я всегда хотел иметь семейную практику вместе с сыном.

Ее сердце разрывалось.

— У тебя есть семейная практика с дочерью.

Майкл выпил остатки виски.

— Это не одно и то же.

— Нет, — согласилась Дебора. И боль, которая много лет сидела внутри, вдруг вырвалась наружу. — Я не сын.

Он поднял глаза.

— В каком смысле?

— Я не сын, — уже громче повторила Дебора.

Отец нахмурился.

— О чем ты говоришь?

— Я говорю правду, — сказала она. — Я не сын. Я твоя дочь и делаю все возможное. Может, я не идеал, но, видит Бог, я старалась. И если я не соответствую твоим требованиям, то, возможно, это правда, с которой мне просто нужно смириться. — Дебора перевела дыхание. — А вот еще одна правда. Ты слишком много пьешь.

— Это правда? — Он налил еще, затем повернулся к ней и спросил подозрительно тихо: — Ты хочешь сказать, что я лгу?

Ей было слишком больно, чтобы она могла выдержать этот натиск.

— Я хочу сказать, что ты не хочешь этого признавать.

— Ха! — Майкл взмахнул рукой, расплескав виски из стакана. — Кто бы говорил! Ты обвиняешь Грэга в том, что ваш брак развалился. Думаешь, дети этого не чувствуют?

— Папа…

— И ты не подаешь им отвратительный пример?

— Пожалуйста, папа.

— Пожалуйста что?

— Ты слишком много пьешь.

— Видишь? — криво улыбнулся Майкл. — Именно это я и имею в виду. Я говорю о чувствах. А все, что ты можешь сказать — это: «Папа, ты слишком много пьешь». Я не пью слишком много, — насмешливо сказал он. — А даже если и выпил стакан или два, чтобы скрасить свое одиночество? Это говорит только о том, что я человек. — Майкл поднял стакан и произнес тост: — Пусть это будет тебе уроком.

— Пожалуйста, папа.

Его стакан со стуком опустился.

— Я не говорю тебе, чем заниматься в свободное время. И ты мне не указывай. — Он сделал еще глоток и схватил пульт. — Разговор окончен. — Взяв книгу, Майкл снова сел в свое кресло.

С тяжелым сердцем Дебора вернулась к машине и выехала на дорогу.

По пути домой она никого не встретила и уже в гараже почувствовала такую усталость, что не могла выйти из машины.

В это время выключился верхний свет.

Она сидела в темноте, пока не открылась дверь в дом. На пороге стояла Грейс. На фоне освещенной двери виден был только ее силуэт, копна кудряшек, которые обрамляли лицо, и напряженное стройное тело.

— Мама? — громко позвала девочка.

Дебора открыла дверцу машины и вышла.

— Да, солнышко, — отозвалась она, подойдя к ступенькам.

— Почему ты там сидела?

— Мне там было удобно.

— В гараже? — спросила Грейс. — Если бы там был угарный газ, ты могла бы умереть. — Она сделала ударение на последнем слове.

— Двигатель выключен, никакого угарного газа нет. — Измученная, Дебора прошла мимо девочки. Она не прикоснулась к дочери, прикосновение не помогло бы.

— Где ты была?

— У дедушки. Я же тебе говорила. — Дебора достала чашку и налила горячей воды. — Мне нужно было с ним поговорить. — Она открыла шкафчик, где хранился чай.

— О чем?

Ромашка? Имбирь с лимоном? Папайя? Дебора никак не могла определиться. Закрыв глаза, она наугад взяла коробку. Папайя. Хороший выбор.

— Мама?

Дебора достала пакетик чая и опустила его в чашку.

— Да, солнышко.

— О чем ты разговаривала с дедушкой?

У Деборы уже не было сил, чтобы придумать очередную ложь. К тому же ее дочь была умной девочкой. Рано или поздно она бы заметила, что дедушка пьет за завтраком.

Глядя прямо в глаза дочери, Дебора сказала:

— По-моему, у дедушки проблемы с алкоголем.

Глаза девочки расширились.

— Ты думаешь, он алкоголик?

— Возможно, еще нет. Сейчас он просто слишком много пьет.

— А что он пьет? Вино?

— Виски.

— Виски, — эхом отозвалась Грейс. — То есть он пьет в баре? Или дома?

Дебора взяла чашку и вдохнула успокаивающую сладость папайи.

— Я видела, как он пил дома, и здесь, и в ресторане.

— Ты тоже пьешь в ресторане. Ты пила у Труттеров.

— Но не столько, чтобы опьянеть. Я знаю меру.

— А дедушка не знает? А как же работа? Он и там пьет? Я имею в виду, это было бы хуже всего, правда?

— Да, это было бы хуже всего. — Дебора отхлебнула чай. — Я не знаю наверное.

— Но ты думаешь, что это так?

Дебора поколебалась и опять решила сказать правду.

— Я видела в спортзале Эмили Хубер. Ты слышала, что в субботу вечером из-за шумной вечеринки вызывали полицию?

— Они думают, что это сделали мы.

— Ты знала? Почему мне ничего не сказала? — Дебора махнула рукой. — Неважно. Эмили забирает от нас Келли и Ким.

Грейс молчала. Наконец она угрожающе произнесла:

— Это ты позвонила в полицию? — Она держала палец у рта, не грызла ноготь, но была близка к этому.

Дебора даже не стала возмущаться.

— Откуда мне было знать, был там шум или нет? Меня там не было.

— Я тебе говорила, что там будет пиво.

— Ты сказала мне об этом на следующий день, — заметила Дебора в ответ на обвинения.

— Ты просила Даниель заехать к нам? — так же мрачно спросила Грейс.

Дебора не сразу ответила.

— Нет. А она заезжала?

— Она приезжала, чтобы пригласить меня сходить куда-то. Я сказала, что не могу, потому что мне нужно писать сочинение по английскому, а я не пишу. — Последние слова Грейс произнесла с вызовом, засовывая руки в задние карманы джинсов. — Ты просила ее приехать? — повторила она.

— Вовсе нет. Даниель обожает тебя. О Грейс, мне так жаль, что ты даже не пригласила ее войти. Карен сказала, что Дани хочет с тобой побеседовать.

— Что ж, а я не хочу. Я тебе говорю это только для того, чтобы ты передала Карен. Дани хочет поговорить об аварии, а я не хочу. — Она отбросила волосы назад. — А какое дело миссис Хубер до дедушкиного пьянства?

Дебора позволила сменить тему.

— Она говорит, что он пьет за обедом.

Грейс поморщилась.

— Миссис Хубер так и сказала? Миссис Хубер, которая постоянно сидит у бассейна с коктейлем? На ее месте я бы не обвиняла людей в том, что они пьют за обедом. А дедушка пьет?

Дебора приложила теплую чашку к щеке.

— Он говорит, что нет.

— Ты ему веришь?

— Не знаю. Он пьет по вечерам, потому что тоскует по бабушке Рут.

— Он любил ее, — сказала Грейс с упреком. Словно Дебора этого не знала.

— Мне известно, что он любил ее, Грейс. Я видела эту любовь намного дольше, чем ты. И прекрасно понимаю, почему он чувствует себя дома одиноко, но… пить на работе? Это очень опасно.

Грейс сбавила тон.

— Может, дедушка всего лишь немного выпил.

— Это «немного» может замедлить его реакцию.

— Ты действительно думаешь, что он способен принять решение, которое может кому-то навредить?

— Ненамеренно. Но ошибка, даже небольшая, например, неправильно назначенная доза, может оказаться роковой.

— Ты хочешь сказать, на него могут подать в суд?

— Я хочу сказать, что кто-то может умереть. А он лечит несколько десятков детей твоего возраста. Как я могу говорить ему о вреде алкоголя, если он сам должен говорить это другим?

— Может, трезвый образ жизни — это нереально? Может, Хуберы правы, забирая ключи от машины. Я имею в виду, если дети все равно это сделают, может, лучше перестраховаться? Откуда нам знать, сколько можно выпить, если мы не попробуем?

— Это не я придумала, дорогая. Это закон. А дедушка должен подавать пример другим. Он — пример для подражания. А примеры для подражания не пьют на работе.

— Примеры для подражания не лгут, — сказала Грейс.

Дебора с минуту смотрела на нее.

— Нет, не лгут.

Ее согласие заставило девочку умерить пыл.

— Как ты попрощалась с дедушкой?

Дебора с благодарностью вернулась к безопасной теме.

— Не очень хорошо.

— Он зол на тебя?

— Ну… можно сказать и так. Надеюсь, к утру он успокоится.

— Успокоится — значит, поймет, что ты была права?

Дебора улыбнулась.

— Разве это плохо?

12

Это было бы слишком хорошо. Майкл к утру не успокоился. Дебора не была уверена, что именно он помнит, но он позвонил с самого утра и сказал, что собирается завтракать в кафе и ей не надо заезжать к нему. Совпадение? Возможно. Его мог бы выдать тон. Но сама Дебора с ним не разговаривала. С ним побеседовал Дилан, так и не позвав ее к телефону.

Отвезя детей в школу, Дебора заехала в кондитерскую. Столики на улице были заняты людьми, наслаждавшимися утренним солнышком.

Войдя внутрь, Дебора взяла фирменную булочку и кофе и отправилась искать Джил. Та сидела в кабинете, наклеивая адреса на летние рекламные проспекты. Не зная, с чего начать, Дебора поставила свой завтрак и упала в кресло.

Джил взглянула на сестру и сказала:

— Паршиво выглядишь.

— И чувствую себя паршиво, — пробормотала Дебора. Она могла придумать целый список слов, чтобы охарактеризовать свое состояние. Не последнее место в этом списке занимало бы «крушение иллюзий», но «паршиво» тоже подойдет. — Вчера я все сказала отцу.

Повисло молчание, потом Джил с любопытством спросила:

— Что значит «все»?

— Я сказала, что он слишком много пьет.

— Сказала? А он что?

— Ответил, что это не мое дело.

— Так он признал, что пьет?

— Отрицал. А потом набросился на меня.

Джил нахмурилась.

— Что значит «набросился»?

— Не хмурь брови, — попросила Дебора. — Именно так хмурился папа, когда говорил, что я ничего не понимаю.

Лицо Джил разгладилось.

— Почему он на тебя набросился?

— Потому что я, должно быть, задела его за живое.

— Что он сказал?

— Как смею я обвинять его в пьянстве, когда сама такая.

— Какая?

— Паршивая жена, паршивая мать.

— Он был пьян.

— Вообще-то нет, — произнесла Дебора. Она уже думала об этом. — Вот почему все так плохо. Он, может, и выпил больше, чем следовало, но излагал свои мысли довольно четко. Я думаю, что алкоголь развязал ему язык. Отец сказал то, что на самом деле чувствовал, но не хотел говорить раньше.

— Ты не паршивая жена и не паршивая мать.

— Честно говоря, Джил, я вообще не жена. Он ясно выразился и развил целую теорию по поводу ухода Грэга. Возможно, отец прав. Я не поддерживала Грэга.

— Ерунда. Это Грэг не поддерживал тебя.

— Может, и поддержал бы, если бы я попросила. А я никогда не просила. И в этом я тоже виновата.

— В чем? В том, что ты независимая? — спросила Джил. — Умная? Самостоятельная?

Дебора могла бы чувствовать себя польщенной, но лишь грустно сказала:

— Раньше я знала, что меня ждет. Теперь нет.

— Дебора, что случилось?

Дебора потерла лоб.

— Вчера действительно был тяжелый день.

— Почему?

— С чего начать? С рассерженного пациента, который пожаловался на меня папе? Со звонка школьного психолога, обеспокоенной состоянием Грейс? С другой пациентки — ах да, бывшей пациентки, — набросившейся на меня в спортзале?

— Начни с этого, — сказала Джил. — Со спортзала.

— Хороший выбор, — ответила Дебора, посмотрев на сестру. — Это объяснит, почему я поссорилась с папой.

Она рассказала о случайной встрече с Эмили Хубер.

Джил слушала, оторвав несколько наклеек с адресами.

— Эмили Хубер — единственная из твоих пациентов, кто отказался от ваших услуг. — Она прилепила наклейку к листовке. — Все, что утверждает Эмили, она в лучшем случае от кого-то услышала. — В ход пошла вторая наклейка, потом третья. — Она говорит это о папе, чтобы отомстить тебе. Ты ведь знаешь, что в прошлые выходные Эмили подавала детям ликер.

— Я сама себе так говорила. Но мне не дают покоя разные мелочи. Например, почему папа во время обеда закрывает дверь в свой кабинет. Я всегда воспринимала это как знак того, что он хочет несколько минут отдохнуть, но он мог и пить в это время. — Дебора посмотрела на сестру. — Ты бледная. Ты хорошо себя чувствуешь?

— Просто устала, — сказала Джил, — но это нормально. Так папа сознался?

— Нет. Он включил телевизор погромче и не стал со мной дальше разговаривать. Сегодня утром он передал, что позавтракает в кафе, возможно, так оно и было. Но мне все равно придется с ним встретиться на работе. И возможно, это будет неприятная встреча.

— Думаешь, он алкоголик?

— Пока нет.

— Ты предупредишь его?

— Не знаю.

— По-моему, его следует предупредить.

Дебора фыркнула.

— Легко сказать. Не ты же будешь с ним разговаривать. Он придет в бешенство.

— Но если ты этого не сделаешь, станет хуже, и ты никогда себе не простишь. Тебе нужно снова поговорить с отцом.

— У меня идея, — произнесла Дебора. — Ты расскажешь ему о наших опасениях.

— Эй, я с ним почти не общаюсь.

— Он твой отец. Разве тебя не беспокоит его состояние?

— А его беспокоит мое?

— А почему он должен беспокоиться? — парировала Дебора. — Он ведь не знает о ребенке.

Джил подняла руку.

— Я не буду говорить папе о ребенке.

— Это могло бы помочь, — упрашивала Дебора. — Ребенок — это новая жизнь. Ты могла бы сказать, что хочешь назвать ее Рут.

— Ее? Я не имею ни малейшего представления, будет это она или он.

— Это не важно, Джил. У папы появилась бы возможность думать о чем-то хорошем. Согласись, последние три года были для него нелегкими. — Дебора начала загибать пальцы. — Мамина смерть. Мой развод. Зрение Дилана. Авария. — Зазвонил ее мобильный. — Нашему отцу необходимо что-то хорошее. Расскажи ему о ребенке.

Но Джил нелегко было переубедить.

— Чтобы он начал оскорблять женщин, которые пользуются услугами банка спермы?

— Скажи ему, что хочешь этого ребенка. Это ведь на самом деле так.

— Говорить правду не всегда хорошо.

Дебора хотела возразить. Раньше она верила в силу правды. Раньше она верила, что все делится на «хорошо» и «плохо». Но не сегодня.

Телефон опять зазвонил. Вытянув его из кармана, Дебора посмотрела на экран и сразу же встала.

— Я сейчас вернусь, — сказала она Джил и, пройдя мимо тех, кто мог бы услышать разговор в кухне, вышла через черный ход, прежде чем ответить.

— Да.

— Вы дали мне свой номер телефона, — сказал Том МакКенна, словно извиняясь за свой звонок.

— Дала, — согласилась Дебора. Ей приятно было слышать его голос. — У вас хорошие новости? Я могу подъехать.

— Селена подписала разрешение, не сопротивляясь.

Дебора обошла желтый фургон.

— Это было разумно.

— На самом деле это было эгоистично. Она надеялась, что записи подтвердят ее правоту. Селена хочет верить, что это вы дали Кельвину дозу коумадина, пока он лежал на обочине.

— Чтобы он истек кровью? Бред. — Эти слова вылетели прежде, чем Дебора вспомнила, что не очень умно отзываться плохо о невестке Тома.

— Селена не знала, что ее муж принимает коумадин, — сказал Том, не обидевшись.

Дебора стала прохаживаться по переулку. Кирпичные стены с двух сторон создавали впечатление уединенности.

— Так ваш брат все-таки принимал это лекарство?

— Да. Страховая компания только что прислала факс. Коумадин записан в карте Кельвина.

Дебора почувствовала облегчение оттого, что хотя бы в этом ее невиновность доказана, а также из-за откровенности Тома.

— Он был назначен?

— Похоже, что да. Здесь указаны имена двух врачей — Вильяма Беруби и Энтони Хоукинса. Вы когда-нибудь слышали хоть о ком-то из них?

— Нет. А где они работают?

— Адреса не указаны, но плата за анализы поступала в Массачусетский медицинский центр. Я поискал в Интернете. Оба доктора работают там.

— Специальность?

— Один — кардиолог, второй специализируется на инсультах. Я ожидал чего-то связанного с инсультами, судя по нашей наследственности. Видимо, у Кельвина было несколько микроинсультов.

Дебора резко остановилась.

— У него были ТИА? — удивленно спросила она.

— Здесь так написано. Такое может быть?

— В принципе, Кельвин был слишком молод для ТИА, но такое случается. Вы можете с ними поговорить. Отметка «ТИА» вполне объясняет то, что ваш брат принимал коумадин. — Дебора продолжила свою прогулку. — Селена должна была знать о приступах.

— Нет.

Дебора остановилась.

— Как же она могла не знать?

— Мой брат был скрытным.

— Но она была его женой. Как он мог скрыть такое?

— Это вы мне скажите. Возможно ли, чтобы она ничего не заметила?

— Да, — признала Дебора. — Это возможно. По определению ТИА — транзиторные ишемические атаки — это инсульт, который продолжался всего несколько минут. Симптомы могут быть неярко выраженными — непродолжительное онемение или слабость в одной половине тела, нарушение зрения на несколько минут, головокружение. Они могли исчезнуть прежде, чем миссис Мак-Кенна заметила. Но вопрос в том, почему он ей не сказал. Инсульт — это серьезно.

— Возможно, Кельвин не хотел ее беспокоить.

— Очень благородно, но он мог сидеть за рулем и перенести инсульт, а она была бы на пассажирском сиденье и даже не знала, что происходит.

— Так же, как и когда его сбила машина и он попал в больницу, — заметил Том.

— Да, — согласилась Дебора. — Простите. Я не хотела осуждать вашего брата или его жену. Люди поступают так, как им удобно.

Том так долго молчал, что она уже начала думать, что либо обидела его, либо их разъединили. Вдруг он тихо сказал:

— Не думаю, что Селену это устраивало. Она очень рассержена. А поскольку Кельвина нет, то она сердится на меня. Она все время спрашивает, почему он ездил в Вустер*, если Бостон ближе. Для меня это очевидно. Он ездил в Вустер, чтобы никто ничего не узнал.

— И Селена ни о чем не подозревала? — спросила Дебора. — Она должна была знать, что он ездит в Вустер.

— Она думала, что он навещает друга. Кельвин сказал ей, что его зовут Пит Кавано и что он его старый школьный приятель, который потерял в Ираке обе ноги.

— Это правда?

— В школе с Кельвином действительно учился Питер Кавано. Но они с Кельвином были заклятыми врагами. Не может быть, чтобы потом они подружились.

---

* Город в штате Массачусетс, США.

— Иногда, когда человек становится калекой…

— Нет. Питер Кавано, который жил с нами по соседству, действительно поехал в Ирак. Но он погиб в начале войны. Кельвин использовал его имя в качестве прикрытия, поскольку Селена переехала сюда с ним из Сиэтла. С тех пор прошло четыре года. Все это время Пит был мертв.

Дебора услышала в голосе Тома злость и не могла осуждать его. Снова ложь.

— А как насчет телефонных звонков из Вустера, скажем, чтобы уточнить время приема?

— Ему звонили на мобильный телефон. Селена никогда бы не узнала.

— Но почему? — спросила Дебора. Дойдя до конца переулка, она остановилась. — Физическое состояние вашего брата внушало врачам серьезные опасения. Он боялся, что жена станет меньше его любить или, может, уйдет от него?

— Нет. Просто это был Кельвин. Мой отец был таким же.

— Скрытным?

— Невероятно. Он был мастером сегментации — разделял свою жизнь на сегменты, которые никогда не пересекались.

Дебора прислонилась спиной к кирпичной стене. На главной улице было оживленное движение.

— Сегменты?

— Семья, например. Была одна семья, в которой он родился, и вторая, которую он создал сам. Но члены этих семей никогда не встречались.

— Серьезно? — Она не могла этого представить. — Вы никогда не видели его родителей?

— Ни сестер, ни братьев. Он иногда навещал их, но мы никогда к ним не ездили.

— Разве они о вас не спрашивали?

— Они о нас не знали. А еще была работа. Мне было двенадцать, когда я узнал, кем работает мой отец.

— И кем он работал?

— Он был химиком. Между прочим, известным. Читал лекции в университетах по всей стране. Он приезжал навестить нас на месяц или два, но никогда не говорил дома о работе. Моя мама не отвечала на наши вопросы, и мне в конце концов пришлось поискать информацию о нем в библиотеке.

— Это невероятно, — произнесла Дебора, пытаясь переварить услышанное. — Но ваш брат не скрывал, кем он работает. Его жена знала об этом.

— Кое-что знала. Но Селена понятия не имела о том, сколько он зарабатывал и включает ли его контракт начисление пенсии или страхование жизни. Дома у Кельвина был свой кабинет. Его жена говорит, что он читал там по ночам. Я осмотрел каждый дюйм и не нашел ни единой бумажки, которая имела бы отношение к его работе.

— Даже ученических рефератов?

— Что-то может быть в его компьютере, но Селена не знает пароль. Мы предполагаем, что личные бумаги Кельвина находятся в его школьном кабинете. Если нет, я не представляю, где они могут быть. Мне даже неизвестно, где он хранил свои счета.

— О, счета вышлют повторно, — заметила Дебора.

— Только не домой. Счета приходили на абонентский ящик. — В голосе Тома не было ни тени улыбки; похоже, он решил облегчить душу. — Этому Кельвин тоже научился у папы — несколько абонентских ящиков. Счета приходили на один, личная корреспонденция — на другой. Все отдельно, все конфиденциально. У Кельвина также было несколько мобильных телефонов. Мне известен только номер в Сиэтле. Я не знал, что брат переехал на восток, пока Селена не позвонила мне на прошлой неделе. Чудно, правда?

Чудно, по-другому не скажешь. Все остальные слова имели более негативное значение.

— У вашего брата были друзья?

— Возможно, но не в том смысле, как вы или я это понимаем. Дружба требует общения.

— Но он же состоял в браке. — В отличие от нее и Тома.

— Состоял, хотя я не знаю, зачем он женился. Я бы понял, если бы у них были дети. Но Селена утверждает, что Кельвин не хотел детей.

— Вы когда-нибудь разговаривали с ним об этом?

— Я? Нет. Я даже не знал, что Кельвин женился. Пока Селена не позвонила и не сказала, что он умер. — Том помолчал. — Возможно, мне не стоило вам этого говорить.

Суровое напоминание о том, что они находятся по разные стороны баррикады. Но Дебора все равно не удержалась:

— А Кельвин занимался бегом?

— Если и занимался, то я об этом не знал. Но Селена говорит, что они познакомились, катаясь на лыжах. Я понятия не имел, что он катается на лыжах. Поэтому вполне возможно, что Кельвин занимался бегом. А почему вы спрашиваете?

— Место, где мы его сбили, находится в трех милях от его дома. Это шесть миль, если считать расстояние туда и обратно. Довольно большая дистанция для бега под проливным дождем. Либо он был фанатом легкой атлетики, либо... — Дебора хотела сказать «ненормальным», но исправилась: — ...оригиналом.

— Оригинал, — подтвердил Том. — Он заслужил такое определение.

— А как вы этого избежали?

Последовала короткая пауза. Затем Том спросил:

— Откуда вы знаете, что избежал?

Она попыталась понять, говорит ли он серьезно.

— Вообще-то не знаю, — наконец сказала Дебора.

Был еще с десяток вопросов, которые ей хотелось задать, и среди них: почему, если Кельвин принимал коумадин по предписанию доктора, он не рассказал об этом врачам «скорой помощи». Но тут за угол свернула машина. Это был седан Джона Колби. Дебора помахала, поймав его взгляд.

— Мне нужно бежать, — сказала она Тому. — Спасибо, что поделились со мной информацией.

— Ваш адвокат будет доволен.

— Мой адвокат ни о чем не узнает. — Она смотрела, как Джон поворачивает в переулок. — Нужно бежать. Еще раз спасибо.

Выключив телефон, Дебора подошла к автомобилю. Ей нужно было кое о чем поговорить с Колби.

— Что произошло в субботу вечером? — поинтересовалась она.

— В субботу вечером? — переспросил он, явно не понимая, о чем речь.

— Кто-то заявил на Хуберов в полицию.

Дебора отступила, чтобы дать Джону возможность выйти из машины.

— Ах, это. Это был их сосед. Он постоянно звонит, все время жалуется на автомобильные сигнализации. Вечеринка показалась ему слишком шумной.

— Вы сказали Хуберам, кто звонил?

— Нет, — осторожно ответил Джон и посмотрел не нее.

— Они спрашивали, не я ли это была?

Он отвел глаза.

— Да. Я сказал им, что не разговаривал с вами.

— Но они не поверили.

— Нет. — Он опять посмотрел на Дебору. — Они утверждают, что это из-за того, что Грейс не было на вечеринке. Ее не приглашали?

— Приглашали, — со вздохом ответила Дебора и провела рукой по волосам. — Она просто не захотела идти. Из-за этого я потеряла двух пациентов, Джон. Эмили перевела девочек к другому врачу.

— О, простите. — Это прозвучало так искренне. — Я говорил ей, что это были не вы. Хотите, я пойду к ней и скажу, кто это был на самом деле?

Дебора испугалась, что это только подтвердит слухи о том, что полиция ее покрывает.

— Нет. Если доверие потеряно, его уже не вернуть.

— Как бы там ни было, — доверительно сказал Джон, — хорошо, что Грейс туда не пошла. Когда к старшей дочери приходили друзья, Хуберы угощали их пивом. И можно не сомневаться, что они предлагают то же друзьям Ким. Я бы лично поехал туда, чтобы проверить, не утих ли шум, но больше жалоб не поступало, поэтому я ничего не предпринимал. Конечно, я бы кусал сейчас локти, если бы кто-то из детей врезался на своей машине в дерево. Но была только одна жалоба. — Он погладил рукой свой округлый живот. — В этом городе довольно сложно, из-за всех этих богатых родителей и прочего. Иногда приходится ловить их на слове. — Джон облокотился о крышу машины. — Вчера я видел Грейс.

Дебора приподняла брови.

— Правда?

— На стадионе. Она тренировалась с командой. Боже, как она бегает! Все остальные глотали за ней пыль. — Джон улыбнулся. — Она напомнила мне вас.

— Я никогда не бегала.

— Нет, вы плавали, и делали это очень быстро. У вас сохранились награды?

— Ага. Они в коробке в подвале.

— Вы их не выставили? Такими вещами нужно гордиться. Благодаря вам наша местная команда достойно выступала.

Дебора уже довольно давно не вспоминала о своих наградах. В последний раз она доставала их, чтобы показать детям, и то только потому, что Карен все время о них рассказывала. Для Грэга они были напоминанием о победах девочки из консервативной семьи, одержанных в то время, когда он строил дома в бедных кварталах, носил длинные волосы, серые от грязи шорты и недельный слой пота. Ко времени знакомства с Деборой у него уже был собственный бизнес, и он сам понемногу становился более консервативным, но никогда не проявлял интереса к ее школьным наградам.

Теперь в ответ на вопрос Джона Дебора пожала плечами.

— Когда я вышла замуж и родила детей, призы уже не казались мне такими важными. Я не хочу жить прошлым.

— Это разумно. Но не очень хорошо для детей. Некоторые просто не могут повторить судьбу родителей. Я не хочу сказать, что Грейс не склонна к лидерству, но вы понимаете, что я имею в виду. Вы очень сильная женщина. Перед Грейс высокая планка. Она все еще занимается естественными науками?

Дебора кивнула.

— Собирается пойти по вашим стопам и по стопам вашего отца?

— Надеюсь, что да.

— А она хочет этого так, как хотели вы?

— Говорит, что хочет.

— Лучше знать это наверняка, — посоветовал Джон, глядя на свои ботинки. — Мне известно, как это, когда разочаровываешь родителей. «Кем ты хочешь стать?» — постоянно спрашивал мой отец. В моей семье все адвокаты.

— А вы начальник полиции. Это тоже немало.

— Если бы были живы мои родители, они сказали бы, что это совсем не то. — Он поднял глаза. — Не знаю, почему я начал этот разговор. Думаю, для меня это до сих пор больная тема. Вы-то как кремень, даже сейчас, после аварии. Я беспокоюсь о Грейс, она еще ребенок. И возможно не такая сильная, как вы.

— Думаю, что эта неделя была для нее слишком насыщенной.

— Надеюсь, Грейс не будет прятаться от своих друзей.

Дебора была настроена оптимистично:

— Ей просто нужно побыть одной.

— Гм. Поклонница Грейс Келли не должна так себя вести.

— Не поняла.

— Ну помните, Грейс Келли?

— Конечно, — ответила Дебора, ощутив легкое беспокойство. — Каждая девочка мечтает быть такой, как она. Мне едва исполнилось тринадцать, когда она умерла.

— Помните, как она умерла?

— Она была за рулем, когда машина съехала с дороги и врезалась в насыпь.

— Угу. У ее дочери после этого был сложный период. Знаете, ведь с Грейс Келли в машине никого не было. Я всегда думал, что, возможно, именно ее дочь вела машину, но это скрыли.

— Но у принцессы Грейс был инсульт, — возразила Дебора.

— Ну, это неважно, — сказал Джон. — Вашей Грейс повезло, у нее есть вы. — Он почесал затылок. — Послушайте, мне действительно жаль, что так получилось с Хуберами. Мне, видимо, следовало просто сразу туда поехать и сказать, от кого поступил звонок. Неприятно осознавать, что из-за меня вы лишились двух пациентов. Если я могу чем-то помочь…

— Можете, — произнесла Дебора. Она подумала о том, что рассказал ей Том о своем брате. Ей, наверное, следовало сообщить об этом Джону, но она чувствовала — хотя, может, это и глупо, — что не могла злоупотреблять доверием Тома. — Поторопитесь с отчетом об аварии, Джон. Вы мой должник.

13

Когда Дебора подъехала к дому, автомобиля Майкла там не было. Это обрадовало ее по двум причинам. Во-первых, ей искренне хотелось верить, что он завтракает в кафе. А во-вторых, она была рада, что сможет не видеться с ним еще некоторое время.

Она припарковалась дальше по улице и пошла к дому, неся сумку с лекарствами, кофе и нетронутую глазированную булочку. На небольшой парковке стояли три машины, принадлежавшие секретарше, медсестре и какой-то ранней пациентке, заразившейся от своих детей простудой.

Поставив диагноз «бронхит» и прописав необходимые лекарства, Дебора попрощалась с пациенткой и вышла в холл. Отец так и не приехал.

В его кабинете все лежало на своем месте, но вещей было очень много. Все полки были уставлены книгами — отголосок тех дней, когда журналы еще не выходили в электронном виде. И хотя Майкл жить не мог без своего компьютера, стоящего на письменном столе, избавляться от книг не желал. Так же, как и от подарков юных пациентов, преподнесенных ему за все эти годы — коллекция открыток-«валентинок» на стене, пополнявшаяся каждый год, многочисленные ракушки, камешки и примитивные поделки из лозы и глины. Все они хранили воспоминания. Несмотря на диктаторские замашки, у Майкла было мягкое сердце.

— Собираешься искать бутылку в ящике стола? — спросил отец у нее за спиной. Он бросил стопку журналов на стол и включил свет.

— Нет, — ответила Дебора. — Я бы никогда этого не сделала.

— Почему?

— Потому что это твой стол.

Он спокойно посмотрел на нее.

— Но ты об этом думала.

— На самом деле я думала о тебе и о маме, — сказала Дебора. Да, у нее была идея проверить стол, хотя смелости на это не хватило бы. — Я бы хотела, чтобы мой брак был таким же, как у вас.

— Ты полагала, что так и есть. Я считал, что ты спешишь. Господи, он был хиппи, но ты говорила, что именно это и делает его особенным.

— Так и было.

— Спорный вопрос, судя по поступкам, которые он совершил с тех пор. Но тогда ты твердила, что Грэг единственный и неповторимый и что если ты будешь ждать до окончания колледжа, он уйдет.

— Он и ушел, — заметила Дебора.

— Он ушел два года назад.

Она грустно улыбнулась.

— Он ушел задолго до этого.

— Брак был неудачным с самого начала? — удивился Майкл.

— Нет. Просто не таким, как ваш. Я считаю, это из-за того, что мы оба хотели сделать карьеру.

— По твоим словам, Грэга устраивало то, что ты работаешь врачом.

— Я думала, что устраивает. Права женщин и все такое... Он казался таким современным, идеальным сочетанием вольнодумца и реалиста. На работе Грэг был непревзойденным. Он привносил нестандартные решения в традиционные сферы. Я считала, что он замечательный. — Дебора помолчала. — Я думала, он обожает меня так же, как ты обожал маму.

— Возможно, тогда так и было.

— Возможно, я в нем ошиблась.

— Возможно, ты была слишком молода, чтобы о нем судить.

— О папа, вовсе нет, — возразила она. — Я была в том же возрасте, что и ты, когда женился.

— В мое время все было по-другому. Моих друзей отправляли во Вьетнам, и некоторые из них не возвращались домой. У нас не было такой роскоши, как время.

Но Дебора покачала головой.

— Многие дети сейчас женятся совсем юными.

— Теперь это зависит от социально-экономических факторов.

— Тем не менее они это делают, и их браки не всегда распадаются. Тогда в чем же наша проблема?

— Эй, не нужно меня в это впутывать.

— Я знаю. Твой брак был идеальным.

Майкл покраснел. Он начинал злиться.

— Если ты собираешься рассказать мне о том, чего я не знал о своей жене…

— Нет, я не об этом. Я говорю серьезно. Твой брак был идеален. — Дебора сделала ударение на слове «был». — Я не могу вспомнить ни одного случая, когда вы с мамой поссорились. Я думала, что все браки такие. Возможно, я ожидала слишком многого. Возможно, я видела в Грэге то, чего в нем просто не было.

Майкл сел за стол и включил компьютер.

— Если ты что-то и нафантазировала, то виновата в этом сама. Я никогда не говорил тебе, чего ожидать.

— Нет. Но дети видят своих родителей, и эти отношения становятся для них эталоном.

Он потянулся за своими очками.

— Не похоже, что твоя сестра видела то же самое.

— Нет, видела. Джил знала, что было у вас с мамой. Как ты думаешь, почему она так и не нашла подходящего парня?

Не отрывая глаз от экрана, Майкл проворчал:

— Потому что слишком обидчивая.

— Не обидчивая. Переборчивая. Она хотела кого-то такого же сильного, как ты.

Он взглянул на Дебору.

— Не льсти мне.

Она вдруг потеряла терпение.

— Я не льщу. Дело в восприятии — восприятии и ожиданиях. Я видела определенную модель и воспринимала некоторые вещи как само собой разумеющееся. Ясно, что этого делать не следовало. Но мы говорили о Джил. Проблема в том, что родительские ожидания давят на ребенка.

— Джил не ребенок.

— Ребенок. Она твой ребенок. И всегда им будет.

Майкл посмотрел на нее поверх очков.

— Разве нам не нужно принимать пациентов?

— Она не может делать все так же, как ты. Но это не значит, что то, что она делает — плохо. Кондитерская — сказочное место, и Джил прекрасно справляется.

— Хорошо.

— Разве ты не рад за нее? Чего же еще желать для своих детей, если не уверенности в том, что они счастливы?

— Многого. Защищенности. Роста. Большего успеха, чем достигли мы.

Дебора вспомнила, что говорил Джон.

— Это может оказаться невозможным. И что тогда? Это будет означать, что они неудачники?

Отец выпрямился.

— Это ты мне скажи. Ты хочешь, чтобы твой сын играл в бейсбол, но он плохо видит. Неужели он действительно получает удовольствие от этих игр?

Дебора подумала о Дилане, и ее сердце сжалось от страха.

— Для ребенка хорошо быть частью команды.

— Конечно. Это мы так считаем. Только так ли это на самом деле? Разве ему лучше от того, что он худший игрок в команде…

— Он не худший.

— Ты не понимаешь, Дебора. Дилан не видит мяча, по которому нужно ударить. Он не видит, куда его нужно отбить. Но с другой стороны, он хороший маленький музыкант.

— Дилан никогда не станет профессиональным пианистом, — сказала Дебора, думая о том, как папа поступил с Джил. — Я не хочу на него давить.

— А ты не думаешь, что давишь на него, заставляя играть в бейсбол? Ладно, Дебора. Ты не различаешь, что хорошо, а что плохо, прямо у себя под носом.

— Думаю, я не одна такая, — ответила она, и тут зазвонил интерком.

Майкл ткнул пальцем в кнопку:

— Да.

— Джеми МакДоно ждет в первой смотровой, доктор Барр. Передайте, пожалуйста, доктору Монро, что дети Холтов ожидают во второй смотровой.

— Хорошо. — Он выключил интерком и встал. — Нас ждут. От нас ждут ответов. Они ждут, что мы излечим их болезни. — Сняв халат с крючка на обратной стороне двери, Майкл сунул руки в рукава. — А кто вылечит нас? — Он посмотрел на Дебору. — Мы — это все, что у нас есть.

* * *

В принципе, Дебора была согласна с отцом. Разве не это стало ее философией после развода? «Мы делаем то, что должны делать, потому что никто, кроме нас, этого не сделает. Возможно, это и неправильно, но это лучшее, что мы можем сделать».

Но из уст отца это звучало угнетающе. Алкоголь не поможет. Если проблема в одиночестве, алкоголь только усугубит ситуацию. Вопрос в том, улучшит ли ситуацию то, что делает она. Дебора, возможно, еще долго думала бы об этом, если бы ей не надо было принимать пациентов и ехать к ним на дом.

После обеда ничего не изменилось. К тому времени, когда Дебора подъехала к спортзалу, ей отчаянно хотелось отвлечься, и, сделав над собой усилие, она смогла это сделать.

Позже, остановив машину у обочины напротив кондитерской, она позвонила Грэгу.

— Привет, это я. У тебя есть время?

Молчание.

— Время для чего? — наконец спросил он.

— Поговорить.

— О?..

— О нас. О детях. — «Не видишь того, что у тебя под носом». — Может, о том, что пошло не так.

Мертвая тишина. Потом голос с любопытством спросил:

— Что пошло не так, когда?

— С нашим браком.

— Ты хочешь поговорить сейчас?

Его вопросы только все усложняли.

— Если сейчас не очень подходящий момент, я перезвоню в другой раз.

— Дело не в этом. Несколько месяцев после нашего развода я хотел поговорить с тобой, но ты не давала мне такой возможности.

— Я не могла. Мне было больно. Ты превратился в человека, которого я не знала.

— Неправда. Я опять стал таким, каким был, когда мы познакомились.

— Возможно, — сдалась Дебора. — Но прошло слишком много времени, и мне эта перемена показалась пугающей.

— Потому что я хотел поговорить?

— Потому что ты хотел рассказать мне, почему не хочешь быть моим мужем.

— Дело было не в тебе, Дебора. Дело в том, что всю свою жизнь...

Она прервала его.

— Я слушала только себя. Правильно это или нет, но я все принимала на свой счет. Я не устраивала тебя как жена, поэтому ты ушел. Я не устраивала тебя как женщина, поэтому ты женился на Ребекке. Ты поддерживал с ней отношения все время, пока мы были женаты?

— Нет. Только в конце нашего брака.

— Ты ушел от меня специально, чтобы жениться на ней?

— Нет. Когда я ушел, это просто... так сложилось.

— А со мной не сложилось. Понимаешь, почему я не могла разговаривать? Я не могла слышать о своих ошибках.

— Поэтому плохим был я.

— Да.

— Что же изменилось теперь?

Она посмотрела сквозь лобовое стекло. Полуденное солнце отражалось в витрине кондитерской и мешало Деборе заглянуть внутрь, но она знала, что Грейс и Дилан сейчас там.

— Злость не помогает. Не уверена, что злость — лучший выход для детей. Не уверена, что это и для меня лучший выход.

— Теперь ты стала старше и мудрее?

Услышав нотку сарказма, она ответила:

— Бывали моменты в нашей семейной жизни, когда я чувствовала себя намного моложе и глупее тебя.

— Ты никогда мне этого не говорила.

— Я не любила говорить о нашей разнице в возрасте.

— Ты часто напоминала мне об этом, когда я ушел.

— Нет, Грэг. Я только говорила, что у тебя кризис среднего возраста. Возможно, ты слышал больше, чем я хотела сказать.

Опять короткое молчание, затем последовал неожиданный ответ:

— Возможно.

— Я думала, мы всегда будем вместе, — сказала Дебора. — Я не была готова к тому, что случилось. Я чувствовала себя униженной.

— Прости меня за это. Неверное, можно было повести себя по-другому.

— Как? — спросила она. — Предупредить меня за неделю?

— Я давно был несчастен.

— Настолько несчастен, что не мог об этом сказать?

— Я вовсе не должен был чувствовать себя несчастным. Этого не было в планах — я не иронизирую. Не только у тебя были ожидания. До меня вдруг дошло, что мне необходимо иметь план, чтобы убедить себя в том, что я правильно распоряжаюсь своей жизнью. Наша совместная жизнь была демонстрацией. Мы делали все, чего ожидают от идеальной пары. — Его голос стал мягче. — Я не обвиняю тебя.

Непонятно почему ее глаза наполнились слезами.

— Я не могла уехать с тобой. Просто не могла, Грэг.

— Я знал это.

— Я выясняла, там слишком много докторов.

— Дебора, ничего не нужно объяснять.

— Нужно, — настаивала она. — Я всегда чувствовала себя виноватой. Я чувствовала, что ставила свой дом, свою карьеру выше своего мужа.

— Это был непростой выбор.

Но Дебора продолжала, отчаянно желая, чтобы он понял, как она себя чувствовала, когда их брак разваливался.

— У нас несколько лет не было ни одного серьезного разговора.

— Дебора...

— Если я подвела тебя, извини. Я думала, что все делаю правильно. Но откуда нам знать? Как нам заглянуть в будущее и выяснить, что сработает, а что — нет? Это все равно что ехать в темноте под проливным дождем. Думаешь, что знаешь дорогу, но не можешь быть уверенным на сто процентов.

— С тобой все в порядке, Дебора?

Она уже хотела ответить, что нет, но тут рядом с ней остановилась машина Джона Колби. Что-то в его лице говорило, что у него есть новости.

— Что случилось? — спросил Грэг.

— Боюсь, много чего. Но у меня больше нет времени.

— Это имеет отношение к детям?

— Ничего такого, что не может подождать день или два.

— Сейчас очень подходящее время, чтобы я тебя выслушал, — многозначительно сказал он.

Она его поняла.

— Очень тебе признательна. Спасибо. Но мне придется позвонить тебе в другой раз.

Дебора закрыла телефон прежде, чем Грэг успел сказать еще хоть слово, и опустила стекло, как раз когда Джон обошел свою машину и наклонился к окну.

— Я разговаривал с людьми из окружной лаборатории, — сказал он. — Они не любят что-либо говорить, пока нет окончательных результатов, но на данный момент, по их мнению, с вашей стороны все чисто.

Дебора боялась дышать.

— Чисто?

— Нет никаких свидетельств нарушений — ни превышения скорости, ни небрежного вождения, ни неисправностей машины. Практически все так, как мы и говорили. Нет оснований привлекать вас к ответственности. Теперь они занимаются жертвой.

В предварительном отчете говорится, что мистер МакКенна выбежал прямо из лесу.

Деборе понадобилась минута, чтобы переварить услышанное.

— Из лесу?

— Он не бежал вдоль дороги. Он был в лесу и выбежал прямо на дорогу.

— Но в том месте в лесу нет тропинки.

— Я знаю. Но там были его следы.

— Странно, — пробормотала Дебора, уже не впервые употребляя это слово по отношению к Кельвину МакКенне.

Джон продолжал:

— Они сделали снимки следов, но еще не закончили их изучать. Может быть, он прятался в лесу от дождя. Может быть, пошел справить естественные надобности. Никто в школе не слышал, чтобы он занимался бегом. Похоже, мистер МакКенна многое скрывал.

Дебора подумала, что Джон не знает и половины. Но если она скажет об этом, ее слова вызовут новые вопросы, а отвечая на них, она предаст Тома.

— Я пытался дозвониться Холу, — добавил Джон, — но его нет, он играет в рэкетбол. — Он кивнул в сторону кондитерской. — Грейс там? А вот и она, — пробормотал он. — Нет, вернулась обратно. Думаю, она не хочет со мной разговаривать.

Дебора, чувствуя облегчение от услышанного, ответила:

— Не принимайте на свой счет. Она и со мной не хочет разговаривать.

— Авария выбила ее из колеи.

— Похоже.

Дебора потянулась за сумкой. Джон открыл дверь и отошел.

— Что ж, передайте Грейс то, что я вам рассказал. Возможно, это ее как-то взбодрит.

* * *

Дебора нашла Грейс в кабинете. Девочка сидела, сгорбившись, за столом Джил. Обутые в шлепанцы ноги были закинуты на стол.

— Не надо было убегать, — мягко сказала Дебора. — Джон привез хорошие новости. Люди из округа ничего не нашли.

Грейс не моргнула.

— Мистер МакКенна все равно умер.

— Да, — согласилась Дебора, — умер. Я всегда буду чувствовать свою вину. Я также всегда буду чувствовать себя виноватой из-за Джимми Моррисея. Я тебе рассказывала о нем? — Когда Грейс покачала головой, Дебора продолжила: — Его знали все в Лейланде. Он не жил здесь, но был мастером на все руки и работал практически в каждом доме нашего городка. Однажды рано утром — мне было семнадцать — он менял на крыше черепицу и упал. Мы как раз завтракали, когда услышали его крик. Дедушка сделал все, что мог, но Джимми умер до прибытия «скорой помощи». Дедушка и бабушка Рут считали себя виноватыми. Они ругали себя, что заставили его лезть на крышу в марте, когда по утрам еще бывают заморозки. Они ругали себя, что позволили ему работать одному. Но это была его работа. За день до этого Джимми чинил крышу на доме дальше по улице. Он видел, что крыша покрыта инеем, когда лез по лестнице. Он мог бы подождать час-полтора, пока иней растает.

— Ты хочешь сказать, что это была его вина?

— Я хочу сказать, что это была не только наша вина.

— Прости, мама. Эта аналогия неуместна. Мистер МакКенна не умер бы, если бы я не села за руль.

— О боже! — воскликнула Джил, остановившись в двух шагах от двери. Приложив руку к темно-желтому фартуку на все еще плоском животе, она переводила взгляд с Деборы на Грейс. — Ситуация усложняется?

Грейс скривилась.

— Это не смешно, — заплакала она, обхватив плечи руками. — У меня все время стоит перед глазами залитая дождем дорога… В полуметре уже ничего не видно. Это я виновата. Если бы я не сидела за рулем, когда мы ехали от Мэган, мистер МакКенна все еще был бы жив.

Оттого, что Джил услышала правду, да еще из уст Грейс, Дебора почувствовала, как с ее плеч свалился тяжелый камень.

— Я рассказала эту историю к тому, — сказала она Грейс, — что мистер МакКенна, возможно, повел себя не умнее, чем Джимми

Моррисей. Мы не увидели его на дороге, потому что его не было на дороге. Он выбежал из лесу, когда мы проезжали мимо.

— Выбежал прямо на нас? — спросила Грейс с ужасом в глазах.

— Какой идиот мог такое сделать?! — воскликнула Джил, глядя на Дебору, похоже, ужаснувшись не только поэтому. — Ты солгала полиции?

— Нет. — Дебора снова обратила внимание на то, что сестра бледна. — Ты хорошо себя чувствуешь?

— Пожалуйста, не меняй тему.

Дебора сдалась.

— Они решили, что за рулем была я, а я ничего не сказала.

— Ты заполняла бланки протокола, Дебора. Я была здесь, когда Хол их читал.

Дебора могла бы сказать в свое оправдание, что была водителем с правами рядом с учеником и поэтому несет ответственность. Но она уже столько раз сомневалась в правильности своего поступка, что просто спросила у Грейс:

— Ты знала, что мистер МакКенна занимался бегом?

— Нет. Но у него было полное право бегать в тот вечер. Мы же не хозяева дороги.

— Дебора, — не отставала Джил, — ты указала свое имя в протоколе.

У Деборы не было сил защищаться. Кроме того, ей нужно было убедить Грейс.

— Если мы все делали правильно, если ты все делала правильно и человек выбежал из лесу на дорогу перед машиной…

— Похоже на самоубийство, — пробормотала Джил.

— …это значит, что он тоже виноват.

Грейс поникла.

— Он не может быть виноватым. Он умер. И вообще, почему это всегда виноват кто-то другой?

— Дебора! — громко прервала Джил, явно зациклившись на факте обмана. — Ты понимаешь, что наделала?

— Как я могла поступить по-другому?! — закричала Дебора. — Разве у меня был выбор? Для Грейс последствия были бы намного серьезнее.

— Можно подумать, сейчас все хорошо, — снова заплакала Грейс. — Ты хотела взять всю вину на себя. Но теперь, когда полиция говорит, что ты не виновата, хочешь переложить вину на мистера МакКенну. А я? Я отвратительно пробежала на соревнованиях, а все твердят: «Бедняжка, у нее была тяжелая неделя». Я завалила контрольную по французскому, а учительница говорит: «Бедняжка, у нее был тяжелый день». Она стерла мою двойку в журнале. Она не всегда идет на уступки. Почему меня все жалеют?

Дебора не знала о контрольной по французскому. Самое обидное было то, что Грейс ей ничего не сказала. Раньше дочь все ей рассказывала.

— Знаешь, чем я сейчас занимаюсь? — спросила Грейс, кивнув на ноутбук. — Это сочинение по английскому, которое я сдала сегодня утром. Оно настолько плохое, что мистер Джонс нашел меня в школе, прежде чем я ушла, и попросил переписать. И это после того, как меня отыскала миссис Уолш и спросила, не хочу ли я поговорить. Я не захотела. Поэтому, пожалуйста, не проси ее подходить ко мне снова. А мистер Джонс? Он говорит, что компьютер позволяет писать столько черновиков, сколько мы захотим, и что если ученик пишет сразу в чистовик, это о чем-то говорит.

Дебора прижала руку к груди.

— И о чем это говорит?

— Что оценки ничего не значат. Это просто закорючки на бумаге. Они не имеют никакого отношения к реальности.

— Имеют, — сказала Джил, которая не была сторонницей старшей школы. — Они определяют твою позицию. Неверная позиция ограничивает выбор.

«Именно этого я не хотела для своей дочери, — подумала Дебора. — И именно поэтому сделала то, что сделала после аварии».

Но Грейс уже смотрела на тетю.

— Ты молодец. Это место пользуется огромным успехом.

— Но здесь нужно много работать, о многом беспокоиться, и возможно, если бы у меня был партнер и я могла разделить этот груз, было бы лучше. Может быть, это и не имеет ни малейшего отношения к моим плохим оценкам в старших классах, но все-таки стоит задуматься, не так ли? — Она снова повернулась к Деборе. — Препятствование отправлению правосудия! Дача ложных показаний!

— Джил! — возмутилась Дебора. — Это не совсем то, что мне хотелось бы сейчас услышать. Я хочу поговорить с Грейс об ограниченном выборе.

— И я хочу, — сказала Грейс. — Я хочу спросить, почему я должна становиться врачом?

Дебору словно ударили.

— А ты не хочешь?

— Не знаю. Но что будет, если я стану кем-то другим?

— Мне казалось, тебе нравится биология.

— Нет, мама. Биология не мой любимый предмет. В следующем месяце мне придется сдавать тест для поступления в колледж, и скорее всего я напишу его не очень хорошо. Но ты говорила, что мечтаешь о том, чтобы мы с тобой работали вместе.

— Это моя мечта, — согласилась Дебора, — но я думала, что ты тоже этого хочешь.

— Теперь это может оказаться невозможным. Никто не согласится лечиться у врача, который сбивает людей на дороге. Меня могут не взять в медицинский колледж.

Дебора бросила на Джил быстрый взгляд, прежде чем ответить:

— Вот поэтому я и заполнила бланки протоколов именно так.

— Но обман выйдет наружу, — плакала Грейс. — Как у Пиноккио, обман всегда выходит наружу, и ты ничего не можешь с этим поделать, нравится тебе это или нет. Ты всегда мне это говорила, и посмотри, что произошло. Теперь обо всем знает тетя Джил.

— Тетя Джил никому не расскажет, — сказала Джил.

— Ты можешь никому не рассказывать, — с упреком сказала Грейс, — но ты совсем не умеешь врать. Ты говоришь то, что думаешь, просто не можешь удержать язык за зубами. Ты самый честный человек, которого я знаю.

Джил наклонилась вперед, опершись ладонями о стол.

— Вообще-то у меня есть один секрет. Я беременна.

Грейс раскрыла рот.

— Ты?

— Именно.

— Мы знаем отца?

Джил покачала головой.

Глаза Грейс раскрылись еще шире.

— А дедушке известно, что ты беременна?

— Пока нет. И не говори ему. Он будет в ярости.

— Но это же ребенок, — сказала Грейс и повернулась к Деборе. — Ты знала? И ничего мне не сказала?

У Деборы было много причин чувствовать себя виноватой, но только не в этом случае.

— Джил попросила молчать. Я умею хранить секреты.

На Грейс это не произвело впечатления.

— И ты считаешь, это разумно? То есть я сижу здесь, делаю каждый день уроки, а она в это время поднимает и таскает тяжести. Ты не подумала, что я тоже должна знать?

— С этой точки зрения выходит, что должна, — согласилась Дебора и повернулась к сестре. — Джил, почему ты ей не сказала?

— Она не могла, — возразила Грейс. — Судя по всему, она на первом триместре, потому что все еще стройная, а никто так рано не объявляет о своей беременности, чтобы не сглазить.

— Кто тебе это сказал?

Грейс поморщилась.

— Ты думаешь, что у нас в школе нет беременных? С богатыми людьми это тоже случается, мама.

Дебора не ответила. Ее удивили не столько слова дочери, сколько тот факт, что Грейс никогда раньше не говорила на эту тему. Они много раз беседовали о беременности с точки зрения биологии, и никогда о том, кто беременел, а кто — нет. Дебора всегда гордилась своими отношениями с дочерью. Неужели она ошибалась?

Грейс хмыкнула и отвела глаза.

Дебора повернулась к Джил, но у сестры было странное выражение лица.

— С тобой все в порядке?

Похоже, Джил обдумывала ответ, потом слегка улыбнулась.

— У меня время от времени возникает острая боль, довольно часто.

— Кровотечения нет?

— Нет.

— Думаешь, нужно обратиться к врачу?

Джил вздохнула:

— Если бы я так думала, то уже обратилась бы. Я не хочу рисковать ребенком.

— Каким ребенком? — спросил Дилан, стоя в дверях.

Дебора перевела взгляд с Джил на Грейс и обратно. Это был секрет Джил. Дебора молчала, глядя, как Дилан пересекает комнату. Он прикасался ко всему, мимо чего проходил — к дверной ручке, к вешалке для пальто, к спинке стула, на котором сидела Джил, с такой небрежностью, что только тот, кто специально обращал внимание, заметил бы это. Но Дебора была его матерью, она переживала.

Джил понадобилась минута, чтобы обдумать ответ. Наконец она сказала Дилану:

— Ты даже не представляешь, что это за ребенок. Ты сделал домашнее задание?

Дилан кивнул. Так просто удовлетворился ответом? Дебора задумалась. Мальчик поправил очки на носу.

— Мама, я хочу кушать. Мы скоро пойдем домой?

Дебора уже готова была идти. Откровений и споров было предостаточно. Даже разогретого обеда Ливии хватит, чтобы вернуть себе чувство уверенности.

— Думаю, мы уже можем ехать.

— Я хочу остаться здесь с тетей Джил, — сказала Грейс.

Квартира Джил над кондитерской была светлой и изумительно просторной. Квадратных метров там было больше, чем во многих городских квартирах. Майкл был очень недоволен, когда Джил потратила свою часть маминого наследства на покупку всего здания. Но Джил — это Джил.

— Останешься на обед? — спросила Дебора у Грейс.

— На ночь. Тетя Джил завезет меня домой переодеться. Правда, тетя Джил?

— Конечно. — Джил бросила на Дебору неуверенный взгляд. — Но ведь завтра в школу. Ты же никогда не остаешься на ночь перед школой.

— Можно я тоже останусь? — спросил Дилан.

— Нет, — заявила Грейс. — Я хочу устроить девичник.

Дилан поник. Желая приободрить его, Дебора сказала:

— Знаешь что? Пусть они остаются вдвоем, а мы тоже будем вдвоем. Может, закажем пиццу «Пеппер»?

У Пеппер МакКой была лучшая пицца в округе. Ее магазин был в десяти минутах езды от Лейланда.

Лицо Дилана посветлело.

— Можно я останусь здесь в другой раз — не на этих выходных, потому что я еду к папе, — а в другой раз?

Настроение Деборы поднялось, когда она увидела, что Дилан воспрянул духом.

— Конечно. Мы забронируем тетю для тебя.

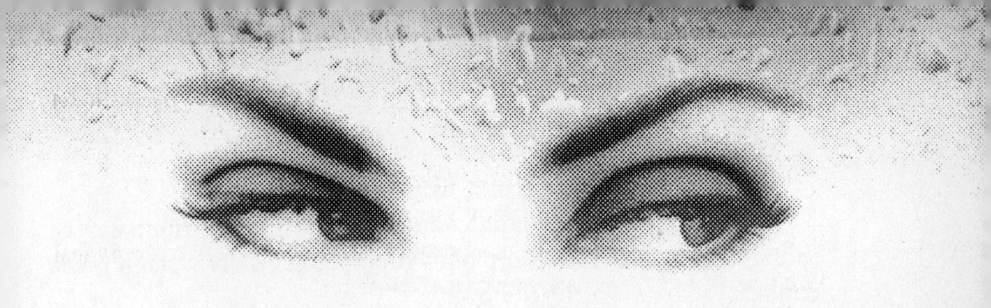

14

Дебора и Дилан сидели на диване в «семейной» комнате. Он читал «Там, где растет красный папоротник»* и, казалось, был полностью поглощен книгой. Его мать читала статью о неоправданном применении антибиотиков, но мысли ее были далеко. Дебора думала о человеке, который не занимался бегом, но совершал пробежки там, где никто не бегает.

— Я хочу собаку, — сказал Дилан, оторвавшись от книги.

— Ты говоришь так только потому, что читаешь книгу о собаках.

— У папы есть собака, — возразил мальчик.

— Это собака Ребекки, а у папы полно места и масса времени.

— У меня тоже масса времени, — сказал Дилан. Он смотрел на мать молящими глазами. — И у нас тоже полно места. Я мог бы заботиться о собаке.

Дебора знала, что он бы справился. Она переживала, что не справится сама.

— Я смогу, мама. И хоть у меня и плохое зрение, собаку я увижу. У собаки Ребекки восемь щенков.

— Ага, — подыграла ему Дебора. — Ты мне об этом говорил.

— Почему мне нельзя завести хотя бы одного крошечного щенка?

---

* «Where the Red Fern Grows» — приключенческий роман американского писателя Вильсона Ролса.

— Потому что он не всегда будет крошечным.

— Ну пожалуйста, мама! — взмолился Дилан, обнимая ее за шею. — Я вел бы себя очень хорошо, если бы у меня была собака.

— Я в этом уверена, — сказала Дебора и поцеловала его в щеку.

***

— Том?

— Да.

— Это Дебора. — Она говорила тихо, не столько из-за того, что дверь в спальню, где спал Дилан, была открыта, сколько потому, что чувствовала себя предательницей, звоня ему. — У меня, э-э, остался в памяти телефона ваш номер, после того как вы звонили в прошлый раз. Вы еще не спите?

Он издал звук, похожий на смех.

— Сейчас только десять.

— У вас явно никогда не было детей.

— Выматываетесь, да?

— Особенно иногда. — Дебора сунула подушку себе под голову. — Сегодня я устала.

— Вы говорили с Джоном? — спросил Том.

— Да. Поэтому и звоню.

— Все это очень странно. Я о том, что Кельвин выбежал из лесу.

— Думаете, это было намеренно?

— Не знаю. Но если он просто остановился, чтобы передохнуть, то они бы нашли следы, ведущие от дороги в лес и обратно.

— Разве дождь не смыл все следы?

— Там остались следы того же размера, что и у Кельвина. Нужно достаточно много времени, чтобы они полностью исчезли. Кроме того, вы бы удивились, узнав, что можно увидеть с помощью камер и специальных приборов.

— Похоже, вы разбираетесь в технике.

— Я — нет. Но знаю людей, которые разбираются. А я читаю. И задаю вопросы.

— О камерах?

— И о других вещах. — Он помолчал. — В принципе, именно этим я и зарабатываю на жизнь. — Том опять замолчал, и Дебора подумала, что он на этом и остановится. Затем Том объяснил: — Я составляю информационные отчеты для больших организаций. Скажем, правительство хочет выдвинуть аргумент в пользу определенной системы предоставления медицинских услуг. Меня нанимают для составления документа, который они могут использовать, чтобы доказать свою правоту. Единственный способ сделать мою работу хорошо — это опрашивать представителей обеих сторон.

— А если вы услышите не то, что хотелось бы правительству?

— Значит я не справился.

— В смысле?

Он засмеялся.

— На самом деле это не так страшно. Если хорошо поискать, всегда можно найти то, что хочет твой клиент. Иногда я являюсь частью пропагандистской кампании, но стараюсь браться за такую работу как можно реже.

— Вы работаете дома?

— Да.

— Не надоедает?

— Никогда. Половину рабочего времени я провожу в разъездах, опрашивая людей и собирая данные.

Дебора была заинтригована. Она знала, что разговаривать с Томом небезопасно, но начался дождь, и, слушая мерный стук по крыше, она не хотела, чтобы он вешал трубку. Сунув босые ноги под покрывало, Дебора спросила:

— Почему вы начали этим заниматься?

— Я окончил несколько курсов в колледже, и мне нужны были деньги. Преподаватель познакомил меня с одним из своих друзей, который нуждался в услугах такого рода.

— Вы считаете себя писателем?

— Нет, скорее журналистом, занимающимся расследованиями.

Дебора поколебалась.

— У вас есть какие-то соображения по поводу смерти вашего брата?

— Судя по следам, я бы сказал, что он до аварии был в лесу.

— Вы имеете представление о том, чем он занимался?

— Нет. И никогда не имел. — Том вздохнул. — Я ругаю себя за это. Я ведь старше.

— Почему вы обвиняете себя, а не ваших родителей?

Он немного помолчал и наконец грустно сказал:

— Не уверен, что они могли бы что-либо сделать. Они были слишком заняты своей жизнью. Когда дело касалось нас, они видели только то, что хотели видеть.

— Должно быть, им часто звонили из школы.

— Скорее всего. Кельвин был лучшим учеником в классе.

— Каким он был в школе?

— Странным. Но это мое личное мнение. Даже если учителя и говорили что-нибудь по этому поводу, родители не обращали внимания.

— Он никогда не консультировался со специалистом?

— В школе нет.

— А после школы?

— Эй, если я не знал, что мой брат принимал коумадин, откуда мне было знать, посещает ли он психоаналитика?

Дебора не ответила.

— Извините, — сказал Том уже мягче. — Вы просто задели меня за живое. А вы любопытная.

Дебора не могла сделать вид, что не понимает, о чем он. Когда умный человек бегает по лесу под проливным дождем и выскакивает на дорогу перед машиной, хотя свет ее фар нельзя не заметить, когда он отказывается сообщать врачам «скорой помощи», что принимает препарат, способный вызвать серьезное кровотечение, кто угодно проявит любопытство. Когда человек разделяет сферы своей жизни настолько, что его жена не знает о том, что у него были микроинсульты, а брат не подозревает, что он переехал на восточное побережье, любой, как и Дебора, подумал бы, что Кельвин МакКенна хотел умереть.

— Человек должен быть очень несчастным, чтобы броситься под машину, — сказала она. — У Кельвина была депрессия?

— Селена говорит, что нет.

— Насколько я понимаю, записки он не оставил.

— Мы ничего такого не нашли. Это ваш адвокат думает, что могло быть самоубийство? — спросил Том. Это было неприятное напоминание о том, что в суде они могут оказаться противниками.

— Нет, — ответила Дебора. — Я не говорю ему о том, что вы мне рассказываете.

— Но он ведь дружит с Колби, не так ли?

Еще одно напоминание.

— Они играют вместе в покер.

— Поэтому Колби сделал все возможное, чтобы ускорить написание отчета?

— Нет. Это для меня, я его уговорила.

Том издал звук, похожий на смех.

— Он ваш друг или просто пациент?

— И то, и другое. В таком городке, как наш, пациенты являются друзьями.

— А Джон знает о нашем разговоре?

— Исключено. А с моим адвокатом случится припадок, если ему об этом станет известно.

Том молчал.

— А ваша невестка знает о нашем разговоре? — спросила Дебора.

— Нет. Это разозлило бы ее. Селена намерена доказать, что Кельвин вовсе не виноват в своей смерти. Ей нужен козел отпущения. Она расстроится, когда увидит отчет.

— А ей приходило в голову, что ответственность за смерть Кельвина может лежать на нем самом?

— Сомневаюсь. Она не усмотрела бы ничего ненормального в действиях Кельвина. Она бы сказала, что у каждого свои причуды.

— А у вас какие? — спросила Дебора.

— Я уже говорил вам. Я — неряха. А ваши причуды?

— Я ненавижу дождь. Все плохое случается во время дождя.

— Например, авария?

— Да. Но не только. Был дождь, когда умерла моя мама. Был дождь, когда ушел мой муж.

— Каждый раз, когда идет дождь, вы нервничаете?

— Нет. Сейчас тоже идет дождь. Но для меня это просто шум.

— На прошлой неделе тоже шел дождь. Вы тогда были расстроены?

Дебора чувствовала, что не следовало начинать этот разговор. Но все равно ответила:

— Мне надо было забрать Грейс, но это не значит, что я не предпочла бы остаться дома.

— Она сама скоро будет водить машину.

— Ага. Через четыре месяца она получит права. Это и хорошо и плохо.

— Плохо, если пойдет дождь. Вы будете переживать.

— Буду.

— Тогда вы должны радоваться. Если бы у нее уже были права, на прошлой неделе за рулем могла бы быть она.

* * *

— Тетя Джил, — шепотом позвала Грейс. — Ты спишь?

— С открытыми глазами?

— Мне не видно, открыты они или закрыты. Слишком темно. — Грейс села, повернувшись к той половине огромной кровати, на которой лежала Джил. Единственным освещением был свет из окна, еще более тусклый из-за дождя. Но на самом деле Грейс была не против темноты. Ей не хотелось видеть лицо своей тети. — Мне нужно тебе кое-что рассказать. На прошлой неделе… у Мэган… мы пили.

— На прошлой неделе?

— В день аварии. В тот вечер, когда я была за рулем машины, которая сбила мистера МакКенну.

Джил застонала.

— Ох, Грейс. Не уверена, что хочу это слышать.

— Мы пили пиво, — сказала Грейс, зная, что, называя имена друзей, может нажить себе неприятности. Но ей нужно было с кем-то поделиться, а у Джил тоже были свои секреты. — Родителей Мэган не было дома. А когда за мной приехала мама, мне даже в голову не пришло отказаться сесть за руль. Я не была пьяной. Даже не захмелела, разве что чуть-чуть.

— Сколько ты выпила?

— Две бутылки. Одну, когда только приехала туда, а вторую — где-то через три часа. Мама возненавидит меня, когда узнает.

— Она не знает?

— Разве я могла ей сказать? — заплакала Грейс. — Она бы ничего такого не сделала. Я имею в виду, вождение в нетрезвом виде — это худшее, что можно совершить.

— Ты не сказала ей даже после того, как вы сбили того парня? Она не почувствовала запаха?

— Нет, — плакала Грейс. — Я жевала резинку, но ей даже в голову не пришло ко мне принюхаться. Мама думает, что я никогда в жизни не пробовала спиртного.

— Я тоже так думала, — сказала Джил.

Неправильно истолковав это замечание, Грейс произнесла:

— Ты меня ненавидишь.

— Нет. Похоже, я просто не понимала, какая ты уже взрослая.

— Только не говори мне, что ты пила в старших классах, — не поверила Грейс.

— Не пила. Я курила травку.

Грейс удивило то, с какой легкостью тетя в этом призналась.

— Травку? — Это было совсем другое дело. — А дедушка знал?

— Конечно. В этом и был кайф.

— Почему? — спросила Грейс. Она часто задавала себе этот вопрос. — Что тебя заставляло?

— Бунтовать? Много разных мелочей. Например, то, что я была вторым ребенком. Я шла по следам твоей мамы. Сколько себя помню, все всегда ожидали, что я буду делать то же, что и она. Но я всегда не дотягивала. Тогда я решила не соревноваться. Я хотела быть собой. И своими выходками пыталась сказать об этом отцу.

— И что он сделал, когда узнал о травке?

— Он был в бешенстве.

— В смысле, забрал ключи от машины или перестал давать карманные деньги?

— Его разочарования было достаточно. Ну ты знаешь, это его выражение лица каждый день, когда он приходил с работы.

В нашем доме всегда нужно было следить за хорошим поведением и репутацией. Нужно было быть поводом для родительской гордости.

Знакомо ли это Грейс? Она чувствовала это на себе каждый день, но после аварии в сотню раз сильнее.

— И бабушка Рут тоже так считала?

— Теоретически. Но она была мамой. А у мамы мягкое сердце. — В голосе Джил слышалась улыбка. — Она часто говорила о родничке, который бывает у новорожденных детей на голове. Благодаря ему череп во время родов немного сжимается, а потом в течение года этот родничок закрывается. Она говорила, что на самом деле он не исчезает, а просто переходит к маме, которая хранит его в своем сердце всю оставшуюся жизнь.

— Как мило, — сказала Грейс. — И ты думаешь об этом сейчас, когда ты беременна?

— Да.

— Ты бы хотела, чтобы бабушка Рут была рядом?

— Хотела бы.

— Чтобы она деликатно сообщила об этом дедушке?

Джил пошевелилась под покрывалом.

— Нет. Я скажу ему, когда закончится первый триместр. Я всем тогда скажу.

— Никто не знает?

— Только твоя мама и ты.

— Но это же трудно никому не рассказывать. Тебе не кажется, что кто-то может увидеть?

— Ну, видеть еще особо нечего. Мой фартук все прекрасно скрывает.

— Но ты не думала, что кто-то может догадаться? Ну что все поймут, что ты врешь, хотя и ведешь себя как обычно?

— Нет.

Грейс вздохнула.

— Я бы хотела быть похожей на тебя. Мне кажется, что всем вокруг известно, что я выпила пива, что эта ложь написана огромными буквами у меня на лбу. Знаешь, часть меня хотела бы, чтобы все открылось. — Ей вдруг пришла в голову новая идея. — Если бы я забеременела, мама не смогла бы этого скрыть.

— Это плохая идея, Грейс.

— Но если бы я забеременела, мне, по крайней мере, пришлось бы сказать правду. — Этим она поставила тетю в тупик. Редко случалось, чтобы Джил не знала, что сказать. — Как бы мама поступила, если бы я забеременела?

— Она была бы разочарована.

— Как дедушка, когда ты курила травку? Видишь? Она такая же, как и он. Ты права. Они думают только о поведении и репутации. Их жизнь — это показуха.

— Погоди, Грейс. У меня, может, и есть свои обиды, но твои мама и дедушка много работают. Они служат обществу. Будь честен там, где доброе имя необходимо.

— Ладно. Но это не значит, что быть их ребенком легко.

— Не значит.

— Так что же мне делать?

— Ты не можешь поменять семью.

— Я о своем обмане. Было бы не так плохо, если бы я с самого начала сказала маме о пиве, но теперь, когда прошло столько времени… Мама взяла мою вину на себя, но она ничего не знала о пиве.

Джил нащупала в темноте ее ладонь.

— Знаешь, солнышко, судя по тому, что мне известно, тот, кто сидел за рулем вашей машины — кто бы это ни был — ничего не нарушал. То, что ты выпила бутылку пива, не стало причиной аварии.

— Я выпила две, — напомнила ей Грейс.

— Это не было причиной аварии.

— Хорошо, но я все равно чувствую себя виноватой из-за этого, и маме не могу рассказать.

— А папе?

— Смеешься? Я не разговариваю с папой.

— А возможно, следовало бы.

— Ты шутишь. Это будет еще хуже, чем рассказать маме. Дедушка, конечно, тоже будет разочарован, но он же всего лишь мой дедушка. — Грейс помолчала. — К тому же он слишком много пьет. Поэтому он бы, возможно, понял.

— Грейс, есть разница между тем, чтобы пить пиво с друзьями…

— Любой из которых убьет меня, если узнает, что я об этом кому-нибудь рассказала, — перебила Грейс.

— Мы пока не об этом, — произнесла Джил. — Вернемся к тому, о чем я говорила. Есть разница между тем, чтобы выпить две бутылки пива на вечеринке, и тем, чтобы каждый вечер сидеть в одиночестве и выпивать по полбутылки виски. Но давай не будем о дедушке. Мы говорили о твоем папе.

— Ладно, — сказала Грейс, подбирая под себя ноги. — Давай поговорим о нем. Он уверяет, что любит нас, но ушел, даже не предупредив.

— Он предупреждал маму. Она, возможно, не понимала, что это предупреждение, но он предупреждал.

— Как ты можешь его защищать?

— Я его не защищаю. Я хочу сказать, что, может быть, она закрывала глаза на то, что происходило с ее браком. Я хорошо разбираюсь в людях. И мне всегда нравился твой отец.

— Но я ему не доверяю. В этом моя проблема. Я не знаю, как он отреагирует, если узнает, что на самом деле произошло в тот вечер. Папа может позвонить другим родителям. Он может позвонить в полицию.

— Он не позвонит в полицию.

— Он может испортить мне жизнь, и так и сделает. Конечно, она и так не сахар, потому что в школе со мной никто не общается. Я не могу ни с кем поговорить начистоту, потому что это доставит неприятности другим. А папа? Он скорее всего будет так же разочарован, как и мама, потому что ожидает, что я тоже добьюсь огромных успехов. Поэтому мне приходится с этим жить. Как и с тем, что человек умер из-за машины, за рулем которой была я. Это хуже всего.

— Я знаю.

Грейс стало легче.

— Больше никто не знает.

Тетя застонала соглашаясь. По крайней мере, Грейс показалось, что этот звук означал согласие, пока не ощутила неожиданный толчок в ногу. Отбросив покрывало, Джил села на краю кровати.

— Что случилось? — спросила Грейс.

— Я сейчас вернусь.

С трудом поднявшись, она направилась в ванную. Грейс подумала, что тетя идет медленнее, чем обычно, но было слишком темно, чтобы сказать наверняка. А когда тонкий лучик света упал на ковер, Джил уже не было видно. Едва Грейс успела выбраться из постели, как Джил позвала ее.

Через секунду девочка уже была в ванной. Джил сидела на унитазе. Ее лицо было мертвенно-бледным.

— У меня идет кровь.

— Кровь? — Грейс проглотила противный комок.

— Мне нужны бумажные полотенца.

Грейс побежала в кухню, отмотала половину рулона и бросилась обратно.

— Много крови?

— Не знаю, — сказала Джил и взяла полотенца. — Думаю, мне придется поехать в больницу.

— Разве не нужно позвонить врачу?

— Ах да. — Такой напуганной Грейс тетю еще никогда не видела. — Подай мне телефон, солнышко.

Грейс подала телефон, потом встала, чувствуя себя абсолютно беспомощной, пока Джил тщетно пыталась вспомнить номер, и от этого животный страх в ее глазах только возрастал.

— Он где-то у тебя записан? — спросила Грейс.

— Я же знаю его, знаю. — Джил вздохнула и после короткого колебания набрала две последние цифры. — Я позвоню в справочную, — сказала она и, взглянув на бумажные полотенца, которые пропитывались кровью, тихо выругалась.

— Много крови? — опять спросила Грейс. Ее сердце бешено колотилось. Если много — это плохо.

— Достаточно. А, да, здравствуйте. Это Джил Барр. Я пациентка доктора Буркхарт. Я на девятой неделе беременности, и у меня кровотечение… Нет, не обильное… Нет, сгустков я не вижу. — Она слушала. Затем разочарованно посмотрела на стену. — Думаю, я не смогу ожидать, пока мне кто-то перезвонит через двадцать минут. Я слишком долго ждала этого ребенка. Я еду в больницу. Вы можете сообщить доктору Буркхарт о моем звонке? — Она повесила трубку и, придерживая полотенца, натянула трусы. — Мне очень жаль, что так получилось, дорогая, я знаю, что тебе завтра в школу, но мы уезжаем. — Осторожно ступая, Джил вышла из ванной.

Грейс последовала за ней.

— Это из-за той боли, которая была раньше?

— Не знаю, — ответила тетя. Даже ее голос выдавал страх.

— У тебя будет выкидыш?

— Господи, надеюсь, что нет. — Она достала из шкафа спортивный костюм. — Грейси, нужно, чтобы ты оделась.

Грейс натянула одежду, в которой была накануне. Джил все еще возилась со шнурками на кроссовках.

— Помочь?

— Нет, все в порядке.

— Может, все обойдется? — попыталась успокоить ее Грейс. Джил не ответила.

— Они же всегда могут что-то сделать, правда?

— Конечно, но возможно, это будет не то, чего бы мне хотелось.

Грейс слышала о выскабливании. Дани рассказывала ей о девочке, которой в прошлом году выскабливали полость матки. В принципе, это она назвала случившееся «выскабливанием». Любой другой назвал бы это абортом.

— Я имею в виду, что должны быть средства, чтобы спасти ребенка.

Джил с безумным видом осмотрелась вокруг.

— Ключи, — произнесла она и побежала в кухню.

Грейс поспешила за ней.

— Я возьму, тетя Джил. Скажи мне, что делать. Для этого я здесь.

— Ты здесь, — сказала Джил, — чтобы отвезти меня в больницу.

Грейс замерла.

— Я не смогу. У меня нет прав.

Джил схватила ключи и пошла к выходу.

— У меня есть права, а у тебя ученическое разрешение. Мы вполне можем ехать.

Грейс была близка к обмороку, но по инерции шла за тетей.

— Я не могу сесть за руль.

— Я тоже. Но я не хочу умереть от кровопотери.

— Позвони маме.

— Ей понадобится десять минут, чтобы сюда доехать, а еще надо одеться. И потом, кто останется с Диланом?

— Тогда дедушке. Он всего в одном квартале отсюда.

Джил уже спустилась по лестнице и обернулась.

— Нет, Грейс. Ты здесь. И ты умеешь водить.

— В последний раз, когда я это делала, я сбила человека.

— Это твой шанс искупить свою вину. — Джил сунула ключи девочке в руку, открыла дверь и вышла.

— Идет дождь, — заплакала Грейс, следуя за ней. — Идет дождь! Я не могу.

Джил обернулась. Она взяла Грейс за плечи и решительно, с отчаянием сказала:

— Ты мне нужна, Грейси. Именно сейчас ты — все, что у меня есть.

— Но это же… это же фургон.

Джил улыбнулась.

— Там автоматическая коробка передач. Это проще простого.

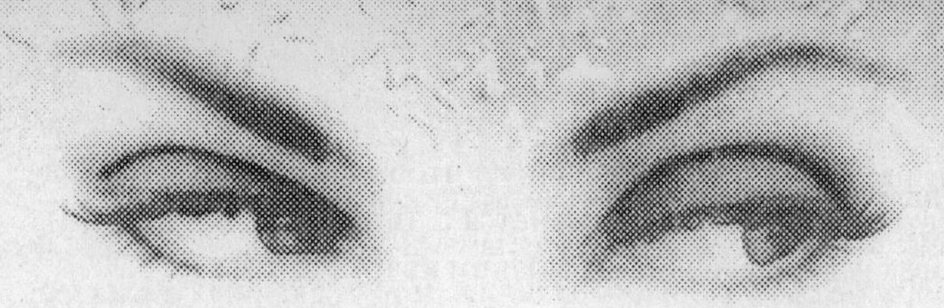

15

Телефон Деборы зазвонил на рассвете. Не прошло и десяти минут, как Дилан был разбужен и одет, и они уже ехали в больницу. К счастью, мальчик проспал почти всю дорогу и поэтому не задавал вопросов, на которые она не могла ответить.

Все в отделении «скорой помощи» знали, зачем она приехала. Одна из медсестер отвела Дилана в кафетерий, а другая в это время проводила Дебору в нужную палату. Джил лежала на каталке, закрыв глаза. Ее кожа была того же цвета, что и постель. Кусая ногти, Грейс следила за каждым изменением на лице тети.

Проходя мимо, Дебора прикоснулась к дочери, подошла к Джил и взяла ее за руку.

— Привет.

Джил устало улыбнулась.

— Привет, — сказала она, не открывая глаз.

— Грейс сказала, что с ребенком все в порядке.

— Я же просила ее не звонить тебе посреди ночи.

— Она правильно сделала. С ребенком действительно все в порядке?

— С ребенком все хорошо, — сказала Джил. — Просто пошла кровь. Я запаниковала. — Похоже, ей было немного неловко. — Когда я в последний раз паниковала?

Дебора не могла вспомнить. Но ведь Джил никогда еще не была беременной.

— Я рада, что Грейс оказалась рядом.

— Она почти не спала. Мы здесь с двух часов ночи.

У Грейс был усталый вид, под глазами темные круги. На этот раз Дебора не сказала, что бессонные ночи закаляют характер.

— Тебе предписан постельный режим? — спросила она у Джил.

— Всего день или два.

— И ты не против?

— Против, но я хочу этого ребенка. Скай и Томас уже несколько часов работают в пекарне. Они даже не поймут, что меня нет наверху. Если бы ты могла позвонить Элис…

— Я позвоню, — сказала Грейс, убрав руку ото рта и выпрямившись. — Я увижу ее в кондитерской.

Не поднимаясь с подушки, Джил покачала головой.

— Тебе нужно поспать. Элис справится. Она знает, что делать. Кроме того, я уеду отсюда, как только мне разрешат.

— Может, лучше побыть здесь денек? — сказала Дебора сестре.

— Это не входит в мою страховку.

— Знаю, но я заплачу.

— Ни за что, — твердо возразила Джил. — Я приехала сюда только потому, что ехать было недалеко и я была напугана. Чем дольше я здесь пробуду, тем больше людей узнает, почему я здесь. Если бы тебе не позвонила Грейс, то обязательно сообщил бы кто-то из медсестер. В этом городе ничего нельзя скрыть от человека с фамилией Барр.

Скользнув взглядом по ширме, отделяющей ее часть палаты, она вздохнула.

У края ширмы стоял Майкл Барр. Он был в помятой одежде, скорее всего опять спал в кресле в своем кабинете. Глаза покраснели, а подбородок был покрыт щетиной.

Как врач, наблюдающий больных, он имел полное право заглянуть в карту пациента, поэтому Майкл открыл карту Джил. Закончив читать, он испуганно посмотрел на нее.

— Почему я должен узнавать об этом от посторонних? — Когда Джил не ответила, Майкл повернулся к Деборе. — Ты знала об этом? Поэтому постоянно несла чепуху вроде: «Поговори с Джил»?

— Это не чепуха, — сказала Дебора.

— Дай-ка я угадаю. — Он повернулся к Джил. — У тебя есть парень, и ты забыла кое-чем воспользоваться?

— Не угадал, — спокойно ответила Джил.

— Значит, ты носишь чужого ребенка? Суррогатная мать? Хочешь заработать денег для своей кондитерской?

— Пожалуйста, папа, — произнесла Дебора, но Джил заговорила более уверенно.

— Опять не угадал. Я заплатила, чтобы получить этого ребенка, и воспользовалась собственной яйцеклеткой, а это значит, что этот ребенок — твой биологический внук.

— Ты обратилась в банк спермы? Значит, ты не знаешь, кто отец.

— Я знаю все, кроме имени. Мне известны его возраст, состояние здоровья, образование, профессия, внешность. Я также знаю, что у него уже есть здоровые дети.

Грейс вдруг удивленно распахнула глаза.

— А это ты откуда знаешь?

— Разве это касается кого-то кроме Джил? — спросила Дебора, но Джил опять не обратила на нее внимания.

— Я знаю двоих его детей, потому что их матери воспользовались тем же донором. Именно поэтому я и пошла туда одна — хотела увидеть кого-то из единокровных братьев или сестер. Я поговорила с двумя женщинами. Они поддерживают связь друг с другом. Они видятся, словно одна большая семья. Их дети встречаются несколько раз в год.

— Это удивительно, — задохнулась Грейс, на которую это явно произвело большое впечатление. — А дети похожи друг на друга?

— Нет. Это два мальчика. Один похож на свою мать. Но у них одинаковые характеры. Оба любят играть машинками и складывать конструктор.

Майкл фыркнул.

— Разве не все мальчики это любят?

Дебора уже хотела возразить, но Грейс сказала:

— Дедушка, ты не понимаешь главного.

— Еще они очень разговорчивые. Любят заниматься спортом и творчеством, — продолжала Джил. — Их отец учился в Гарварде. Разве тебе это не нравится? Он учился в Гарварде, занимался греблей, а сейчас пишет книги для детей.

— Которые скорее всего никто не читает, — сказал Майкл.

У Джил и на это был ответ.

— Все его книги в списке бестселлеров, и часть своего дохода он перечисляет в детские онкологические центры. Как тебе может не нравиться такой парень? Видишь, папа? Я специально выбирала такого человека, который понравился бы тебе.

— Твоя мама была бы вне себя, — заметил Майкл голосом, полным сарказма.

Упоминание о Рут разрушило уверенность Джил. Из ее глаз брызнули слезы.

— Она была бы вне себя. Вне себя от радости. Потому что я счастлива, и потому что она знала, что из меня выйдет хорошая мать. — Майкл повернулся, собираясь уходить, и она заговорила громче. — Мама не удивилась бы так, как ты, потому что знала бы об этом с самого начала.

Майкла уже не было в палате.

Дебора наклонилась к сестре.

— Мама была бы вне себя от радости, ты совершенно права, и вне себя от злости на него. — Она посмотрела на Грейс. — Мне нужно поговорить с дедушкой. Побудешь с Джил?

— Не говори с ним, — приказала Джил. — Это бессмысленно. Он не передумает.

— Возможно, но знаешь, пора с этим покончить раз и навсегда.

— Доктор Монро? — позвала медсестра, отодвинув ширму.

Дилан стоял за ней и, сунув два пальца за очки, тер глаз.

— Это был дедушка? — спросил мальчик, прежде чем увидел всех остальных в палате. — А что случилось с тетей Джил?

Дебора притянула его к себе и прошептала:

— У нее будет ребенок.

С этой тайной пора было кончать.

— Сейчас?

— Нет, но она почувствовала себя плохо, поэтому приехала сюда, чтобы удостовериться, что все в порядке.

Закрыв глаз, который тер, — левый, здоровый, заметила Дебора, — Дилан посмотрел на нее:

— Поэтому приходил дедушка?

— Да.

— Поэтому он злится?

— Он не злится. Просто беспокоится.

Опять прижав пальцы к левому глазу, мальчик одними губами сказал что-то, чего Дебора не смогла разобрать.

— Что?

Он скороговоркой попросил:

— Не рассказывай ему о моем глазе.

— А что с твоим глазом? — спросила она и вдруг поняла: он слишком часто моргал. Слишком часто тер его. С тяжелым сердцем Дебора взяла сына за плечи и посмотрела прямо в глаза. — Что у тебя с глазом?

— Очень болит, — сказал Дилан с несчастным видом. — Так же, как болел правый.

Все что могла сделать Дебора, это сдержаться и не заплакать.

— На свет больно смотреть? — Он кивнул. — С каких пор, дорогой?

— Не знаю. Я не мог ничего сказать, потому что у вас с Грейс проблемы и мне нужно видеться с папой на выходных.

Дебора притянула его к себе.

— Ты будешь видеться с папой, — сказала она и встретилась взглядом с Грейс поверх его головы. — Поможешь тете Джил?

Грейс, похоже, разрывалась между злостью и беспокойством.

— Я же привезла ее сюда. Куда ты идешь?

— Поговорить с доктором Броуди.

— Не-е-ет, мама! — заплакал Дилан.

Но Дебора давно подозревала о существовании этой проблемы. Глубоко в душе она догадывалась о ней, но старалась не обращать внимания. И все это время Дилан знал о том, что происходит, и никому не говорил.

* * *

Дебора не меньше Дилана боялась услышать новый диагноз, но ей очень нравился его врач. Айдан Броуди специализировался на детской офтальмологии и так хорошо относился к Дилану, что Деборе было вдвойне неудобно за то, что она не привела сына прежде.

Айдан пораньше открыл свой кабинет, чтобы принять их, и провел очень тщательный осмотр. Все это говорило о том, что он искренне хочет помочь.

— Здесь нет ничего более серьезного, — спокойно сказал он мальчику, — чем на правом глазу, и точно так же лечится. А больно из-за маленьких трещинок на поверхности роговицы. Под этими трещинками крошечные нервные окончания. Когда они оголяются, ты чувствуешь боль.

— Но теперь я совсем не смогу видеть, — заплакал Дилан.

— Неправда. Вовсе нет, — возразил Айдан. — Ты не потеряешь зрение. Через пару лет, когда ты перестанешь расти, мы это исправим.

— А пересадка вылечит и дальнозоркость?

— Нет. Ты будешь носить очки от дальнозоркости до тех пор, пока от нее нельзя будет избавиться с помощью лазера. Пересадка роговицы вылечит только решетчатую дистрофию.

— Но если станет хуже?

— С правым глазом стало хуже?

— Нет.

— Правильно. Состояние стабилизировалось. С этим глазом будет так же.

— А что, если нет?

— Будет, Дилан, — настаивал Айдан с такой мягкой убедительностью, что Дебора ему поверила. — Знаешь что, — он взял визитку со своего стола, — я напишу свои номера телефонов, рабочий и домашний. Я хочу, чтобы ты звонил в любое время, когда тебе станет страшно. — Он записал номера такими большими цифрами, что даже Дебора увидела их со своего места. — Разве я давал бы тебе свой домашний номер телефона, если бы знал, что ты будешь звонить мне каждые две минуты? Никак нет. Ты будешь слишком занят уроками и общением с друзьями. Но вижу, сейчас ты действительно испугался.

— Ага, — сказал Дилан, сжав в кулаке визитку.

— Ты испугался, что потеряешь зрение.

— Ага, — робко согласился мальчик.

— Теперь ты знаешь, что не ослепнешь, правда?

— Ага, — ответил Дилан, опять обеспокоившись. — Н-но если я потеряю вашу визитку?

Айдан Броуди улыбнулся.

— Мама знает мой номер. Она училась в медицинском колледже вместе с моей женой. — Он кивнул на Дебору и улыбнулся. — Спросишь у нее. Она напишет тебе новую визитку.

* * *

По дороге из Бостона домой Дебора испытывала целую гамму чувств — от облегчения до страха. По словам Айдана Броуди, все казалось так просто, но для двух пересадок роговицы требуются две отдельные операции, каждая из которых серьезнее, чем удаление бородавки. И каждая была в определенной степени рискованной.

Дилан же, наоборот, рад был переложить этот груз со своих плеч на мамины. Для этого и существуют мамы.

Они заехали домой, чтобы принять душ. Когда Дебора предложила Дилану остаться с Ливией и поспать, он не захотел даже слушать. Она отвезла его в школу, зашла с ним, чтобы объяснить учительнице его усталость, и поехала в кондитерскую.

Джил уже спала дома. Элис следила за тем, как идут дела внизу, а Грейс дремала на диване в маленькой мансарде на третьем этаже.

Дебора прилегла рядом с Джил, которая проснулась, когда матрац прогнулся.

— Что там у Дилана с глазом? — спросила она сонным голосом.

— То же, что и с правым.

Джил окончательно проснулась.

— О нет. Ох, Дебора, мне так жаль.

— Мне тоже. Просто сердце разрывается. Через пару лет Дилану сделают операцию, но до тех пор практически ничего нельзя сделать.

— Как он себя чувствует?

— Хорошо. Обрадовался, что не оказалось ничего более серьезного. А ты как себя чувствуешь?

— Тоже хорошо. Кровотечение остановилось. Где Грейс?

— В мансарде. Спит.

— Тебе нужно с ней поговорить, Дебора. Она чувствует себя очень виноватой.

— Я пытаюсь, но она не поддается.

— Попробуй еще раз. Она удивительный ребенок. Это она привезла меня в больницу и обратно.

Дебора повернула голову.

— Правда? — Когда сестра кивнула, она не знала, радоваться или огорчаться. — Что ж, спасибо. Для меня она бы этого не сделала.

— У нее был выбор: отвезти меня в больницу или оставить истекать кровью.

— Ты же не умирала от потери крови.

— Тогда мы этого еще не знали. Грейс сделала то, что было необходимо. В этом она похожа на тебя.

Дебора повернулась на бок.

— Я всегда считала, что она во всем похожа на меня.

— Она похожа на тебя в главном.

— Я думала, Грейс хочет стать врачом.

— Разве стать врачом — это главное?

Дебора ответила не задумываясь:

— Нет. Посмотри на меня. Лежу здесь, даже не перезвонив на работу. Джил, мне очень жаль, что так получилось с папой. Ты же знаешь, он не прав.

— Да. Ну, надежда умирает последней.

— Он изменится, — сказала Дебора. — Ему просто нужно время, чтобы свыкнуться с этой мыслью.

— Ты всегда его защищаешь.

— Только не в последнее время.

Джил нахмурилась.

— Кстати, тебя же ждут пациенты.

— Я устала.

Слова повисли в воздухе. Через минуту Джил рассмеялась:

— Это что-то новенькое.

Дебора поняла, что это на самом деле так.

— Ни разу в жизни я не считала усталость уважительной причиной для того, чтобы не работать. Но я действительно устала.

— Работать?

— Быть правильной. Стараться быть правильной.

— Стараться угодить папе, — добавила Джил.

— И это тоже.

— Что будет, если ты не появишься на работе?

— Не знаю, потому что раньше такого не случалось.

— Твои пациенты все поймут.

— Не все ли равно? — ответила Дебора, затем быстро сказала: — Нет, мне не все равно, но Господи, я же всегда была на работе. Если они не могут понять, что мне хоть раз нужно немного отдохнуть, это их проблемы.

— А папа?

— Папа рассердится. Но он меня прикроет. Он вспомнит о прошлой субботе, когда сам не пришел, или о сегодняшнем утре, когда повел себя как дурак. Он, вероятно, чувствует себя виноватым. Не позвонил мне на мобильный. — Ей пришла в голову мысль. — Может, он собирается вычеркнуть меня из совместной практики? Вот это будет что-то новенькое.

— Дебора, ты этого не хочешь.

Она грустно улыбнулась:

— Нет. Работа очень много значит для меня.

— И для него тоже. Если он не может понять, что у тебя непростой период и что именно сейчас он тебе нужен, пусть ему будет стыдно.

* * *

— Папа? Мы можем поговорить? — спросила Дебора, стоя в дверях его кабинета.

Майкл читал за столом. В одной руке он держал ручку, которой заполнял бланки, в другой — кусок пирога с сыром и ветчиной из соседнего итальянского ресторана. Рядом стояла бутылка диетической колы, наполовину пустая, с жидкостью характерного темного цвета. Если он и пил что-то еще, то никаких улик не было.

Глядя на дочь поверх очков, Майкл довольно спокойно спросил:

— Где ты была? Здесь просто зоопарк какой-то.

— Извини. У Дилана проблема с глазами. Мне пришлось срочно отвезти его в Бостон.

Майкл отложил пирог.

— Какая проблема? — Выслушав объяснения Деборы, он явно расстроился. — Теперь оба глаза?

— Айдан говорит, такое случается.

— Его зрение упадет прежде, чем можно будет сделать операцию?

— Похоже, что так, — ответила Дебора. — Дилан хорошо себя чувствует. Он настоял, чтобы я отвезла его в школу. А я? Я только начала осознавать, что это значит. Если я отказываюсь признавать очевидное, то так тому и быть. Я абсолютно ничего не могу сделать в этой ситуации. Мне просто... нужно поговорить с тобой.

Майкл отложил ручку.

— Если ты хочешь поговорить о своей сестре, то не трать время. Я не знаю, что сказать. Я никогда не знаю, что говорить, когда дело касается Джил.

— Тогда давай поговорим о маме, — предложила Дебора.

Он поджал губы.

— Если ты хочешь сказать, что она была бы рада, то тоже можешь не тратить время. Этого не случилось бы, если бы она была жива.

— Папа, Джил тридцать четыре года. Она сделала бы это независимо от того, одобрила бы мама или нет.

— Нет. Мама знала, как с вами, девочками, обращаться. — Сняв очки, Майкл откинулся на спинку кресла. — Господи, Дебора, как ты могла мне об этом не рассказать?

— Я не знала. — Как приятно было честно ответить на этот вопрос. — Джил хотела сделать это сама.

— Но я ее отец и врач. Кстати, мы знаем врача, который ее наблюдает?

— Буркхарт. Она хороший врач.

Он хмыкнул.

— По крайней мере, твоя сестра все как следует разузнала.

— Она разузнала намного больше, папа. Она хочет создать семью, именно поэтому отыскала единокровных детей. Она хочет, чтобы у ребенка была семья.

Он опять хмыкнул и отвел глаза.

— Это говорит лишь о том, что она не очень хорошего мнения о нас.

— Я не принимаю это на свой счет, — сказала Дебора. — У наших детей будет большая разница в возрасте. Кроме того, эти мамочки станут для нее группой поддержки.

Майкл нахмурился.

— А мы не можем?

— Папа, — напомнила ему Дебора, — нельзя сказать, что ты прыгал от радости.

— А ты что об этом думаешь? — спросил он.

— Теперь, когда прошел первый шок? Думаю, это нормально. Я всегда знала, что Джил любит детей. У нее прекрасные отношения с племянниками. Я всегда знала, что она хочет завести своих. Я позволяла себе думать о кондитерской как о ее ребенке, но это совсем не то.

Майкл опустил глаза и поджал губы.

Дебора знала, о чем он размышляет, но у нее не было сил опять ввязываться в этот спор. К тому же тема кондитерской была не нова.

— Джил всегда все делает по-своему.

— У каждого ребенка должен быть отец.

— В идеальном мире. Но, возможно, наше определение слова «идеальный» нужно пересмотреть. Взгляни на наших пациентов. Мы видим физическое насилие. Мы видим моральное унижение. Плохой папа может быть хуже, чем его отсутствие. К тому же ребенок Джил будет не один такой. Половина семей в городе неполные. А многие жители Лейланда имеют детей от предыдущих браков.

— Именно поэтому, — заявил Майкл, — только такие люди, как я, живут долго и затем умирают. Мир меняется так сильно, что мы отказываемся это принимать. То, во что мы верили десятилетиями, уходит в прошлое. Если бы кто-то сказал мне, что обе мои дочери будут воспитывать детей в неполных семьях, я бы назвал этого человека сумасшедшим. — Он развел руками, словно пытаясь удержать мечту, и уронил их. — Я хотел лучшей жизни для вас обеих. Что же произошло? С тех пор как умерла мама, все разваливается на части.

— После того как она умерла, не произошло ничего такого, что не произошло бы, если бы она была жива, — заметила Дебора.

— Ты не права, девочка. Она бы этого не допустила.

— Как? — спросила Дебора. — Попросила бы Грэга не уходить — опля! — и он бы остался? Нашла бы для Джил парня — опля! — и Джил влюбилась? Мама просто смягчала бы удары, вот и все. Она помогала бы тебе справляться с неровностями в наших жизнях.

— С каких это пор мне нужна помощь? — возмущенно спросил Майкл, но Дебора не собиралась отступать.

— С тех пор как она умерла. Мама всегда поддерживала тебя. Она была своеобразным фильтром. Теперь, когда у тебя ее нет, все кажется хуже.

Он покачал головой.

— Она бы этого не допустила. Я имею в виду, Боже, посмотри на свою сестру. Посмотри на себя. Сегодня мне позвонил следователь и спросил, не является ли Джон Колби нашим родственником.

Дебора напряглась.

— Какой следователь?

— Из окружной прокуратуры, — сказал Майкл, — который расследует твою аварию.

Если отчет окружной комиссии подтвердил, что в аварии не было ее вины, то участие окружного прокурора должно быть вызвано гражданским иском. Это определенно не то, что ей хотелось услышать.

— Это был только телефонный звонок или он заезжал?

— А это важно?

— Не знаю. Я только пытаюсь понять, что все это значит.

Дебора сказала себе, что скорее всего ничего. Просто задали пару вопросов. Но зачем спрашивать о Джоне?

— Боюсь, я не смогу тебе помочь, — сказал Майкл медовым голосом. — Несмотря на то что этот парень был очень любезен, у меня не было времени поговорить с ним, потому что я разрывался, бегая от пациента к пациенту и стараясь тебя прикрыть.

— Но он упомянул об окружной прокуратуре?

— Да. Ни разу в жизни у меня не было такого телефонного разговора, — продолжал нападать отец, его глаза метали молнии. — В нашей семье не совершают поступков, которые могут заинтересовать окружного прокурора. Ты сказала, что это была обычная авария. Ты сказала, что ничего не нарушала. Зачем тогда, черт возьми, окружному прокурору знать, в каких отношениях мы с Джоном? Наши медицинские документы конфиденциальны. Если наши пациенты решат, что мы что-то рассказываем, мы потеряем половину из них.

Дебору больше волновала Грейс, чем работа. Звонки из окружной прокуратуры сделают груз на душе девочки еще тяжелее.

Сомневаясь, закончится ли все это звонком ее отцу, Дебора сказала:

— Мы не потеряем пациентов. Окружная прокуратура не запрашивает конфиденциальной информации.

— Они задают вопросы, и это, возможно, только начало. Я не знаю, что произошло в тот вечер, но говорю тебе: если бы мама была жива…

— …ничего бы не изменилось! — закричала Дебора. — Хватит, папа! Мама ничего не смогла бы сделать, чтобы предотвратить эту аварию!

Его глаза были широко раскрыты.

— Она оставила меня со всем этим. О чем она думала?

— Она не планировала свою смерть! — заорала Дебора, потеряв самообладание.

— Именно так, черт, не планировала, но она умерла, и что теперь со мной? Мы должны были состариться вместе. Мы должны были путешествовать и тратить пенсию, которую заработали за долгие годы. Она должна была пережить меня.

Он вдруг показался дочери таким потерянным.

В этот момент, сама обезумев от горя, Дебора поняла, почему Майкл стал таким. Гнев был частью горя.

Перегнувшись через стол и едва сдерживая слезы, она сказала:

— Послушай меня, папа. Когда у Дилана начались проблемы с одним глазом, я горевала по идеальному ребенку, которым он должен был стать. Я говорила себе, что поставили неправильный диагноз. Я пыталась договориться с Богом. Знаешь, «сделай его глаза здоровыми, и я сделаю все, что угодно». Когда это не помогло, я была вне себя от ярости оттого, что моему ребенку приходится с этим жить. В конце концов, у меня не осталось выбора. Мне нужно было принять это, потому что только так я могла помочь Дилану. — Дебора выпрямилась. — Горе — это процесс. Гнев — часть этого процесса. — Она помолчала. — Сейчас ты злишься, что мама оставила тебя одного. Но ты вымещаешь злость на мне и на Джил, а мы обе нуждаемся в тебе. Ты можешь пить все, что хочешь… — она быстро подняла руку, когда его глаза потемнели, — но это не поможет, папа. Ты нам нужен.

16

Дебора позвонила Джону, но тот ничего не слышал о расследовании окружной прокуратуры. Она позвонила Холу, узнала, что тот в суде, и оставила ему сообщение. Не имея никакой информации, она ничего не сказала Грейс, когда дочка позвонила и поинтересовалась, как Джил. Дебора позвонила Грэгу, но и ему пришлось оставить сообщение.

После обеда она принимала пациентов, и, похоже, каждый страдал от какой-то утраты, начиная с женщины, оставшейся без работы, и заканчивая той, у которой отобрали дом, или той, которая потеряла мужа и не могла ни спать, ни работать, ни радоваться внукам. Дебора неожиданно для себя обнаружила, что постоянно говорит о сдерживаемом гневе.

Когда она собиралась отправиться в кондитерскую, позвонила Карен. В ее голосе слышалась паника.

— Мне кажется, что-то не так, — сказала она.

Дебору на короткое мгновение охватил страх.

— Что имснно не так?

— У меня головная боль, которая уже неделю не прекращается.

Вспомнив, что несколько дней назад они виделись, Дебора успокоилась.

— Неделю?

— Ну, может, не неделю. Может, три или четыре дня.

— Почему ты не сказала мне раньше? — спросила Дебора. Она забросила ремень сумки на плечо и собрала бумаги.

— Потому что я терпеть не могу сообщать о малейшей боли и говорю себе, что ничего страшного. Я забываю о боли, когда занята, но как только расслабляюсь, она опять появляется. Боль не острая, но просто изводит меня. — Карен заговорила быстрее. — Ты была права, когда рассказывала о том, что происходит, когда приближается годовщина моей операции. Поэтому я и убеждала себя, что ничего страшного нет. Но что, если это не так?

Дебора вышла из кабинета. Дверь в кабинет отца была открыта. Он уже ушел.

— Где болит?

— По-разному. Иногда сзади, иногда спереди.

— У тебя появляется тошнота или рвота? — спросила Дебора, оставляя бумаги на столе администратора.

— Нет.

— И я знаю, что ты занималась на тренажере, поэтому можно заключить, что онемения в руках или ногах тоже нет. — Она погасила свет. — Честно говоря, не думаю, что это что-то серьезное, Ка, — сказала Дебора, включая сигнализацию. — Конечно, можно сделать томограмму, но давай подумаем, нет ли другой причины.

— Например? — спросила Карен. Она явно могла назвать одну, только одну причину.

Дебора это понимала.

— Чрезмерное напряжение зрения. Новые солнцезащитные очки, которые ты купила. Возможно, неправильно подобраны линзы. — Она вышла и закрыла дверь.

— Линзы те же, я только поменяла оправу.

— Хорошо. Если не усталость глаз, то, может быть, усталость мышц. Ты ощущаешь напряжение в области шеи?

— Да.

— Тогда это возможно, — сказала Дебора, садясь в свою машину. На парковке осталась только она.

— Даже когда болит передняя часть головы?

— Это может быть из-за гормонов.

— Месячные у меня закончились неделю назад.

— Возможно, у тебя меняется цикл.

— Меняется? Ты имеешь в виду климакс? Я слишком молода.

— Не как при климаксе, просто меняется. Но еще это может быть из-за переутомления. — Было еще много причин головной боли, которые Дебора могла перечислить. — Как ты спишь?

— Плохо, — погрустневшим голосом ответила Карен и добавила: — Я полночи провела, глядя на Хола.

— Что? — спросила Дебора, но уже знала, что услышит дальше. Что-то ей подсказывало, что именно в этом причина проблемы.

— Он спит как убитый. Никогда такого не было, Дебора. Это он всегда не спал по полночи. Говорил, что постоянно думает о работе — просто не может отвлечься. Неужели Хол вдруг перестал думать о работе? И не скажешь, что он утомляется от занятий любовью. Мы редко это делаем. А сегодня? Я не могла ему дозвониться. В последнее время я никогда не могу ему дозвониться. Я проверяла его — звонила по незначительным поводам и оставляла сообщения. Я не всегда просила мне перезвонить — Хол терпеть не может, когда ему надоедают, — но он мог бы и догадаться. По крайней мере, на некоторые сообщения, которые я передавала, стоило ответить. Или он вправду занят, или не желает со мной разговаривать.

Деборе хотелось посоветовать послать его подальше, что было вполне в ее духе, но не в духе Карен. Поэтому Дебора сказала:

— Не думаю, что у тебя опухоль мозга. У тебя болит голова из-за перенапряжения.

— Но я серьезно.

— Рак тоже серьезная болезнь, и она всегда доставляет беспокойство, но не думаю, что причина твоей боли в этом.

— Ты считаешь, это из-за Хола, — сказала Карен. — Может, я веду себя глупо. Ты сама говорила, что он красивый мужчина. Просто я занимаюсь спортом и закрашиваю седину, трачу целое состояние на кремы, чтобы кожа была гладкой, а когда кажется, что он ничего не замечает, то начинаю думать, что что-то не так. Звонков больше не было. Я уверена, что ты права: просто какая-то женщина хотела бы его заполучить, а поскольку не может, то хочет испортить нам жизнь. — Ее голос изменился. — Я все выдумываю. Точно. — Карен вздохнула. — Ладно, мне уже лучше. Спасибо, Дебора.

* * *

Дебора не очень хорошо себя чувствовала. Она была уверена, что у Хола роман. Уверена, насколько возможно быть уверенной без неопровержимых доказательств, но ничего не могла сказать Карен. Что бы это дало? И что, если она ошибается?

Хол ей тоже не перезвонил.

А Грэг перезвонил. Услышав о диагнозе Дилана, он не переставал спрашивать, как она могла пропустить признаки беды. Он был расстроен. Ему нужно было найти виноватого. Но Дебора и так чувствовала себя достаточно виноватой.

— Я спрашивала. Он сказал, что все в порядке. Я спрашивала снова, и он снова все отрицал. Я все время внимательно к нему присматривалась, но когда мое беспокойство передалось ему? И сколько вреда причинила эта задержка? Очки Дилана корректируют его дальнозоркость. С дистрофией роговицы ничего нельзя поделать, пока он не станет достаточно взрослым для пересадки.

— Все верно, — согласился Грэг. — Но если бы ты сказала мне раньше, я бы поговорил с ним. Ты должна делиться со мной такими вещами, Дебора. Я все еще его отец.

— Что ж, ты уже знаешь, — грустно ответила она. — Кстати, ты не спрашиваешь, почему я так открыто обо всем говорю. Дилан и Грейс у Джил. А я собираюсь забрать обед Ливии и привезти его туда. Джил беременна, и ей предписан постельный режим.

— Джил беременна? — спросил Грэг. — Молодец. Замуж не выходит, я полагаю? Она не обращает внимания на мнение других. Наверное, я женился не на той сестре.

Дебора слишком устала, чтобы возмутиться.

— Ей было шестнадцать, когда мы познакомились, а это значит, что тебя бы судили за совращение несовершеннолетних. — Она не смогла удержаться и добавила: — После этого тебя бы всю жизнь называли мерзким старикашкой. К тому же тогда ты не хотел иметь жену, которая не обращает внимания на мнение других. Тебе нравились очень уравновешенные женщины, по крайней мере, так ты говорил, если не врал. И почему ты решил, что моя сестра захотела бы выйти за тебя?

Дебора заставила себя остановиться, поняв, что злость не прошла, что развод — это еще одна нерешенная проблема ее жизни. Она повернула за угол и заметила серую машину, припаркованную прямо перед ее домом.

— Мы можем поговорить об этом в другой раз? — напрягшись, спросила Дебора. Прежде чем Грэг ответил, она сказала: — Мне пора, — и выключила телефон.

Медленно приближаясь, она рассматривала машину. Впереди сидели двое мужчин. Она подъехала к своему дому, но дверь гаража не открывала. С телефоном в руке Дебора выбралась наружу и подождала, пока те двое сделают то же самое.

Оба были в костюмах. Мужчина, который шел впереди, был немного старше и полнее.

— Доктор Монро? — спросил он довольно дружелюбным тоном.

— Да?

— Меня зовут Гай Филдинг. Моего напарника Джо МакНайр. Мы детективы из окружной прокуратуры. Не могли бы вы уделить нам минутку?

Дебора беззвучно выругалась. Она не хотела с ними разговаривать. Грейс точно не выдержала бы, если бы узнала. Но у Деборы почти не было выбора. Она могла отказаться говорить, но это свидетельствовало бы о ее вине. Она могла вернуться, закрыться в машине, но это было бы ребячеством. Она могла бы попытаться уехать, но тогда они последовали бы за ней.

— У вас есть документы? — наконец спросила Дебора.

Оба сунули руки во внутренние карманы и достали удостоверения. На фотографиях действительно были они.

Она вежливо поинтересовалась:

— Не скажете ли вы, о чем, собственно, будет разговор?

— На прошлой неделе произошла авария. У нас есть несколько вопросов.

— Я полагаю, что еще тогда ответила на все вопросы полиции.

— Верно. Мы читали ваши показания. Просто у нас возникло еще несколько вопросов.

Она кивнула. Не спросив разрешения, Дебора открыла телефон и попыталась дозвониться Холу. Его офис не работал, а мобильный не отвечал. Она нажала на кнопку «отбой», не оставив сообщения, и набрала телефон Джона. Карла соединила ее с его домашним номером.

— Здравствуйте, Джон, это Дебора. Возле моего дома двое мужчин. Говорят, что из окружной прокуратуры.

— Детективы полиции штата, назначенные окружной прокуратурой, — вставил Гай Филдинг.

Дебора повторила это для Джона.

— Я обязана с ними разговаривать?

— Нет, но думаю, лучше поговорить, — сказал Джон. — После вашего звонка я связывался с окружным прокурором. Можете быть с ними откровенны. Вам нечего бояться.

Если бы он знал! Мысль о разговоре с полицией штата ее пугала.

Жестом показывая детективам оставаться на месте, Дебора отошла подальше и тихо сказала в трубку:

— Я не понимаю, зачем они здесь. Я думала, что отчет снимает с меня все подозрения.

— Вдова обратилась в окружную прокуратуру и подала жалобу.

Гражданский иск. А Дебора не позволила себе даже подумать об этом, когда отец сказал, что они звонили.

— Какую жалобу?

— Миссис МакКенна разочарована, что местная полиция не выдвигает обвинения, поэтому обратилась к окружному прокурору. Сегодня утром она поджидала его под кабинетом. Он сказал ей, что ознакомился с делом, поскольку есть погибший, но решение об обвинении кого-либо принимается на местном уровне. Тогда она заявила, что вас покрывают. Как я и ожидал.

— Но меня не покрывали.

— Мы это знаем. — Голос Джона был непривычно тревожным. Дебора подумала, что он не часто находился под подозрением. — Вас оправдала команда из округа.

— И на основе заявления прокурор может предъявить обвинение?

— Нет. Все не так просто. Он ничего не будет предпринимать без достаточных оснований. Его работа состоит в том, чтобы взглянуть на дело непредвзято. Если бы обнаружили халатность с вашей стороны, иск миссис МакКенны был бы удовлетворен.

То, что результаты, снимающие с вас подозрение, пришли именно сейчас, просто совпадение.

Было еще одно совпадение, о котором Деборе не хотелось думать. Вчера вечером она разговаривала с Томом, а сегодня утром вдова побежала к окружному прокурору.

— А что насчет странного поведения ее мужа? — спросила Дебора у Джона. — Окружной прокурор должен заинтересоваться этим в первую очередь.

— Он заинтересовался. Но разговор с вами — это часть процесса. Его люди будут разговаривать и со мной и скорее всего захотят побеседовать с Грейс.

У Деборы екнуло внутри.

— Зачем?

— Она была в машине. Мы ее не допрашивали, поэтому так, наверное, будет даже лучше.

Дебора не видела в этом ничего хорошего. Грейс и так трясло, без всяких вопросов.

— Присутствие Хола необходимо? — спросила женщина. Несмотря на все свои недостатки, Хол знал законы.

— Вы можете с ним связаться? — спросил Джон.

— Нет.

— Тогда поговорите с ребятами. Говорите правду.

Дебора кивнула.

— Хорошо.

Она бы с радостью поговорила с ними, только бы они не трогали Грейс.

Закончив разговор, Дебора вернулась к детективам.

Гай Филдинг показал на дом.

— Желаете поговорить там?

«Конечно же нет», — подумала Дебора. Ее дом не был открыт для людей, которые хотели продлить слишком личные во многих отношениях мучения.

— Мы можем поговорить здесь, — сказала она, убрала волосы с лица и оперлась спиной о машину. — Прекрасный вечер. — Хотя солнце было уже низко и деревья отбрасывали длинные тени, было все еще тепло.

— Полагаю, вы звонили Джону Колби, — сказал первый детектив.

Слишком поздно Дебора поняла, что назвала имя во время разговора. Не самый умный поступок, учитывая, что речь идет об укрывательстве. И все-таки по отношению к Джону она не сделала ничего плохого.

— Джон начальник нашей полиции, — объяснила Дебора, — и вел это расследование. Он подтвердил, что вы действительно те, кем назвались.

— Вы часто с ним разговариваете?

— Не чаще, чем с кем-либо другим в таком небольшом городке.

— Но вы говорили с ним об аварии.

— Да, — согласилась она. — Он прибыл на место происшествия сразу же, как только это произошло. Джон задавал вопросы, я на них отвечала. Я видела его на следующий день, когда пришла в отделение, чтобы заполнить протокол.

— Тогда вы тоже разговаривали?

— О заполнении протокола. Джон дал мне бланк и объяснил, сколько копий я должна заполнить.

— Он бывал у вас дома после аварии?

— Мы не ходим друг к другу в гости.

— Но он был здесь?

Она постаралась вспомнить. Дни после аварии были как в тумане.

— Он приходил сюда в день похорон Кельвина МакКенны. На кладбище произошел… инцидент. Он хотел узнать, что именно случилось.

— Ваше присутствие возмутило вдову, — вставил второй детектив.

Дебора подумала, что миссис МакКенна довольно подробно все им рассказала.

— Это была открытая церемония. Я хотела пойти туда.

— Значит, Джон Колби был здесь после похорон, — продолжал Филдинг. — Откуда он узнал, что произошло?

— У нас маленький городок. В любом случае, кто-то из его людей был на похоронах.

— Вы не звонили ему сами?

— Конечно нет. Это было так унизительно. Я не желала об этом разговаривать. Мне хотелось только спрятаться ото всех. — Визит Тома исправил ситуацию. Тогда и во время их последующих разговоров он рассуждал здраво. Но вчера вечером Том спрашивал о Джоне. Было ли это простое любопытство?

— Вы были сердиты? — спросил второй детектив.

Дебора мысленно вернулась в день похорон.

— На Джона?

— На семью МакКенна.

— Нет. Мне было стыдно и больно. У них горе. Я понимала их чувства. — Она нахмурилась. — Извините. Но мне не совсем ясно, к чему все эти вопросы? — Джон сказал ей об этом. Ей хотелось, чтобы детективы подтвердили его слова.

Но вместо этого Филдинг спросил:

— Разговаривали ли вы еще с Джоном после аварии?

— Да. Я интересовалась отчетом группы по восстановлению событий. Я звонила Джону несколько раз, чтобы узнать, не пришел ли отчет.

— А ваш адвокат не мог этого сделать? — спросил второй детектив.

— Мой адвокат?

— Хол Труттер. Он тоже звонил Джону?

— Вам придется спросить об этом у него самого, — ответила Дебора. Она не собиралась говорить вместо Хола. — Хол как раз мой друг, — подчеркнула она, чтобы показать разницу между их отношениями и отношениями, которые были у нее с Джоном. — Я не нанимала адвоката.

— Он также дружит и с Джоном Колби.

— Они вместе играют в покер.

Первый детектив сказал:

— Давайте вернемся к начальнику полиции. Насколько я понял, он ваш пациент.

— Да. Он и его жена. Мой отец более тридцати пяти лет работает врачом в Лейланде. Я не знаю, когда точно они стали нашими пациентами, но очень давно. Джон ходит к моему отцу, а я наблюдаю Елену.

— Почему так? — спросил второй детектив, явно игравший роль плохого полицейского.

Дебора посмотрела на него.

— Мужчины обычно чувствуют себя комфортнее, если их осматривает мужчина, а женщины — если осматривает женщина.

— Тогда выходит, что вы никогда не осматривали Джона?

Она нахмурилась.

— Какое отношение это имеет к аварии? — Дебора согласилась на разговор, но не на разглашение конфиденциальной информации. — Я понимаю, что вдова расстроена. Она хочет обвинить кого-то в смерти мужа.

— Это Колби сказал?

Он это говорил. Но и Том тоже. Том, которому она рассказала об игре в покер. Том, который знал, что она просила Джона сообщить ей об отчете. Том, которому, как она думала, можно доверять.

— Джону не нужно было этого делать. Я догадливая. С похорон меня выпроводил брат Кельвина МакКенны. Он обвинил меня в том, что я надеюсь выйти сухой из воды.

— А вы надеялись? — спросил второй детектив.

Терпение Деборы было на исходе. Она разочаровалась в Томе, была напугана иском. Переживала за Грейс. Она хотела одного: забрать обед у Ливии и поехать обратно к Джил.

— Вы бы не спрашивали об этом, если бы видели, что на месте происшествия в тот вечер работала команда полиции штата. Они осмотрели все, сфотографировали. Вы не доверяете их отчету?

— В этом отчете ничего не сказано о возможном сговоре между вами и начальником полиции.

— Это вы пришли к такому заключению?! — спросила Дебора. Когда Гай Филдинг встал между ними, подняв руки, она понизила голос, но не намного. Она была в бешенстве. — Полиция штата не нашла никаких доказательств нарушений с моей стороны. В отчете также сказано, слово в слово: «Пострадавший не бежал по дороге до того, как подъехал автомобиль. Он выбежал из лесу прямо под колеса». Это вы тоже расследуете? Честно говоря, я уже начинаю сомневаться, кто здесь жертва. Мы с дочерью пережили такой ужас из-за человека, который легкомысленно бегал посреди ночи при нулевой видимости. Лично я думаю, — она перевела взгляд с одного детектива на другого, — что вы не там копаете.

— А где нам копать? — спросил первый детектив, с ноткой в голосе, которую Дебора решила принять за уважение.

— Вдова. Спросите у нее, что ее муж делал там в такой вечер. Спросите, почему на его одежде не было светоотражающих элементов и почему у него не было знака, что он принимает препарат, который может стать причиной смертельного кровотечения. Спросите, почему ей так сильно хочется повесить эту смерть на кого-нибудь другого.

* * *

Не успела серая машина свернуть за угол, как Дебора набрала номер Карен.

— Хол дома?

— Еще нет, но он звонил. Одному из его клиентов предъявлено обвинение в суде. Хол несколько месяцев работал с обвинителями, чтобы этого избежать, но теперь клиент запаниковал. Хол с ним. — Она помолчала. — Когда я слышу истории вроде этой, то чувствую себя виноватой за то, что воображала Бог знает что. Скажи мне, что я дура, Дебора.

— Ты не дура, — возразила Дебора. — Ты — человек.

В ее голосе наверное было больше нетерпения, чем ей хотелось выказать, потому что Карен спросила:

— Что-то случилось?

Дебора могла сказать только:

— Вдова Кельвина МакКенны обратилась к окружному прокурору. Передашь Холу, чтобы перезвонил, когда вернется?

— О дорогая, мне так жаль. Я передам.

— Мне на мобильный.

— Конечно, — сказала Карен.

Возможно, история, которую Хол поведал Карен, и была правдой, но у Деборы не было настроения выслушивать объяснения. Она снова набрала номер его мобильного и на этот раз оставила на автоответчике сообщение.

«Не знаю, где тебя черти носят, Хол, и с кем ты, но если ты не перезвонишь мне в течение часа, я найму другого адвоката».

Сосредоточив всю свою злость на Холе, Дебора вошла в дом, схватила кастрюлю с тушеной курицей, отнесла ее к машине и поставила на пол.

К Джил Дебора возвращалась, поминутно поглядывая на часы. Она решила ничего не говорить Грейс до разговора с Холом. Один час. Это все, что она могла ему дать.

Ему понадобилось сорок минут, и позвонил он не в самый удачный момент. Дебора разогревала обед в кухне у Джил и была настолько рассеянна, что три раза спросила у Дилана, как тот себя чувствует. Грейс оказалась ближе всех к телефону, когда раздался звонок. На дисплее она увидела имя Хола.

— Чего он хочет? — спросила девочка, передавая телефон Деборе.

Дебора не смогла сказать неправду. Один раз она уже это сделала, и ложь стала стеной между нею и Грейс.

— Возникли проблемы с вдовой, — ответила она дочери, а потом спросила Хола: — Где ты был? — В ее голосе звучала неприкрытая злость, но ей было наплевать.

— Срочно нужно было встретиться с клиентом. Что случилось?

Войдя в гостиную, Дебора рассказала ему о детективах. Отвечая на его нетерпеливые вопросы, она как можно подробнее передала разговор.

— Они ищут, — сказал он.

— Что ищут? Отчет группы по расследованию аварий снял с меня подозрения. Разве нет? Что еще они могут найти?

— Вдова утверждает, что местная полиция подделала вещественные доказательства.

— Но Джон не собирал вещественные доказательства. Этим занималась команда из округа.

— Успокойся, Дебора, — сказал Хол. — Умер человек. Им нужна стопроцентная уверенность, что расследование проводилось должным образом. Они всего лишь выполняют свою работу.

— Они отнимают у меня время!

Он вздохнул.

— Только не говори этого им. Ты же не хочешь их рассердить. Препятствование отправлению правосудия — это уголовное преступление.

— Уголовное преступление?

— Но ты ведь не говорила детективам ничего такого, чего говорить не следовало? Нужно было позвонить мне.

Уголовное преступление? Она справилась с минутной паникой.

— Я тебе звонила. Ты был недоступен. Ты всегда недоступен. — Обвинение в уголовном преступлении — это плохо. — Где ты был?!

— Ты разговариваешь, как моя жена.

— Видимо, у нее есть на то основания. Что происходит, Хол? Ты нужен людям, а тебя нельзя найти. В последнее время ты слишком часто играешь в рэкетбол.

Он помолчал, потом осторожно спросил:

— Ты меня в чем-то обвиняешь, Дебора?

— Посмотрим. А ты виноват?

— Я — нет. Давай поговорим о тебе. Признание в уголовном преступлении — это очень серьезно. Черт, если окружной прокурор выдвинет обвинение, тебя устранят от работы до решения суда. Ты этого хочешь?

— Нет. Я ничего этого не хочу! — закричала Дебора.

— Поэтому меня тоже злить не стоит. Я знаю окружного прокурора. И могу договориться. Возможно, это твой единственный шанс похоронить дело раз и навсегда.

Дебора могла бы огрызаться, утверждая, что никакого укрывательства не было и что он меняет тему разговора, но тут увидела, что из дверей кухни на нее смотрит Грейс. Усилием воли женщина заставила себя успокоиться. Хол был прав. Злить его было не в ее интересах.

— Хорошо, — сказала она. — Спасибо, что перезвонил. Мы можем поговорить завтра?

— Как захочешь, дорогая. Если я тебе нужен, звони. — Он отсоединился.

Если у Деборы и были какие-либо сомнения, они исчезли. Этот ублюдок изменял жене.

Но сейчас на нее перепуганными глазами смотрела Грейс.

— Это еще не закончилось, — сказала она. — Это никогда не закончится.

— Закончится, — пообещала Дебора. Убрав волосы с лица, она попыталась рассуждать здраво. — Мы всегда знали, что есть такая вероятность развития событий. Вдова сердится. Она чувствует, что должна что-то предпринять.

— Скажи им, — прошептала Грейс.

Дебора подошла к ней. Но когда она хотела взять дочь за руку, Грейс скрестила руки на груди. Дебора испытала чувство утраты. Так чувствует себя человек, которому необходимо прикосновение другого человека.

Понимая, что находится на грани истерики, но не может позволить дочери это заметить, Дебора спросила:

— Что хорошего в том, что я расскажу? Это ничего не изменит. Вдова подала в суд. Ей все равно, кто был за рулем, Грейс. Она утверждает, что Джон не провел тщательного расследования. Но расследование проводила группа из округа, поэтому дела заводить не будут. Окружной прокурор не выдвинет обвинение.

— И мистер МакКенна не умрет? — спросила Грейс, тихо развернулась и ушла.

* * *

Дебора не могла сказать, случилось это из-за упоминания имени МакКенна или как естественный результат размышлений, но поссорившись и с детективами, и с Холом, она сосредоточилась на Томе. Ее злость нарастала медленно, почти неосознанно, закипая одновременно с обедом Ливии. Дебора не была уверена, что Том был ее другом, но чувствовала себя преданной. Она понимала, что это глупо, но ничего не могла поделать.

Дилан уснул. Дебора попыталась поговорить с Грейс, для поддержания разговора воспользовавшись беременностью Джил, но девочка отделывалась ничего не значащими односложными ответами, а потом попросила дать ей возможность сделать домашнее задание, написать карточки со словами и вызубрить биологию перед экзаменом. Если бы у Деборы было больше сил, она обсудила бы еще и это, потому что список дел показался ей слишком длинным.

Но она устала спорить. Оставив Грейс в покое, Дебора забралась в кровать. Но сон не шел. Проворочавшись час, она отбросила одеяло, спустилась в кухню и заварила чай. Когда и это ее не успокоило, Дебора включила свет в кабинете и попыталась придумать, кому можно позвонить. Она не хотела будить Джил, а Карен не отвечала. В отчаянии она позвонила Тому.

Она его разбудила, но была слишком обижена, чтобы обращать на это внимание. На правила приличия ей тоже было плевать. Она всю жизнь прожила по этим правилам, и они — как и многое другое в последнее время — оказались напрасной тратой времени. Едва услышав в трубке сонный голос, Дебора выпалила:

— Я вам доверяла!

Повисло молчание. Потом Том спросил:

— Дебора?

— Я вам доверяла, — повторила она, неожиданно переходя в нападение. Она была сердита. И обижена. — Я рассказала вам то, чего не следовало говорить о своей семье. Я в самом деле поверила, что мы друзья, но теперь спрашиваю себя, почему два детектива обвиняют меня, используя информацию, которую я сообщила вам вчера вечером. Вы все это время были заодно с Селеной? И поэтому вели со мной все эти разговоры?

Он помолчал, потом тихо ответил:

— Нет…

— Возможно, в этом есть моя вина, — перебила Дебора прежде, чем Том смог еще что-то сказать. — Возможно, я почувствовала связь, которой не было. Я имею в виду, что мы оба переживали из-за кризиса в наших семьях, и хотя причины были совсем разными, мне казалось, мы понимаем друг друга. Я ошибалась? Я увидела что-то такое, чего вовсе не было?

Он хотел что-то ответить, но она продолжала:

— И вообще, почему я решила, что мы можем быть друзьями? Едва взглянув на вас, моя дочь чуть не потеряла сознание от ужаса. Мы всего лишь хотим, чтобы все это закончилось, Том. Но теперь еще одно расследование. Вы же знаете, что не было никакого преступления. То, что вы будете тянуть время, не вернет вашего брата. — Выплеснув свою злость, Дебора добавила: — Я доверяла вам. Возможно, это было глупо с моей стороны. Мне казалось, что наше доверие взаимно. — Не услышав ответа, она тихо спросила: — Вы еще слушаете?

— Да.

— Вы ничего не отвечаете.

— Вам нужно было выговориться.

— Видите? — заплакала Дебора. — Именно об этом я говорила. Почему вы такой хороший?

— Это плохо?

— Нет! Но ваша реакция обманчива, судя по тому, что произошло. Вы думаете, я пыталась что-то скрыть? Вы помогаете Селене?

— Ни то, ни другое.

— Но вы не помешали ей обратиться к окружному прокурору.

— Я не знал, что она собирается это сделать. Селена позвонила мне вчера вечером и рассказала обо всем.

— Она знает, что говорится в отчете о Кельвине?

— Знает, — произнес он дрожащим голосом.

— И что она об этом думает? Я имею в виду, насчет того, что его поведение было странным. Разве миссис МакКенна не понимает, что у нас просто не было возможности избежать столкновения с ее мужем, если он выскочил из лесу прямо перед нами?

— Она не хочет этого признавать. Селена слишком эмоциональна.

— Но и я тоже! — закричала Дебора, потому что, если уж на то пошло, поведение Кельвина было чересчур подозрительным, чтобы не обращать на это внимания. — Похоже, ваш брат был чем-то взволнован. Возможно, он специально устроил аварию.

— Думаете, я не задавал себе этого вопроса?! — взорвался Том.

— Мы можем придумать множество других теорий. Например, что Кельвина ослепил свет моих фар, или что он плохо себя чувствовал, или что у него была плохая реакция на какое-то лекарство, о котором не знала его жена. Но когда вы сложите все факты воедино, становится ясно, что ваш брат хотел покончить жизнь самоубийством.

— Думаете, мне это не приходило в голову? — громко сказал Том. — Я не могу говорить об этом по телефону, — пробормотал он, будто сам себе, затем спросил: — Мы можем поговорить завтра? Не по телефону, а с глазу на глаз?

— Вы подали на меня в суд, — напомнила ему Дебора.

— Я — нет. Я не имею к этому никакого отношения. Нам необходимо поговорить. Я действительно доверяю вам, Дебора, поэтому все еще с вами разговариваю. Вы понимаете то, что я говорю? Вы должны мне в этом помочь.

Что она могла ответить на такие слова?

* * *

Когда они договорились о времени и месте, Дебора положила трубку и вернулась в постель.

Во вторник утром она проснулась от звуков электронного пианино Дилана. Песня «Mr. Tambourine Man»* была такой веселой после тягостных новостей предыдущего дня, что Дебора улыбалась на протяжении всего завтрака.

Затем она отвезла детей в школу. Но дочь держалась все так же отчужденно, и Дебора вновь ощутила себя обманщицей. Она могла вопить по телефону все, что вздумается, но если речь шла о доверии между ней и Томом, она его обманывала. О Грейс он не знал.

---

* Песня Боба Дилана.

17

Дебора уехала из кондитерской с булочкой и отчаянным желанием, чтобы отец жил в двух часах езды. Похоже, тридцать восемь лет не имели никакого значения, когда дело касалось страха перед родителями.

Припарковавшись за машиной Майкла, Дебора тихо вошла в дом. Его кофе и рогалик были готовы. Она поставила сумку на стол и набиралась смелости, чтобы идти его искать, когда услышала, как он спускается по лестнице.

Отец бросил на нее быстрый взгляд — Дебора с некоторым облегчением увидела в нем скорее неловкость, чем гнев, — и направился прямо к кофеварке.

— У тебя свой кофе? — спросил Майкл, не оборачиваясь.

— У меня все с собой.

Он приготовил себе кофе, взял рогалик и подошел к столу. Сев, он посмотрел на пакет из кондитерской.

— С твоей сестрой все в порядке? — тихо спросил он.

Любопытство — это хороший знак, решила Дебора. Подавленность лучше, чем агрессивность.

— С ней все в порядке. Хотя счастливой ее не назовешь. Я запретила Джил спускаться в кондитерскую, по крайней мере, еще день.

— И она тебя послушается? — спросил Майкл, криво улыбнувшись.

Дебора решила, что вопрос был риторическим, и сказала:

— Папа, сегодня утром мне нужна твоя помощь.

— Не проси меня ей звонить. Я последний, кого она послушает.

— Дело не в Джил, — сказала Дебора. — Тут совсем другое. Мне нужно уйти на несколько часов. Это по поводу вчерашнего звонка. — Как можно короче — пока позволяло его настроение, — она рассказала ему об иске, который хочет подать вдова, о детективах из окружной прокуратуры, о том, что в отчете было написано: Кельвин выбежал из лесу прямо под колеса машины. В завершение она рассказала о Томе.

Попивая свой кофе, Майкл слушал ее, не перебивая. Когда она закончила, спросил:

— Зачем с ним встречаться?

— Потому что он попросил, — просто ответила Дебора. Затем добавила: — Он знает, что его брат пытался покончить жизнь самоубийством, и хочет с этим разобраться.

— Бросившись под машину, человек не всегда погибает.

— Тот, кто принимает коумадин, имеет больше шансов.

— У него была депрессия? Он оставил записку?

— Записки нет. И Том не знает, была ли у него депрессия.

— У него был сильный стресс?

— Я не знаю. Возможно, это известно Тому. Надо было спросить у него.

— И он сказал бы тебе правду?

— Да. Мы хорошо друг друга понимаем. Думаю, он видит во мне источник информации. Узнав, что его брат принимал коумадин, Том задал мне множество вопросов по этому поводу.

— Думаешь, это ловушка?

— Нет. Думаю, ему нравится обсуждать это со мной.

— Почему с тобой? — спросил отец. — В его жизни, должно быть, есть и другие люди.

Дебора не сомневалась, что такие люди были, но доверял ли им Том — это уже другой вопрос.

— По-моему, дело в том, что я живу в городе, где жил его брат. Он преподавал у моей дочери. Том говорит, что доверяет мне.

Майкл приподнял бровь.

— Его невестка подает на тебя в суд.

Дебора помнила об этом.

— Том говорит, что не знал об этом. Он познакомился с ней только на прошлой неделе.

— Странно.

— Это вообще странная семья. Была. Том — это все, что от нее осталось. Он переживает из-за того, что произошло.

— Это естественно, — хмыкнул Майкл. — Но стоит ли помогать ему?

— Мне это кажется правильным.

— Что-то вроде искупления?

— Возможно, — призналась Дебора. Что бы ни показало следствие по поводу намерений Кельвина в тот вечер, все равно его сбила ее машина.

Отец проглотил остатки рогалика.

— Думаю, Хол должен поехать с тобой.

Впервые за время их разговора Дебора не согласилась.

— Присутствие Хола не будет способствовать разговору.

— Но этот парень тебе не друг. Что, если он возьмет с собой записывающее устройство?

— Не возьмет, — сказала Дебора. — Если мы будем говорить о его брате, то он рискует больше, чем я. Том не захочет записывать разговор о самоубийстве. В случае самоубийства могут отменить выплату страховки. Кроме того, Том в некоторой мере мой друг.

— Друг, который дает тебе возможность искупить вину.

Дебора не была уверена, шутит ли Майкл, и решила воспринимать его слова серьезно.

— Я могу с ним разговаривать. Он меня слушает.

— С тобой должен быть Хол.

— Я доверяю Тому.

Майкл помолчал. Затем поднял на дочь обеспокоенные глаза.

— Зачем ты мне это говоришь?

— Мне нужно, чтобы ты меня сегодня подменил.

— Ты могла бы позвонить. Или зайти сюда и сказать, что тебя вызвал в школу кто-то из учителей. Ты могла просто не приехать. Как вчера.

Дебора почувствовала себя виноватой.

— Извини. Я не часто отпрашиваюсь.

— А сегодня решила отпроситься? Мне кажется, тебе нужно мое одобрение, но этого я тебе дать не могу, Дебора. Ты приходишь, рассказываешь, что на тебя подают в суд, а теперь собираешься на встречу с человеком, который хочет это сделать. Это сумасшествие.

— Правда? — спросила она, потому что, собираясь встретиться с Томом, Дебора преследовала еще одну цель. — Это не он подает на меня в суд, а вдова. А он, возможно, сможет на нее повлиять.

— Ты говорила, он ее почти не знает.

— Но если кто-то и может на нее повлиять, так только он. Том объяснит ей, чем может обернуться ее иск. Грейс и я не сможем спать спокойно, пока дело не решится.

Майкл с минуту смотрел на нее.

— Мои слова не имеют значения. Ты поступишь так, как считаешь нужным. — Повернувшись к ней спиной, он направился к раковине.

Дебора сидела еще минуту. Она приехала, чтобы получить одобрение отца, но вдруг ей стало грустно.

— Я взрослый человек, — сказала она. — У меня есть интуиция. Иногда я должна к ней прислушиваться.

— Тогда чего ты хочешь от меня?

Дебора встала.

— Уважения. Признания того, что то, что хорошо для меня, не всегда хорошо для тебя.

Майкл, стоя в пол-оборота, ответил:

— Вы, девочки, выводите меня из себя.

— Мы не можем всегда соответствовать твоим требованиям, но это не обязательно значит, что мы неправы. Времена меняются. Мне необходимо, чтобы ты понял, почему я поступаю так, а не иначе.

— Я пытаюсь, Дебора. Но это сложно.

— Для меня это тоже сложно, — ответила она. Ощущение пустоты внутри было не новым, женщина наконец начала догадываться о его причине. — Ты все время говоришь, что тебе не хватает мамы. Но ты никогда не думал, что и мне тоже? Она всегда была рядом, а мне сейчас очень нелегко. Мне нужна твоя поддержка. Если бы мама была здесь... — Горло сжалось, и Дебора замолчала.

Майкл резко сказал:

— Но ее здесь нет. Ты права. Времена меняются.

Глаза Деборы наполнились слезами.

— Мама умела слушать, — только и смогла сказать она.

Оставив отца возле раковины, Дебора вернулась в автомобиль.

Не проехав и квартала, она съехала на обочину, опустила голову на руль и заплакала.

Ей недоставало мамы. В тридцать восемь лет Дебора чувствовала себя пятилетней, слишком многое случилось за последнее время. Она не плакала так, даже когда Рут умерла. Тогда нужно было заботиться об отце и об остальных. Теперь же Дебора рыдала, пока слезы не иссякли.

* * *

На встречу с Томом она опоздала. Его черная машина была единственной на грязной парковке. Припарковавшись рядом, Дебора заметила его, стоящего возле ручья в каких-то десяти метрах.

Надев темные очки, чтобы спрятать заплаканные глаза, она пересекла газон.

— Извините. Я должна была приехать раньше.

— Я решил, что вы передумали, — сказал Том. — Ваш адвокат, должно быть, вас отговаривал.

Она отмахнулась и опустила глаза на ручей. Тихое журчание успокаивало.

— Странно. С такой водой у меня нет проблем. Я люблю океан. Люблю озера. Люблю принимать душ или ванну. Меня расстраивает только дождь.

Минуту Том не отвечал. Потом сказал:

— Вы говорите в нос. Простудились?

Зачем было надевать темные очки?

— Нет. Просто долго плакала. — Похоже, скрывать не имело смысла. — Поэтому и опоздала. Просто остановилась у края дороги и плакала. Я ничего не могла с собой поделать.

Дебора чувствовала, что он ее рассматривает.

— Из-за чего?

Она пожала плечами.

— Из-за жизни. Иногда становится просто невыносимо.

— Но вы поплакали, и вам стало легче. Некоторым людям это не помогает. Почему?

Теперь она подняла на него глаза. На Томе была мятая рубашка, небрежно заправленная в джинсы. Он держал руки в карманах. Его глаза встретились с ее глазами.

— По-моему, в каждом из нас природой заложены навыки выживания, но опыт тоже важен. С каждым из нас жизнь обходится по-разному.

Мимо пролетела пара синичек. Дебора смотрела, как они исчезают в ветвях плакучей ивы на противоположном берегу.

— А как же человек, который отказывается признавать свои эмоции? — спросил Том.

— Таким был Кельвин?

Синички присоединились к остальной шумно перекликающейся стае на дереве.

— Скорее всего, — признался Том. — Я разговаривал с Селеной, после того как мы просмотрели его медицинские записи. Она все время спрашивала, как он мог после своих микроинсультов возить ее в машине и рисковать ее жизнью, словно она для него ничего не значила. Она все время спрашивала, как он мог столько ей не рассказывать, словно она ему совсем не нужна. Но Кельвин всегда скрывал свои чувства.

— Всегда?

Прошла минута, прежде чем Том ответил:

— Мои родители не поощряли бурного выражения эмоций. Мама не любила плача, и как только мы стали достаточно взрослыми, чтобы позаботиться о себе, ее не было рядом. А зачем плакать, если никто не слышит?

Дебора, которая не так давно сама плакала, ответила:

— Для катарсиса.

Том посмотрел на нее.

— Вы это знаете, и я это знаю. А Кельвин? Думаю, он никогда этого не понимал.

— Почему вашей мамы не было рядом? Она ездила вместе с отцом?

— Это была официальная версия. На самом деле она жила своей жизнью. Я никогда не знал, в чем она состояла. Знал только то, что мама не любила быть связанной обязательствами чуть ли не больше, чем отец.

— Но ведь они решили завести детей, — возразила Дебора и хотела сказать еще что-то об ответственности, которую несет в себе такое решение, но Том заговорил первым.

— На самом деле они не принимали решения о нашем рождении. Мама часто говорила, что мы оба были маленькими сюрпризами. Мне всегда казалось, что она обрадовалась появлению Кельвина, потому что больше не чувствовала себя такой виноватой, оставляя меня одного. Когда я учился в старших классах, мы с братом много времени проводили дома вдвоем.

— Куда смотрели социальные службы? — возмущенно спросила Дебора.

— Точно не на наш дом, — ответил Том. — Нужно отдать родителям должное, у нас была еда, одежда и крыша над головой. Мы не испытывали недостатка в том, что касалось физических потребностей.

— А что касалось эмоциональных? Но почему же это отразилось больше на Кельвине, чем на вас? — спросила Дебора, потому что Том определенно был уравновешенным и крепким как в физическом, так и в эмоциональном отношении.

Вынув руки из карманов, он ответил:

— Возможно, я был для Кельвина плохим родителем.

Дебора подумала, что, возможно, поэтому у него и не было своей семьи.

— Вы сами были еще ребенком.

— Я был достаточно взрослым. Я видел, как живут нормальные люди. У меня были друзья. Их родители проявляли ко мне доброту и тепло. У Кельвина никогда не было друзей. Люди никогда к нему не тянулись.

— Он был очень красивым.

— Но он не улыбался. Ему нелегко было завязать разговор. У него не было друзей, как у меня. Поэтому я пытался дать ему то, что давали мне родители моих друзей. — Том посмотрел на нее измученными глазами. — Я сделал все, что мог, но думаю, этого было недостаточно. Кельвин замкнулся в себе и решил, что ему необязательно испытывать чувства. По крайней мере, мне хотелось так думать. Мне проще было думать, что он ничего не чувствует, чем думать, что ему больно.

Том пошел вдоль берега и наконец остановился у скамейки. Когда-то она была зеленой, но краска облезла, и скамейка стала светло-серой. Дебора сомневалась, что Том вообще ее видит. Он был весь поглощен своими мыслями.

Она последовала за ним вдоль берега. Когда Дебора приблизилась к скамейке, он сказал:

— Однажды Кельвин влюбился. Ему было не больше двенадцати, но он сходил с ума по своей однокласснице, и пару недель она была без ума от него. За те несколько дней, что они были вместе, он очень изменился. Потом она влюбилась в кого-то другого.

— Он был раздавлен.

— Я был бы раздавлен. Но кто может знать, что чувствовал Кельвин? Он замкнулся. Мой брат никак не проявлял свое горе, только почти ничего не ел. Когда же Кельвин решил, что уже достаточно, и начал опять есть как обычно, то вел себя так, словно никогда раньше с ней не встречался. Его скорлупа стала еще толще. — Том смущенно посмотрел на Дебору. — Это похоже на историю человека, который пережил достаточно, чтобы совершить самоубийство?

Ей хотелось возразить, но она не смогла.

— Он был несчастлив.

Том тяжело опустился на скамейку.

— Мои родители наверняка это знали. Но никто из нас ничего не сделал. Мы могли ему помочь. Но не помогли.

— Разве это была ваша обязанность?

— Возможно, нет, пока я был ребенком, но с тех пор прошло много времени. — Том посмотрел на нее. В его глазах было страдание. — Кельвин мой брат. Я должен был любить его. Но как можно любить человека, который все держит в себе? Мы никогда не были настоящими друзьями. Брата ведь любишь только потому, что он твой брат, так ведь? И если ты его любишь, то разве не должен поддерживать с ним связь и интересоваться, все ли у него в порядке?

У Деборы не было ответов. Она села рядом с Томом.

— Вы сказали, что были единственным родственником Кельвина. Значит, ваши родители умерли?

— Да.

— Ваш папа скончался после того инсульта?

— Нет. Он выздоровел. Но уже никогда не ощущал вкуса еды. Он решил уйти на пике славы. Съехал на машине с моста посреди ночи вместе с сидящей рядом женой.

— Самоубийство?

— Нет. Вскрытие показало, что был еще один инсульт. — Том хмыкнул. — Можете представить, что я выслушал от Селены, когда рассказал ей об этом. Все это время она думала, что они погибли по вине пьяного водителя. Видимо, ей так сказал Кельвин. Возможно, ей кажется, что, подав на вас в суд, она отомстит за смерть Кельвина и наших родителей. — Он посмотрел на Дебору. — Я знал, что Селена расстроилась, когда в отчете не была доказана ваша вина, и знал, что она подумывает о судебном иске. Когда же она в конце концов мне об этом рассказала, я попытался ее отговорить, потому что у меня было ощущение, что Кельвин частично виноват в собственной смерти. Мне казалось, его жена не захочет, чтобы об этом стало известно всем. До вчерашнего вечера я не знал, что Селена действительно ходила к окружному прокурору. Мы сильно поссорились из-за этого тогда и сегодня утром. Когда я заговорил о самоубийстве, она пришла в ярость.

— Она не заметила ничего странного в поведении мужа незадолго до его смерти?

— Нет.

— Он предпринимал попытки самоубийства раньше?

— Насколько я знаю, нет. Но Кельвин все время был глубоко несчастен. Может быть, его это доконало.

Дебора помолчала. Затем тихо спросила:

— Вы думаете, это самоубийство?

Том с минуту внимательно смотрел на нее, прежде чем перевести взгляд на ручей.

— В трудные минуты — да. И считаю себя виноватым.

Она дотронулась до его плеча.

— Нельзя так поступать с собой, Том. В какой-то момент ваш брат сам стал отвечать за себя. Думаю, вам кажется, что вы должны были найти способ остановить его, но у ответственности есть предел. Кельвин сделал выбор. Иногда нам приходится уважать чужой выбор. — Она спохватилась и нахмурилась. — Извините. Возможно, это некстати, но я только что рассказала своему отцу.

— О чем?

— О встрече с вами. Он считает, что это не очень удачная идея.

Том поймал ее взгляд. Ее рука все еще была на его плече. Прежде чем Дебора успела ее убрать, он накрыл ее ладонь своей.

— Скорее всего, ваш отец прав, — сказал Том так тихо, что, если бы они не сидели так близко, она ничего бы не услышала.

Их пальцы переплелись.

— Что между нами происходит? — тихо спросил Том.

Дебора проглотила комок.

— Не знаю.

— Сейчас неподходящее время.

— Очень.

Он притянул ее ладонь к своей груди, и она ощутила биение его сердца, затем медленно, аккуратно положил на скамью. Дебора осторожно переплела свои пальцы с его пальцами.

Ей хотелось встать и уйти. Она думала, что это самый безопасный выход из ситуации. Но она так долго играла по правилам, что безопасность ее больше не привлекала. Существовало слишком много причин, почему ей не следовало держать Тома за руку, не последнее место среди которых занимало благополучие Грейс. Но его кожа была такой теплой, а пальцы такими сильными. Деборе нужен был их покой.

— Проблема с самоубийством в том, — сказал он, — что без записки ничего нельзя доказать.

Дебора не убрала своей ладони.

— А записка есть?

— Нет. Пока нет. Я ищу ее.

— Если бы Селена ее нашла, она бы вам сказала?

— Думаю, ее бы выдало лицо. Селена не принадлежит к женщинам, которые могут что-то скрывать.

— Ваш брат мог оставить записку где-то в другом месте?

— Я проверял его кабинет в школе. Там нет. Есть еще абонентские ящики. Мне все время что-то пересылают. Еще у него было с полдюжины ячеек в разных банках. Я обнаружил только две. У Кельвина были некоторые сбережения. Эти деньги достанутся Селене, и если она продаст дом, то тоже что-то получит.

— Его жизнь была застрахована?

Том погладил большим пальцем ее ладонь.

— Есть небольшая страховка, которая входила в его контракт.

— Не та, которую Селена может получить в случае его смерти?

— Нет, другая. Но и ее не выплатят, если окажется, что произошло самоубийство.

Он посмотрел на Дебору. Ему не обязательно было говорить, что предсмертная записка нужна была ей, а не ему. Ирония этой ситуации отражалась в его глазах.

Дебора понимающе кивнула и прошептала:

— Мне пора возвращаться на работу.

Протянув свободную руку, Том приподнял ее солнцезащитные очки. Он ничего не сказал, просто долго смотрел на нее, прежде чем вернуть очки на место. Затем поднес руку Деборы к своим губам и поцеловал ее пальцы.

Дебора вернулась в машину почти с тем же ощущением утраты, с каким ехала сюда. Тогда она горевала по тому, что было. Теперь она горевала по тому, что могло бы быть.

Ирония была в том, что она и представить себе не могла, что захочет этого.

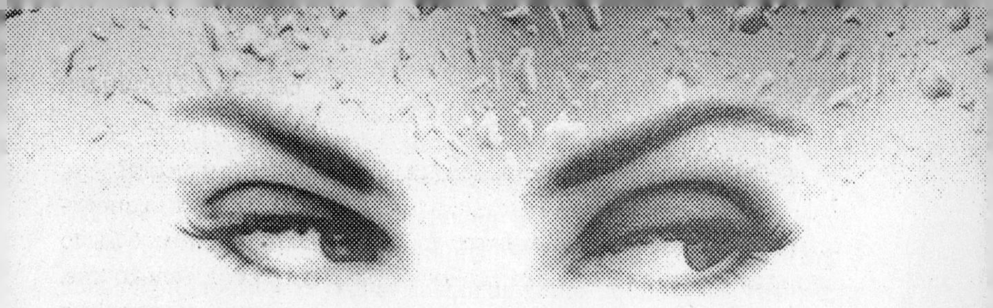

18

Грейс решила, что если не станет врачом, то будет писать телесценарии. Именно этим и были заняты ее мысли все утро. Это были сценарии криминальных передач, и ее воображение выдало с десяток разнообразных вариантов. Все они начинались с аварии. Затем смерть и полицейское расследование. Каждая история имела продолжение и окончание.

Гражданский иск. Все должно было уже закончиться. Девочке было намного лучше. Джил знала всю правду, но все равно любила ее. А это значило, что у Грейс был союзник. И за рулем тетиного фургона она проехала без происшествий, хотя думала, что уже никогда не сможет водить.

Затем мама, как бы между прочим, сказала, что люди из окружной прокуратуры могут изъявить желание с ней поговорить.

«Лабиринт». Это слово точно характеризовало аварию. «Лабиринт», а также «шарада», «головоломка» и «ребус». Грейс начинала ненавидеть карточки со словами, мысль об экзамене и сами слова, которые эхом роились в ее голове. Но слово «лабиринт» подходило идеально.

Она никому не позвонила накануне, чтобы узнать домашнее задание, поэтому на уроках отмалчивалась. И вот что удивительно: никто из учителей ее не вызвал. Конечно, ведь она была Грейс Монро, лучшая ученица, у которой непростой период в жизни. Поэтому ее не трогали.

Это дало ей возможность полностью погрузиться в мысли о расследовании окружной прокуратуры. Грейс старалась ни с кем не встречаться взглядом и вышла из класса, уткнувшись носом в книгу, а ее воображение подбрасывало сценарии один ужасней другого. Ее друзья перестали ее трогать, но вместо облегчения девочка ощущала вину и одиночество. Она пыталась думать о своей тете, беременной и незамужней, и о брате, у которого из-за плохого зрения не было друзей. Они тоже были одиноки, но по-другому. Глаза Дилана можно будет вылечить, и одиночество Джил скоро закончится.

Грейс рылась в книгах на нижней полке своего шкафчика, не зная, что ищет, но радуясь, что за это время все пройдут мимо. Вдруг кто-то присел рядом.

— Привет.

Грейс подпрыгнула и, возможно, убежала бы, если бы Даниель не обняла ее за талию.

— Не надо, — сказала Дани. — Пожалуйста. Нам нужно поговорить.

Грейс покачала головой.

— Я не могу, Дани. На следующем занятии контрольная.

Это было неправдой, но одним обманом больше, одним меньше, все равно.

— Тогда за обедом.

— Я не могу, — повторила Грейс, и впервые испытала боль оттого, что отворачивалась от подруги. Даниель была сестрой, которой у нее никогда не было. Когда-то Грейс могла рассказать ей все, что угодно.

— Я знаю о пиве, — тихо проговорила Даниель, — и если ты думаешь, что я буду спрашивать об этом, то ошибаешься. Твои глупые подруги всем об этом рассказывают. Это уже не тайна.

— Они рассказали? Кому?

— Не знаю, но ходят слухи...

— Они сказали родителям?

— Мне об этом неизвестно. Но я хочу поговорить не об этом, Грейс. Нам нужно поговорить об аварии.

Грейс хотелось закричать, что разговор об аварии означает разговор о пиве. Но она сказала только:

— Я не могу, Дани.

— Это из-за твоей мамы и моего папы? Что происходит?

Грейс не поняла.

— О чем ты говоришь?

— Он так сердился на нее вчера вечером. Он сказал моей маме, что она им не друг. Но моей маме он очень нужен. В любом случае, с моим папой что-то происходит. Мне очень нужно поговорить, Грейс. Пожалуйста.

Грейс знала, что произошло между мамой и Холом, и это имело отношение к Джону Колби. Хол был в ярости, потому что Дебора разговаривала с Джоном без него, а теперь появились детективы, и в этом была виновата Грейс. Если бы она не сидела за рулем в тот вечер, ничего не случилось бы.

И Даниель хотела поговорить об этом?

Грейс опустила голову.

— Я не могу. Не могу.

Если она поговорит с Даниель, то не выдержит и признается, что в тот вечер за рулем была она. И тогда придется бояться, что Даниель расскажет Карен, а та Холу, который еще больше разозлится на Дебору, и все станет в десять раз хуже.

Джил знала обо всем. Грейс ей доверяла, но не могла рисковать и открывать правду кому-то еще. Если мама узнает о пиве, то очень рассердится.

— Но ты же часть моей семьи, — настаивала Даниель. — Ты мне нужна!

Грейс подняла голову.

— Сейчас я никому не смогу быть полезной.

— Бред, — прошептала Даниель. — Ты все та же Грейс, которую я знаю. Просто авария выбила тебя из колеи.

— Ладно. Авария выбила меня из колеи, — горячо прошептала Грейс. — Но если я не в состоянии справиться с собой, то как я могу помочь тебе?

Она вернулась к поискам неизвестно какой книги. Прозвенел звонок. Рука Даниель опустилась.

Повернувшись в пол-оборота, Грейс взмолилась:

— Пожалуйста, пойми! Если бы я могла с кем-то поговорить, то поговорила бы с тобой, но я просто не могу.

Она уже почти сдалась, потому что Даниель, похоже, готова была расплакаться. Но тут Дани кто-то позвал. Она оглянулась, потом на секунду повернулась к Грейс. Через мгновение ее уже не было.

* * *

Грейс не думала, что пробежит хорошо. Но как только она стартовала, страх будто придал ей силы. Она установила личный рекорд. Тренер, который вел себя так, словно ее не было целый месяц, все время поздравлял ее. Грейс чувствовала себя обманщицей.

Стараясь не попадаться на глаза друзьям, она переоделась и пешком прошлась до кондитерской.

День был теплый, а это значило, что все столики на улице были заняты, даже несмотря на то что время обеда уже прошло. Не поднимая головы, Грейс направилась мимо них прямо в кондитерскую в поисках Джил.

Тетя разговаривала с клиентом. Судя по разложенным между корзинами с выпечкой бумагам, они обсуждали какое-то мероприятие.

Увидев племянницу, Джил жизнерадостно подняла большой палец. Тетя не только без сомнения чувствовала себя лучше, но и не хотела, чтобы кто-либо говорил, что ей следует оставаться в постели. Именно это Грейс и любила в ней. Джил знала, чего хочет, что для нее лучше, и поступала именно так. Она была хозяйкой своей жизни.

Дилан сидел за столом неподалеку. Перед ним лежал раскрытый учебник математики. Мальчик положил голову на оранжевую столешницу, вытянув руки. Посмотрев сквозь толстые стекла очков на Грейс, он улыбнулся, и в ее сердце растаяла крошечная льдинка. Она могла ненавидеть себя и весь мир, но не могла ненавидеть Дилана.

Опустив свой рюкзак на пол, Грейс села рядом с братом.

— Ты такой довольный. Приготовился к игре?

Его улыбка стала еще шире.

— Я не иду.

Грейс подыграла младшему брату, которому нужно было не только оперировать оба глаза, но и корректировать эту улыбку с помощью брекетов.

— Почему? — спросила она.

— Я бросил бейсбол.

— Да? А мама знает?

Дилан кивнул.

— Она сама это предложила. Мама заезжала, когда я сюда пришел. Я думал, она скажет, что не сможет прийти на игру. Но она только хотела узнать, как я себя чувствую и действительно ли хочу играть. — Его радость сменилась беспокойством. — Думаешь, папа рассердится?

— Какая разница? — спросила Грейс и быстро продолжила, потому что знала ответ своего брата и не собиралась с ним соглашаться. — Мне не верится, что мама разрешила тебе бросить бейсбол.

— Я не могу играть, Грейс. Я играю отвратительно, потому что плохо вижу.

— Мама терпеть не может тех, кто пасует перед трудностями.

— Так было, когда не видел один глаз. Она все время говорила, что у меня получится. Но теперь проблема с обоими глазами. Мама знает, что я просто не смогу.

— Она так и сказала?

Он кивнул.

— Она сказала, что ты не сможешь?!

Грейс была в шоке. Ее мать любила повторять, что все возможно. Она также любила повторять, что десятилетним мальчикам необходимо заниматься спортом.

— Мама сказала, что я могу выбирать. Она сказала, что с ее стороны нечестно навязывать мне то, что мне не подходит. Сказала, что не хочет, чтобы я чувствовал, будто меня заставляют делать то, что мне не нравится. Я решил уйти из команды. Она позвонит тренеру, и сегодня вечером мне не придется туда идти.

Грейс не спрашивала, доволен ли он. Ответ был написан на его лице. Она завидовала Дилану. Как хорошо иметь возможность выбирать. Как хорошо, когда участвуешь в принятии решения. Как хорошо, когда люди догадываются, что ты ощущаешь давление, и понимают, что то, что подходит им, не всегда подходит тебе.

Разве это не странно? Зло — например, проблема с роговицей второго глаза Дилана, — порождает добро.

— Я хочу кушать, — решила Грейс и, встав из-за стола, направилась в кухню.

Булочек уже напекли на целый день, и те, что еще не были выставлены в витрине, лежали на стеллажах. Грейс выбрала себе кекс, съела верхушку, покрытую глазурью, и выбросила остатки в корзину для мусора. То же самое она сделала со вторым, и уже потянулась за третьим, когда поняла, что кексами ничего не исправишь. Тетя не скажет ни слова, даже если Грейс съест глазурь с десяти кексов. Она этого даже не заметит.

В последнее время Грейс словно стала невидимой. Она могла совершать самые плохие поступки, и никто не обращал на это внимания. Это было неправильно. Должны быть правила.

Выйдя через черный ход, девочка прошла мимо фургона и оказалась в переулке.

На улице она повернула направо и зашагала по тротуару. Пройдя мимо первого магазина, остановилась и вернулась. То, что нужно. Грейс вошла внутрь.

«Одинокий певец» был одним из дорогих магазинов обуви, которые могут существовать в таком городке как Лейланд, то есть достаточно богатом, чтобы привлекать владельцев первоклассных магазинов. Его открыли всего лишь год назад двое парней, прекрасно разбиравшихся в обуви. Они продавали туфли известных брендов, обычно итальянских. Вся обувь была очень дорогой.

Грейс много раз заходила сюда с подругами и однажды даже купила пару туфель от «Reef». В этот раз она не увидела никого из знакомых, там были только две девушки, полностью занятые собой. Джед, один из владельцев магазина, разговаривал с какой-то женщиной. Он улыбнулся и кивнул, приветствуя Грейс, затем снова повернулся к клиентке.

Стеллажей не было. Магазин был слишком маленьким и шикарным. Обувь стояла рядами на ярусных полках, а коробки с другими размерами были аккуратно сложены внизу.

Грейс присмотрела босоножки от «Prada», как только они появились, несколько месяцев назад. Это были красивые розовые босоножки из перламутровой кожи. Девочка подошла к ним, взяла нужную коробку с нижней полки и положила на стоящий рядом стул. Ей не нужно было их примерять. Она уже делала это раньше и знала, что они подходят ей идеально.

Женщина взяла свою сумку и ушла. Одна из девушек хотела примерить туфли от «Marc Jacobs», но не нашла своего размера, поэтому Джед вышел в подсобное помещение, чтобы поискать там. Когда у другой девушки зазвонил мобильный, они обе приложили уши к телефону.

Грейс сунула по одной босоножке в каждый карман и встала. Подумав, опять опустилась на колени, закрыла коробку и положила туда, откуда взяла. Затем поднялась, повернулась к выходу и замерла. В дверях стоял Джон Колби, его ладонь сжимала элегантную медную дверную ручку. Грейс не знала, сколько он так простоял, но смотрел полицейский прямо на нее.

Это было то, чего она хотела — быть наказанной за плохой поступок. Но реальность происходящего была настолько новой для той, старой Грейс Монро, что девочка испугалась.

Колби оставил дверь открытой и подошел к ней. Тихо, чтобы не услышали стоящие неподалеку девушки, он сказал:

— Пожалуйста, сядь и верни на место.

Грейс подумала о том, не спросить ли, что он имеет в виду, но это было бы просто глупо. Она подумала, не солгать ли: «Я просто собиралась подойти, чтобы расплатиться», но у нее не было ни денег, ни кредитной карточки, к тому же босоножки лежали у нее в карманах.

Она послушно села, взяла с полки пустую коробку, достала одну, потом вторую босоножку и положила их обратно. Когда коробка оказалась на месте, девочка подняла глаза на начальника полиции.

Как раз в этот момент в зал вернулся Джед.

— Джон! Привет, как дела?

Полицейский улыбнулся:

— Неплохо. А у тебя?

Джед пожал плечами:

— Не жалуюсь. — Он перевел взгляд на Грейс. — Ты уговорила маму раскошелиться на эти босоножки?

Грейс покачала головой.

— Может, в другой раз, — сказал Джед.

Грейс кивнула и направилась к двери, зная, что Джон последует за ней. Как только она вышла на улицу, у нее появилась дикая мысль сбежать. Но это было бы глупо. К тому же она хотела, чтобы ее наказали.

— Сюда, — сказал Джон и повел девочку по переулку.

Возле парковки он отпустил ее локоть. Грейс подошла к фургону, скрестила руки на груди и повернулась к нему лицом. Она ожидала увидеть гнев, по крайней мере, разочарование, но его взгляд был грустным.

— О чем ты думала? — спросил Джон.

Она ничего не ответила.

— Грейс?

— Вы следите за мной? — спросила она.

Он покачал головой.

— Нет. Я беспокоился, поэтому, когда увидел тебя, остановился. Я видел, как ты вошла в магазин обуви, и всего лишь хотел поздороваться, а ты уже прятала в карманы босоножки за — сколько? — триста долларов за пару?

— Двести девяносто пять, — поправила она.

— Достаточно.

— Там была еще пара за четыреста девяносто пять, но они не поместились бы в мои карманы.

Теперь Джон смотрел на нее разочарованно.

— Тебе известно, что было бы, если бы меня там не было и ты украла бы эти босоножки? Джед знал, что они тебе нравились.

— Они нравились всем моим подругам. Он еще несколько дней не заметил бы, что коробка пустая. Джед не узнал бы, что это была я.

Джон грустно улыбнулся.

— Он видел тебя. И мы оба знаем, что его товар быстро разбирают. Джед сразу обнаружил бы пустую коробку. — Полицейский потер рукой затылок. — Это кража, Грейс. Преступление. За кражу люди попадают в тюрьму. На полгода, на год. — Он помолчал. — Ты же не хочешь попасть в тюрьму?

— Я этого заслуживаю, — сказала Грейс, чувствуя отвращение к самой себе, потому что в тюрьму ей все-таки не хотелось.

Начальник полиции вздохнул.

— Я должен позвонить твоей маме.

Грейс опустила руки, потом опять скрестила их.

— Не придется. Она будет здесь с минуты на минуту.

Он посмотрел на улицу.

— Подождешь внутри?

Она покачала головой. Ей не хотелось видеть Джил. Ей не хотелось видеть Дилана. Вернее, она не хотела, чтобы они видели ее.

— Подожди здесь, — сказал Джон и пошел обратно по переулку, оставив ее одну, не беспокоясь, что она может убежать. Самым отвратительным было то, что она бы этого не сделала. Это было не нужно. Зачем нарушать закон, если потом собираешься убежать? Зачем нарушать закон, если некому сказать тебе, как плохо ты поступаешь?

Присев рядом с колесом фургона, Грейс притянула колени к груди, положила на них подбородок и закрыла глаза. Она слышала, как по главной улице проезжают машины. Она слышала, как возятся белки возле мусорного бака. Она слышала шум кондиционера, который Джил отказывалась менять, и спрашивала себя: если кто-нибудь выйдет, увидит ее и спросит, что она скажет?

Грейс вдруг ощутила полнейшую растерянность. Прижавшись лицом к коленям, она обхватила голову руками и крепко сжала, потом еще крепче, словно на нее обрушился весь мир.

Теперь она ничего не слышала, шум в ушах заглушал все звуки. Внезапно кто-то прикоснулся к ее волосам и позвал ее, голосом, в котором одновременно слышались и страх, и настойчивость, и нежность. Грейс заплакала.

Дебора подняла ее и сжала за плечи.

— Кража?! — кричала она. — О чем он говорит?

Грейс была не в состоянии отвечать. Она могла только рыдать.

— Что случилось, Грейс?

Девочка только жалобно всхлипывала.

Дебора начала ее качать, как тогда, когда Грейс была еще ребенком.

— Все хорошо, — бормотала она. — Все хорошо. Ничего плохого не произошло. Ничего плохого не произошло.

— Это я плохая. Я! — зарыдала Грейс.

— Это было непростое время для нас всех, но не все потеряно. Расскажи мне, Грейс, что ты сделала?

— Я выпила две бутылки пива. — Она сказала это очень тихо, но мама наверняка услышала, потому что не произнесла ни звука.

Наконец Дебора растерянно спросила:

— В школе?

— В тот вечер у Мэган.

Дебора замерла.

— Я такая плохая! — плакала Грейс.

— В вечер, когда произошла авария?

— Ты меня ненавидишь, — рыдала девочка. Она и этого хотела. Хотела, потому что заслуживала. Но она боялась, что мама уйдет. Грейс хотела снова стать маленькой, как Дилан, невинной, даже когда поступала неправильно.

— Я не ненавижу тебя, — сказала мама, и — невероятно — руки, обнимавшие Грейс, сжались сильнее. — Я бы никогда не смогла тебя возненавидеть. Ты же часть меня.

— Плохая часть.

— Лучшая часть. Правда, Грейс. Я не знаю, что сегодня произошло, но верю, что этому есть объяснение. Ты хороший человек, и ты не воровка.

Грейс никак не могла успокоиться.

— Я украла… человеческую жизнь… я виновата.

— Вовсе нет, — шепотом возразила Дебора, прижав голову дочери к груди. — Мы бы все равно его сбили. Я не отрываясь смотрела на дорогу и тоже его не увидела. Разве я закричала, чтобы предупредить тебя? Нет. Он выбежал из лесу, Грейси. Он выбежал прямо на нас.

— Но я выпила, — плакала Грейс.

— Ты ровно дошла до машины, ты разговаривала, как обычно. Я бы заметила, если бы ты была пьяна.

— Это не имеет значения.

— Ты прекрасно вела машину. Я наблюдала.

Грейс попыталась отодвинуться, чтобы посмотреть на маму, заставить ее понять, но Дебора не отпускала ее.

— Я выпила и села за руль. Почему ты никак не можешь понять? Я должна была заметить мистера МакКенну, но не заметила. Я — не ты, мама. Я плохо пробежала на соревнованиях, провалила контрольную по французскому, сдала паршивенькое — я это знала — сочинение по английскому, а все извиняются. Весь мир разочаровался во мне. Только никто не подойдет и не скажет. Умер человек!

Мама не возражала. Вдруг Грейс почувствовала, что не может спорить. Руки ослабли, она словно растаяла в объятиях Деборы. Девочка уже давно не ощущала такой защищенности. Мама была теплой и сильной, у нее были ответы, она была укрытием, а Грейс сейчас очень в этом нуждалась. Потому что она слишком много не понимала, со слишком многим не могла справиться. И обман Деборы уже не имел значения. Все это уже не имело никакого значения.

Всхлипывания Грейс постепенно стихли, но девочка не шевелилась. Ей не хотелось говорить, не хотелось думать, хотелось только вот так сидеть в объятиях мамы здесь, на гравии, в тени ярко-желтого фургона.

* * *

Дебора погладила Грейс по волосам. Недавно вымытые, еще влажные, они пахли шампунем с ароматом манго. Было девять вечера, и девочка спала рядом с ней на диване. Словно нуждаясь в постоянном утешении, она не отпускала Дебору дольше, чем на минуту, с тех пор как они покинули тот переулок. Дебора понимала, что постоянное беспокойство и страх вымотали Грейс. Она догадывалась, что после аварии дочь ни разу не выспалась как следует.

Догадывалась? Знала. Разве она не видела темные круги под глазами Грейс?

Но случилось столько всего. Дебора была настолько занята своими переживаниями, многие из которых касались и Грейс, что как-то это упустила. Ей казалось, что она действует в интересах дочери, но не понимала, какие страдания эта ложь принесет Грейс. Когда ребенок боится, что его не любят — это плохо. Когда ребенок решается на воровство, чтобы получить, как ему кажется, заслуженное наказание — это плохо.

Джон проявил верх понимания. Он оставил их наедине, стоя в начале переулка, пока Дебора не отвела Грейс в кондитерскую. Дебора не знала, что именно из их разговора он услышал, но ей было все равно. Она думала только о Грейс.

В тот момент она эгоистично наслаждалась близостью, желая, чтобы это мгновение не заканчивалось. Но оно, конечно же, закончилось. Грейс должна была повзрослеть, отделиться от нее, начать жить своей собственной жизнью. «Я — не ты, мама», — сказала она. Эти слова эхом звучали в ушах у Деборы. Ей пришлось принять то, что, — возможно, всего лишь возможно, — желания Грейс отличались от ее собственных.

Это ошеломило Дебору. Ей было бы легче думать, что она знает о своей дочери все. Однако оказалось, что есть вещи, которые она о своей дочери не знает, и некоторые из этих вещей могут ей не нравиться. Но Дебора не могла следить за каждым ее шагом. Она могла только воспитать Грейс так, чтобы дочь сумела прожить собственную жизнь счастливо.

Дебора не была уверена, что у нее это получилось. Грейс многому пришлось учиться самостоятельно.

Дебора осторожно высвободилась из объятий спящей дочери. Взяв телефон, женщина поднялась вверх по лестнице. Она не хотела идти дальше, не хотела совсем упускать Грейс из виду, но все же отвернулась и позвонила Грэгу.

— Это я, — сказала Дебора, когда он ответил. Затем, не зная с чего начать, выпалила: — Грэг, я думаю, тебе нужно приехать сюда.

— К вам домой?

Он был удивлен, что было понятно. Он не бывал в их доме с тех пор, как ушел. Они обменивались детьми на стоянке у шоссе на полдороги между их домами. Дебора ни разу его не пригласила.

— Да, — ответила женщина с некоторой опаской. Возобновление отношений с бывшим мужем не входило в ее планы. — Тебе нужно быть здесь.

— Дилан очень хочет увидеть маленьких щенков. Я же не могу их привезти.

— Может, ты приедешь в пятницу и вернешься с ним обратно в субботу?

Придется много времени провести за рулем, но без этого не обойтись.

Грэг не возражал. Только спросил:

— Что происходит?

Неожиданно ее глаза наполнились слезами.

— Нам нужно поговорить.

— О чем?

— Об аварии. О Грейс. — Дебора проглотила противный комок. — О том, как мы живем.

— Что случилось, Дебора? — сказал он, напомнив ей человека, за которого она когда-то вышла замуж, и Дебора расплакалась. — С ними все в порядке? — перепуганно спросил Грэг.

Ей понадобилась минута, прежде чем она смогла говорить. Дебора прижала ладонь ко рту, чувствуя себя, как Грейс — подавленной, растерянной, нуждающейся в поддержке любимого человека. Потому что она действительно любила Грэга. Она не хотела больше быть его женой — это Дебора знала наверное и могла наконец думать об этом без злости. Но когда-то они испытывали друг к другу чувства, чувства достаточно сильные, чтобы подсказать, что нужно было делать сейчас.

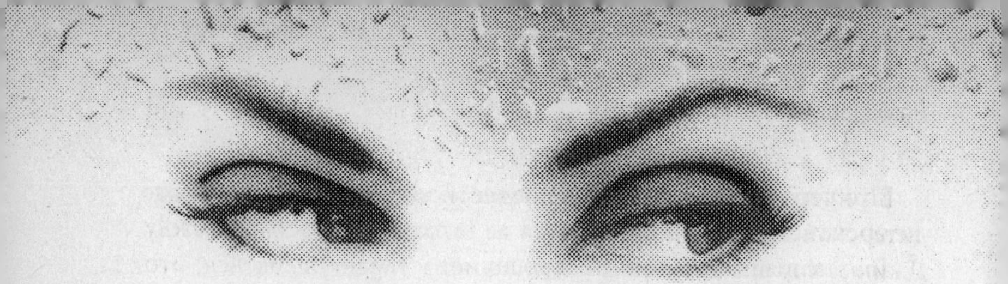

19

Дилан был на седьмом небе.

— Он приезжает сюда? Ура! — Через секунду его лицо помрачнело. — А как же щенки? Я должен был их увидеть.

— Увидишь, — сказала Дебора. Она придумала бы, как это сделать, даже если бы это значило, что Грэг отвезет сына в Вермонт, а ей придется ехать туда в воскресенье, чтобы забрать его. Что в принципе было неплохой идеей, особенно если Грейс тоже поедет. Они могли бы хорошо провести время в машине.

А вот Грейс не обрадовалась, услышав, что папа приезжает в Лейланд. В то утро она, казалось, нервничала больше обычного. Девочка сидела в кухне и грызла ногти.

— Я не сделала домашнее задание, — сказала она.

По мнению Деборы, не было ничего удивительного в том, что Грейс не могла сосредоточиться на учебе. Из-за вчерашнего инцидента и предстоящего визита Грэга она сама никак не могла заставить себя думать о работе.

— Хочешь остаться сегодня у тети Джил? — спросила Дебора у Грейс.

* * *

Грейс хотела. Признание отняло много сил, и она не могла заставить себя думать о школе. Но ей действительно стало лучше. Камень упал с души. Она еще должна была рассказать обо всем отцу, но радовало то, что мама была на ее стороне.

В то утро Грейс проснулась поздно, но была уже внизу в кондитерской, когда Дилан вернулся из школы. Он носился между Джил и корзиной с пончиками, не переставая улыбаться, что было довольно удивительно для мальчика, который всего два дня назад узнал плохие новости. Грейс захотелось узнать его тайну.

— Разве твой глаз уже не болит? — спросила она, приготовив себе и брату молочный коктейль.

Дилан помешал напиток соломинкой.

— Болит, но только изредка. Все нормально. Теперь все стало понятно. Например, почему я не так хорошо учусь, как ты.

Грейс могла бы сказать ему, что глаза не имеют никакого отношения к мозгам. Будучи Монро, он скоро сам это узнает.

Но Дилан продолжал:

— Теперь понятно, почему я все время спотыкаюсь и почему так плохо играю в бейсбол. Даже папа согласился. Он не рассердился из-за того, что я ушел из команды. И дедушка тоже.

У Грейс екнуло внутри. Дедушка был еще одной проблемой. Носить фамилию Барр почти так же сложно, как и фамилию Монро.

— Когда ты разговаривал с дедушкой?

— Я позвонил ему, чтобы рассказать о своих глазах. Сказал, что, когда мне вылечат глаза, я выбью мяч для круговой пробежки. — Нахмурившись, Дилан посмотрел в стакан и опять повертел соломинку. — Возможно, я сделаю это для бабушки Рут. — Он снова поднял глаза. — Нет. Для дедушки. Ему это нужно больше.

Грейс ощутила что-то похожее на сострадание. Она понимала, что чувствует Дилан. У дедушки всегда были завышенные требования, которым трудно было соответствовать. Хорошо было иметь оправдание.

Когда позвонила Дебора и сказала, что выезжает на вызовы, Грейс решилась. Она хотела сама сообщить дедушке о своем поступке.

Выйдя из кондитерской, девочка направилась вниз по улице.

Через два квартала находился дом ее деда. Теперь он уже не казался ей таким большим, как в детстве, а ведь тогда офиса еще не было. Тогда Грейс еще не знала, какую роль этот офис сыграет в жизни ее мамы и в ее собственной.

Подойдя к этому самому офису, девочка тихо вошла. Администратор жестом пригласила ее пройти, но разговор по телефону не прервала. Грейс как раз думала, не присесть ли, когда вышла одетая в розовый балахон медсестра — Джоанна Сперлинг, — живой пример того, что требования дедушки никогда нельзя было нарушать.

Джоанна раскрыла объятия и прижала Грейс к себе.

— Сто лет тебя не видела. У тебя не хватает на нас времени? — Когда Грейс улыбнулась и покачала головой, Джоанна добавила: — Твоя мама только что уехала. Хочешь позвонить ей на мобильный?

— Я пришла к дедушке. Он с пациентом?

— С последним, уже почти закончил. Иди подожди его в кабинете. Там сейчас никого нет.

Грейс не заглянула в мамин кабинет, проходя мимо. Она и дедушкин не очень рассматривала, просто села на стул и стала ждать.

— Как там моя девочка? — спросил Майкл, входя в кабинет не так энергично, как обычно. Он казался подавленным. Стареет. — Ты только что разминулась с мамой, — сказал он.

— Я пришла к тебе.

Он присел на край стола.

— У тебя очень серьезный вид.

Грейс могла бы возразить. Но лгать больше не могла.

— Я должна тебе кое-что рассказать.

— Кое-что об аварии?

Девочка вздрогнула.

— Ты знаешь?

Она не простит, если мама ему рассказала.

Майкл спокойно улыбнулся.

— Все знают. Об этом писали в газете.

— Не обо всем, — сказала Грейс.

Когда он нахмурился, похоже, действительно не понимая, о чем речь, Грейс догадалась, что мама ничего не рассказывала. Ей придется сделать это самой. Но для этого она и пришла. Это было еще одним испытанием.

— В тот вечер за рулем была я, дедушка. Это была я. — Грейс увидела, как Майкл удивленно отпрянул. — Это была я, — повторила она, чтобы удостовериться, что он понял. Когда с его стороны не последовало никакой реакции, она объяснила: — Это я была за рулем машины, которая сбила мистера МакКенну.

— Твоя мать солгала? — спросил он.

— Полиция об этом не спросила, а она не сказала. Теперь же, возможно, подадут гражданский иск, и если это случится, правда выйдет наружу. Я просто хотела, чтобы ты знал. Я не хотела его сбивать. Я его не видела.

Щеки Майкла покраснели.

— Почему твоя мать мне об этом не рассказала?

— Она пыталась меня защитить.

— От меня?

— Ото всех. — Грейс почувствовала себя очень маленькой. — Ты сердишься на меня. Я это чувствую.

— Я сержусь на твою маму.

— Это сделала не мама, это сделала я! — заплакала Грейс, потому что устала от того, что ее постоянно оправдывали. — И это не самое страшное. Самое страшное то, что я была навеселе.

В этот раз Майкл открыл рот.

— Не сердись на маму, потому что до вчерашнего дня она сама об этом не догадывалась. Папа тоже еще не знает, но узнает сегодня вечером. Я просто хотела сама сказать тебе об этом. Ты пьешь, поэтому я подумала, что, возможно, ты меня поймешь. — Видя его изумление, девочка быстро добавила: — Я, наверное, неправильно выразилась.

Он опустился на стул рядом с ней, и Грейс сразу же ощутила облегчение. Стоя, дедушка был более грозным, а сидя — более досягаемым.

— Зачем ты пила? — тихо спросил Майкл.

Интересный вопрос. Ни мама, ни тетя Джил не спросили об этом.

— Нас была целая компания. Нам казалось, будет весело. Родителей моей подруги не было.

Он отклонился назад.

— По крайней мере, ты была не одна. Если ты была с друзьями — это обычное дело. Обычные подростковые эксперименты.

Глаза Грейс наполнились слезами.

— После этого не садятся за руль.

— Конечно, садятся. Иногда и убивают друг друга.

— И я убила мистера МакКенну, — заплакала девочка. — Какое ты можешь найти этому оправдание?

Он нахмурился.

— Я не собираюсь тебя оправдывать. Я… — Майкл помолчал, затем сказал: — Пытаюсь объяснить. — Он долго смотрел на нее и после мучительной минуты продолжил: — Я бы не хотел, чтобы ты пила, потому что я так делаю. Это нехорошо. Это может испортить тебе всю оставшуюся жизнь. И алкоголь только прячет настоящую проблему.

Грейс достаточно слышала дома, чтобы понять, о чем он говорит.

— Твоя проблема — бабушка Рут?

— Моя проблема в том, что бабушки Рут нет, — ответил Майкл. — А твоя?

— Давление, — сказала Грейс. И с любопытством спросила: — Когда ты пьешь, как это на тебя действует? Ты чувствуешь легкость?

— Я себя ненавижу.

— Нет, дедушка. Именно когда ты это делаешь, что ты чувствуешь?

— Одиночество.

— Но после нескольких бокалов становится легче? То есть это помогает тебе забыть?

Он посмотрел на тумбочку, где стояла фотография его жены, сделанная за несколько лет до смерти.

— Это затуманивает воспоминания, — сказал Майкл с таким грустным видом, что Грейс взяла его за руку.

— Извини. Мне не нужно было начинать этот разговор.

Он взял ее ладони в свои.

— Нет, нужно было. Возможно, нужно было спросить меня об этом раньше. Я все время забываю, что ты уже достаточно взрослая, чтобы замечать такие вещи.

— Тебе очень недостает бабушки Рут.

— Очень. Но пить — это не выход.

— Тогда зачем ты это делаешь? Чтобы затуманить воспоминания?

Он задумался.

— Не знаю. Я говорю себе, что боль уйдет, но она не уходит. Я говорю себе, что нужно всего лишь пережить еще одну ночь, но это не так. — Майкл посмотрел на Грейс глазами, полными стыда. — Возможно, я пью, потому что знаю, что ей бы это не понравилось.

— Разве это причина?

— Плохая причина. Я не должен был бы говорить об этом своей внучке.

— Мне шестнадцать.

— Мм. Такая взрослая.

— Достаточно взрослая, чтобы убить человека на машине.

Он высвободил свою руку и погрозил пальцем.

— Не используй аварию как оправдание всех остальных ошибок. Понимаешь, это одна из моих проблем, как недавно любезно объяснила мне твоя мама. Во всем, что идет в моей жизни не так, я обвиняю смерть бабушки. Но это чистой воды отрицание.

— Отрицание чего?

— Ответственности. Своей способности изменить что-то к лучшему. Я могу управлять некоторыми вещами, например, не пить, хорошо делать свою работу, завтракать вместе с внуками по выходным. Обвинять смерть Рут в том, что я этого не делаю — это полная… сама знаешь что. Существует действительно много вещей, которые я не могу контролировать. Например, твоя тетя и твоя мама. Черт, я не мог контролировать даже твою бабушку. Ей нравилась эта кондитерская, как и твоей тете. А что касается твоей мамы, то я не уверен, что ей нравится работать со мной. Возможно, ей нужно больше пространства.

— Ей нравится.

— Возможно, в этом и заключается проблема. Она чувствует себя обязанной.

— Обязанной?

— Быть тем, кем я хочу. Возможно, не замечать моих ошибок. Например, что я пью.

— Ты алкоголик?

Он подумал.

— Еще нет.

— Думаешь, станешь?

— Не хочу.

— А что нужно сделать, чтобы не стать алкоголиком?

— Во-первых, признать правду. Это может быть трудно.

— Не всегда, — сказала Грейс. — Когда правда об аварии выйдет наружу, не думаю, что меня посадят в тюрьму, но в моей биографии это останется навсегда. И это может сделать мою жизнь легче.

— В каком смысле?

— Если ты один раз ошибся, требования становятся ниже. Я ненавижу то, что всегда должна быть лучшей.

Ее мобильный задребезжал виброзвонком.

— Кто же этого требует? — спросил дед.

— Мама. Ты. И мой отец. Если кто-то и возненавидит меня за то, что я сделала, так это он.

Дребезжание повторилось.

— Думаешь, он никогда не пил?

— Я знаю, что пил, но теперь он ведет совершенно правильный образ жизни. Он и Ребекка вегетарианцы. Они сами выращивают то, что едят.

Сигнал повторился в третий раз.

— Это в прошлом. Грейс, ответь на звонок.

— Это не важно.

— Ответь, пожалуйста.

Грейс вытащила телефон из кармана, посмотрела на экран и открыла.

— Я с дедушкой, — сказала она маме.

Дебора, похоже, была напугана.

— Я приехала сюда, и никто не знает, куда ты делась.

— Мы разговариваем. Все в порядке, мама. Правда.

— Сколько ты еще там будешь?

— Недолго. Дедушка уговаривает меня встретиться с папой. Все в порядке. Правда.

Все действительно было в порядке. Дедушка не читал нотаций. Он не игнорировал ее чувства. Он разговаривал с ней, как со взрослой. Помогло еще и то, что у него были собственные проблемы. Он тоже был не идеален.

— Почему тебя нужно уговаривать встретиться с папой? — спросил дедушка, когда Грейс выключила телефон.

— Я должна и ему рассказать о том, что случилось в тот вечер. Но я не знаю, как он отреагирует. То есть он же вроде как все бросил? В один день взял и ушел, да? Если отец любит своих детей, он ведь так не поступает, правда?

— Я пью. Твой отец ушел. Можно сказать, что мы не очень отличаемся.

Грейс покачала головой.

— Люди не бросают все, что у них есть. Разве что если это все ничего для них не значит. Поэтому либо мама, Дилан и я ничего не значим для отца, либо он бросил что-то хорошее.

— Твой папа просто очень увлекающаяся натура, вот и все. Когда он что-то делает, его мысли заняты только этим. До знакомства с твоей мамой он увлекался идеей об альтернативном обществе*. Затем Грэг полностью отдался бизнесу. Теперь же он делает все возможное, чтобы все это бросить.

— Но несмотря ни на что с нами общается, — проворчала Грейс. — Папа хочет знать, как у меня дела в школе. Он хочет знать, учу ли я слова по карточкам и готовлюсь ли к вступительным экзаменам. Он хочет, чтобы я все время устанавливала новые рекорды по бегу. Но я не могу делать это все время. Что, если я получу плохую отметку в школе? Что, если я не сдам вступительные экзамены, а в полиции на меня заведут дело и я не смогу поступить в колледж?

— Ты все равно поступишь в хороший колледж.

— А ты будешь меня любить, даже если я не поступлю?

— Естественно, я буду тебя любить.

— Дедушка, нет никакого «естественно». Посмотри на тетю Джил. Ты все еще сердишься на нее за то, что она не пошла учиться в колледж.

Это его задело. Майкл немного подумал и сказал:

— Это не значит, что я ее не люблю.

---

* Общество, отрицающее традиционную мораль и культуру и, в противоположность современному буржуазному обществу, основанное на принципах общественной собственности и самостоятельности.

— Как ты можешь ее любить, если даже ни разу не попробовал то, что она печет?

Его щеки покраснели, он робко посмотрел на внучку.

— Твоя мама вчера оставила глазированную булочку. Я ее съел.

Грейс не сразу поняла услышанное.

— Ты позвонил Джил и сказал ей, что было вкусно? — Когда дедушка не ответил, она произнесла: — Видишь? Так будет и со мной. Когда мой папа узнает правду об аварии, он вообще не захочет со мной разговаривать. Тогда он меня по-настоящему возненавидит.

— Но сейчас он тебя не ненавидит.

— Кто бы говорил, — заплакала Грейс, но палец дедушки опять указал на нее.

— Грейс, ты совершаешь ошибку. Легче сделать вид, что он тебя ненавидит, чем признать, что у него были свои причины поступить так, как он поступил.

— Но он ушел, — сказала Грейс, стараясь доказать свою правоту. — Если он ушел, когда все было хорошо, что же он скажет теперь?

Дед улыбнулся. Она уже давно не видела этой нежной, предназначенной только для нее, Грейс, улыбки.

— Об этом, заяц, ты спросишь у него. Лучшее средство от отрицания — это разговор.

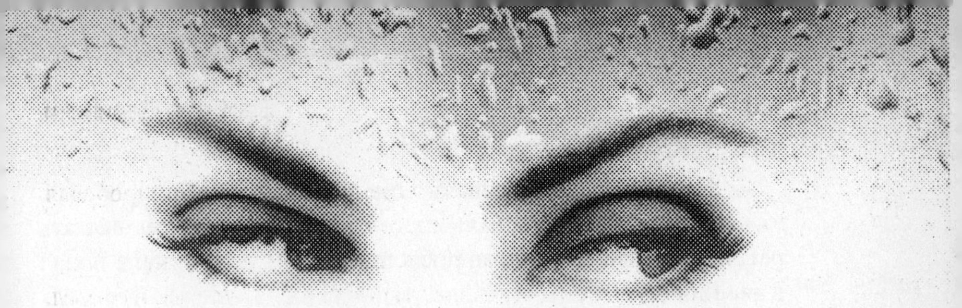

20

У Деборы было отличное объяснение, почему она смотрит на улицу. Она хотела быть рядом с Диланом, который сидел за одним из столиков у окна и высматривал своего папу. Грэг говорил, что приедет в пять. Он сказал, что хочет избежать обычного для пятничного вечера скопления машин и что он теперь не получает удовольствия от езды по оживленным дорогам, хотя на самом деле он никогда не обращал на это внимания. Дебора неожиданно для себя подумала, что, точнее, Грэг никогда не ездил по оживленным дорогам. Он выезжал очень рано, а возвращался очень поздно.

Но тут же напомнила себе, что это не имеет значения. Обида ни к чему не вела. Злость была уже бесполезна.

— Где же папа? — в нетерпении спрашивал Дилан. Он сидел верхом на ее колене, облокотившись о стол, и не отрывал глаз от улицы.

— Уже едет, — ответила Дебора, мгновенно оторвавшись от своих мыслей ради сына. Дилан всегда был ласковым ребенком, но эти дни ушли в прошлое. Последние год или два он не хотел, чтобы его видели рядом с мамой. Наслаждаясь моментом, она обвила рукой его талию.

— Думаешь, Ребекка приедет вместе с ним?

Дебора надеялась, что нет. Ей нужно было поговорить с Грэгом без посторонних, особенно без его новой жены.

— Тебе нравится Ребекка? — спросила она Дилана.

— Она классная. — Мальчик оглянулся и посмотрел на мать расширенными от беспокойства глазами. — А если папа попал в аварию?

— Он бы позвонил.

— А если он не может?

— Тогда позвонила бы полиция. Похоже, твой глаз уже не болит.

Дилан уже не так часто щурился и моргал.

— Да. А если у папы нет с собой нашего номера, только номер Ребекки?

— Тогда она бы позвонила. — Дебора сжала сына за талию. — Дорогой, с папой все в порядке.

Дилан опять повернулся к окну. Как раз в этот момент синий пикап «вольво» остановился у кондитерской. Если не считать слоя дорожной пыли, машина выглядела как новая. Мальчик, который все еще всматривался вдаль в ожидании «фольксвагена», не сразу увидел, как его отец вышел из машины. Наконец Дилан с удивленным возгласом соскочил с колен Деборы и выбежал на улицу. Спустя несколько секунд он уже повис на Грэге, словно обезьянка, как делал, когда ему было три года.

— Погоди, — услышала Дебора рядом голос Джил. — Ты делаешь всю работу, несешь ответственность, переживаешь, а твоего бывшего встречают словно мессию? Почему ты улыбаешься?

— Я люблю видеть Дилана счастливым. Он столько всего пережил.

— Это новая машина?

— Похоже.

— Может, это машина Ребекки?

— Нет. Она водит грузовик.

— Грэг изменился.

Дебора тоже так думала. На нем были джинсы и сандалии, которые он всегда носил, но выглядел он иначе.

— Это из-за волос, — решила она. — Он постригся.

В последний раз у него были волосы до плеч. Теперь они едва прикрывали шею.

— И причесался, — заметила Джил. — И перестал краситься. С чего это он вдруг стал седым?

— Грэг никогда не красил волосы. От проседи до седины недалеко. Просто ты его давно не видела.

— На кого он хочет произвести впечатление? — спросила Джил.

Дебора фыркнула.

— Не думаю, что его это интересует.

— Тогда зачем обрезать волосы? Зачем покупать большую машину? И почему это ты его защищаешь? Это мужчина, который тебя бросил.

— Это отец моих детей. — Дебора быстро взглянула на сестру. — Я попросила его приехать сюда, Джил. Возможно, то, что он привел волосы в порядок, — жест доброй воли, признание того, что его жизнь изменилась, а я об этом не знаю. Но Грэг нужен Дилану, он нужен Грейс, он нужен мне.

— А как же независимость?

— Я независима. Но именно сейчас мне нужна помощь отца моих детей.

— А как же твоя злость?

Дебора вздохнула.

— Ох, Джил. Она меня только вымотала.

С этими словами она последовала за Диланом на улицу.

Грэг что-то говорил мальчику. Теперь он смотрел на Дебору, а она не знала, что сказать. Последние несколько лет в ее словах была только обида. Злость придавала ей силы. Теперь это все, похоже, исчезло.

Грэг неуверенно улыбнулся.

— Привет.

Она улыбнулась в ответ.

— Как доехал?

— Неплохо.

Дилан восторженно заговорил:

— Мама, это новая машина. Папа купил ее, чтобы ездить в Вермонте. — Он посмотрел на отца. — Я сяду, хорошо?

Не дождавшись ответа, мальчик подбежал к автомобилю со стороны водителя, открыл дверцу и забрался внутрь. Его макушка едва доставала до верхнего края кресла, но он уверенно положил ладони на руль.

— Он хорошо выглядит, — заметил Грэг. — Как глаз?

— Как только поставили диагноз, Дилан перестал жаловаться, — сказала Дебора. — Он может справиться с тем, что ему знакомо. Как и все мы.

— Что-то известно насчет судебного иска?

— Пока нет. — Дебора еще не видела сегодня машину детективов.

— Где Грейс?

— Разговаривает с моим папой.

— О том, какой я плохой?

— Честно говоря, — сказала Дебора, — она еще не виделась с ним после аварии. Подозреваю, что они разговаривают об этом.

— Мама, — позвал Дилан, высунувшись из окна, — иди сюда! — Он ткнул пальцем в пассажирское сиденье.

Желая доставить ему удовольствие, Дебора села в машину.

— Тебе нравится этот запах? — восторженно спросил мальчик. — И посмотри, посмотри на это дерево. Правда, классно? — Он благоговейно провел ладонью по панели. — Здесь даже руль обтянут кожей. А коробка передач, как у гоночной машины.

Дебора не была уверена, что пикап имел что-то общее с гоночной машиной, но не хотела портить сыну настроение.

— Смотри сюда, — приказал Дилан и поднял свое сиденье. — И вот. — Он опять опустил сиденье, и еще раз поднял. И наклонился, рассматривая музыкальную систему. — Папа говорит, здесь на аудиосистеме есть сигнализация. Это круто. — Дилан закричал из окна: — Папа, можно покататься?

Грэг подошел к машине.

— Покатаемся позже. Сейчас я хочу пить. В кондитерской твоей тети есть что-нибудь холодное?

Дилан перечислил ассортимент, который он знал назубок: мальчик все вечера проводил в кондитерской. Его отец выбрал кофе со льдом и сказал:

— Спорим, ты сам не сможешь сделать.

— Спорим, смогу, — ответил Дилан и мгновенно выскочил из машины. Грэг занял его место за рулем и закрыл дверцу.

— Возможно, это займет много времени, — предупредила Дебора.

— Что и требовалось. — Грэг повернулся к Деборе. — Ты хорошо выглядишь.

— И ты тоже.

— Но это не я рыдал по телефону вчера вечером. Почему ты хотела, чтобы я приехал?

Он не тратил время попусту. Это был Грэг, с которым она прожила последние годы своего брака. Думающий только о деле. И предельно бестактный.

— Проблема из-за аварии, — сказала Дебора, убирая волосы назад. — Мне нужно, чтобы ты помог мне решить, как поступить.

— В чем проблема? — спросил Грэг.

Но Дебора хотела дождаться Грейс. Об этом должна была рассказать она. Дебора также хотела поговорить в более уединенном месте. Глядя на занятые столики на тротуаре, она сказала:

— Здесь не лучшее место для беседы.

Грэг завел машину и поднял стекла. Из кондиционера подул прохладный воздух.

— Вот. Теперь никто нас не услышит. — Он отвел глаза. — Ты просила меня приехать, и вот я здесь. Но это нелегко, Дебора. Я знал, что так будет. Чем больше я приближаюсь, тем больше меня затягивает жизнь, которая была у меня здесь. — Он прислонился затылком к подголовнику. — И не все в той жизни было плохо.

Она ощутила, как с новой силой разгорается ее злость.

— Ты сказал, что был несчастен. Ты сказал, что продался, что то, чем ты занимался, было аморально, и что если ты ничего не изменишь, то умрешь.

— Я верил, что это так.

— А теперь не веришь? — спросила Дебора, продолжая чувствовать нарастающую злость.

— Все это было правдой. — Грэг повернулся в ее сторону. — Я только хочу сказать, что тогда я понимал лишь это.

Дебора ждала, что он скажет дальше.

— Зачем ты на мне женился, Грэг?

Он даже не моргнул.

— Я любил то, во что ты верила.

— А меня ты любил?

— Да, потому что ты была тем, во что верила. Стабильность. Постоянство. Семья.

Опять убрав волосы назад, Дебора попыталась понять.

— Я была образом жизни?

Грэг подумал.

— Фактически. Я хотел быть тем, чем была ты. Мой бизнес только начинался. И ты идеально подходила для той жизни, которой он требовал.

— Ты использовал меня, — сказала Дебора, вопреки желанию чувствуя обиду.

— Не больше, чем ты, — ответил он. — Ты знала, что вернешься работать сюда, и хотела, чтобы часть твоей жизни изменилась. И мое прошлое в этом смысле было тебе на руку. Ты знала, что твой папа меня не запугает.

Деборе хотелось сказать, что он ошибается, но Грэг был прав. Она, возможно, и не осознавала всего этого, когда согласилась выйти за него замуж, но это было правдой. И это объясняло, что пошло не так.

— Ты был несчастлив с самого начала? — уже тише спросила она.

Он нахмурился.

— Не знаю. Наверное, проблемы начались через три-четыре года. Скорее всего, когда бизнес пошел в гору. — Грэг посмотрел на нее. — Но ты не виновата, Дебора. Это все я и моя работа. Мой непокорный дух требовал все больше и больше.

— Я никогда на тебя не давила.

— Не давила, — согласился он. — Это я давил. Я начал требовать от себя того, чего не мог сделать.

— Но ты сделал, — возразила она. — Ты достиг больше, чем мог себе представить.

Грэг покачал головой.

— Может, я и заработал больше денег, чем мы могли ожидать, но помнишь мою мечту, смесь идеализма и капитализма? — Он засмеялся. — Всегда можно было сделать больше, всегда нужно было ответить на еще один вызов. Меня это затянуло, как наихудшего из бизнесменов, которых я презирал. Я стал манипулировать людьми и требовать от них невозможного. Со мной стало невыносимо работать. Со мной стало невозможно жить. — Он улыбнулся. — Разве я не прав?

Дебора уклончиво ответила:

— С тобой невозможно было жить, потому что тебя никогда не было дома.

— Туше! — сказал он, и его улыбка померкла. — Что ж, я понимал, каким стал, и мне это не нравилось. Но это уже сделалось моей зависимостью. Единственный способ разорвать этот круг — уехать. — Грэг прикоснулся к ее руке. — Дело не в тебе, Дебора. Мне нужно было оставить здесь человека, которым я стал. Просто так получилось, что ты оказалась его женой.

Дебора собиралась сказать что-то о клятвах в верности, об ответственности, о любви, но тут в окно постучал Дилан. Грэг опустил стекло, взял напиток и сразу передал стакан ей.

— А теперь еще один для меня, — сказал он Дилану. — Можешь сделать? — Мальчик с готовностью кивнул и убежал.

Дебора не хотела кофе со льдом. Она и без этого была достаточно взбудоражена. Поставив стакан на подставку, она повернулась к Грэгу.

— Но ты оставил не только его, но и нас. Знаешь, как нам было больно?

— Уверен, ты мне сейчас расскажешь.

Она сделала глубокий вдох, чтобы высказать ему все, но тут ее злость испарилась.

— Честно говоря, — грустно произнесла Дебора, — не расскажу. Я не могу больше злиться. Это не помогает ни детям, ни мне.

Грэг посмотрел мимо нее.

— А вот и Грейс, — сказал он и сразу же вышел из машины. Грейс не обратила внимания на синий «вольво», пока не заметила

Грэга. Она резко остановилась. Девочка не ответила на объятия отца, но позволила проводить себя до машины.

Он открыл заднюю дверцу и усадил ее рядом с Деборой, а затем вернулся на место водителя. Развернувшись, чтобы видеть их обоих, Грэг сказал:

— Отлично. Что же происходит?

* * *

Грейс ужаснулась.

— Ты собираешься разговаривать здесь? В машине?

— Почему бы нет? — ответил Грэг.

— Может, поедем домой?

— Я был там не очень хорошим человеком. Эта машина лучше отражает мое настоящее «я».

— Я думала, твое «я» отражал «фольксваген».

— У «фольксвагена» это получалось тридцать лет назад. Теперь мне нужно кресло с подогревом. Вот тебе честный ответ. Скажи мне, что тебя беспокоит.

— Папа, папа! — позвал Дилан снаружи.

Грэг открыл окно и взял напиток.

— А теперь еще один для твоей сестры.

У Дилана опустились плечи.

— Еще один? Она не пьет кофе.

— Пьет, — громко заверила его Грейс.

Дилан уставился на нее, затем развернулся и неохотно поплелся обратно.

Что же ее беспокоило? Грейс не знала, с чего начать. Но ее отец был здесь, и дедушка советовал ей спросить, что она и сделала.

— Я хочу знать, почему ты ушел. Я хочу знать, что плохого было в нас и что хорошего в Ребекке. Я хочу знать, зачем ты давал обещания, если не собирался их выполнять.

— Грейс, — начала мама, но отец жестом остановил ее.

— Все в порядке. Она только что сказала мне больше, чем за последние полгода.

Это еще больше завело Грейс.

— А чего ты ожидал? Ты думал, что мы сразу же переедем из Лейланда на ферму? Ты думал, что мы смиримся с тем, что Ребекка заняла мамино место, словно мама уже ничего не значит?

— Грейс…

— Все нормально, Дебора. — И Грэг повернулся к дочери. — Я тогда не думал об этом. Просто знал, что должен уехать.

— Это было очень эгоистично.

— Если бы я тогда думал о вас, то не смог бы уехать.

Грейс закрыла уши руками.

— Не говори этого. Не говори этого! Отец должен думать о детях. Он должен быть рядом с ними. Он должен их любить.

— Я правда люблю вас, — сказал Грэг.

Опустив руки, Грейс ответила:

— Тогда я не понимаю, какой смысл ты вкладываешь в это слово.

Он посмотрел на Дебору.

— Это твои слова?

— Нет! — закричала девочка, прежде чем Дебора успела что-то сказать. — Это я, твоя дочь, которая думала, что ты всегда будешь рядом! Я думала так, потому что ты так говорил, и я тебе верила! — Осознав, что кричит, она понизила голос. — Только ты не выдержал. Поэтому у тебя нет права требовать что-то от меня. Если я обманываю, это нормально. Если я пью, это нормально. Если я украла обувь из магазина, это нормально.

— Ты бы ничего этого не сделала.

Ее глаза распахнулись.

— Сделала. Я все это делала. Это я была за рулем в тот вечер. Разве ты не догадался? — Грэг был ошеломлен. — Но нет, ты бы не догадался, потому что я — твой идеальный ребенок. Только вот что, папа, я — не идеал. Я ошибаюсь и совершаю плохие поступки. Иногда я ненавижу то, как должна поступать. Но все ожидают от меня именно этого, поэтому я поступаю именно так. А как же мои чувства? Или я должна дойти до предела, как ты, а потом все это бросить?

Мама смотрела на нее, и во взгляде ее было что-то похожее на уважение. И хотя Грэг не глядел на Грейс, она не собиралась забирать свои слова обратно.

Но как только у девочки появилось ощущение, что она хоть что-то сделала правильно, рядом с «вольво» припарковалась серая машина. Грейс достаточно часто смотрела телевизор, чтобы догадаться: люди, которые были в машине, наверняка полицейские.

— О боже, — тихо сказала девочка. — Мама?

— Это из прокуратуры, Грэг, — сказала Дебора. Ее голос был довольно спокойным, но Грейс поняла, что мама напугана.

Отец вышел из машины и заговорил с детективами. Грейс с ужасом посмотрела на маму, которая только шикнула на нее. Девочка еле дождалась, когда папа вернется в машину.

— Чего они хотели?! — закричала она.

— Поговорить с тобой. — Он хлопнул дверью.

— Я не могу с ними разговаривать!

Его голос был жестким.

— Они сказали, что это обычная процедура. Я ответил, что если они хотят поговорить с моей несовершеннолетней дочерью, им придется подождать, пока приедет наш адвокат. — Он повернулся к Деборе. — Хол ведь может с этим разобраться?

— Да, — ответила Дебора.

Серая машина отъехала. Подошел Дилан с напитком, которого Грейс не хотела. Отец взял стакан, передал его Деборе и жестом велел Дилану садиться в машину. И тогда они поехали домой.

* * *

Дебора подумала, что нужно отдать Грэгу должное. Ведь ему нелегко было сюда возвращаться. Но больше ее беспокоила Грейс. Как только машина остановилась, девочка выскочила и исчезла в доме.

Дилан схватил Грэга за руку и потянул за собой.

— Ты должен посмотреть на мое пианино, папа. И на мой проигрыватель.

Дебора пошла следом за ними по лестнице, затем в прихожую, но когда они повернули к комнате Дилана, отправилась искать Грейс.

Девочка сидела у окна, глядя на улицу.

— Думаешь, они приедут сюда? — спросила она.

— Детективы? Нет. Ты же слышала, что сказал папа.

— Они могут заставить меня говорить?

— Нет, — ответила Дебора как можно равнодушнее. — Они только собирают сведения в надежде что-то найти. Скорее всего они понимают, что состава преступления нет. Возможно, они даже не будут с тобой разговаривать и поедут домой. — Принимала ли она желаемое за действительное? Она надеялась, что нет. Потеснив Грейс, Дебора присела рядом. — Я рада, что ты поговорила с папой.

— А я рада, что эти люди появились после того, как я с ним поговорила. Это даст ему возможность остыть.

— Мне он не показался сердитым.

Грейс фыркнула.

— Это был шок. Злость придет позже. — Она замолчала и прислушалась. Дилан играл на пианино. — Он знает, *что* играет?

Дебора улыбнулась.

— «The Times They Are A-Changing»*. Он знает название песни и мелодию. А понимает ли он скрытый смысл? Сомневаюсь.

Грейс посмотрела в окно.

— Я бы хотела, чтобы так оно и было. Я имею в виду, чтобы времена менялись.

Еще не так давно Дебора сказала бы, что они уже изменились. Но теперь, стараясь не выдавать желаемое за действительное, она произнесла:

— А как бы ты хотела, чтобы они изменились?

Грейс не задумываясь ответила:

— Я хочу, чтобы вдова отозвала свой иск. Хочу, чтобы мои друзья снова были со мной. Хочу… — Она замолчала.

— Пожалуйста, — попросила Дебора, — скажи, о чем ты думаешь.

— Ты расстроишься.

— Больше, чем сейчас? Это невозможно.

Грейс все еще колебалась.

— Это связано с папой.

---

* Песня Боба Дилана «Времена меняются».

— Ты хочешь, чтобы он вернулся, — догадалась Дебора. — Ох, солнышко, этого не будет. Мы с ним развелись. Он женился на другой.

— Я не об этом, — Грейс опять посмотрела в окно. — Я хочу знать, что папа думает обо мне.

— Он любит тебя. Он сказал тебе это в машине.

— Но чувствует ли он это на самом деле? — спросила девочка так страстно, что у Деборы сжалось сердце.

Она погладила Грейс по голове.

— Ты думаешь, что нет? Солнышко, он тебя любит. Правда, любит. Он всегда тебя любил. И почему я должна из-за этого расстраиваться?

— Не из-за того, что он меня любит, — сказала Грейс, явно испытывая неловкость. — А из-за того, что я этого хочу.

Дебора застыла.

— Ты думала, что мне бы это не понравилось?

— Папа бросил тебя, чтобы жениться на другой женщине.

— Он должен был это сделать, и, как оказалось, для меня так тоже было лучше. Но это не имеет никакого отношения ни к тебе, ни к твоему брату. Я хочу, чтобы вы любили своего отца. И хочу, чтобы он любил вас. Грэг твой отец, Грейс. И это никогда не изменится.

— Я чувствую себя предательницей.

— Солнышко, мне очень жаль, если я дала тебе повод так думать. — Грэг был прав. У нее было столько обиды, столько злости, когда он ушел, что ей хотелось, чтобы дети чувствовали то же самое. Как грустно.

Обхватив лицо Грейс ладонями, Дебора сказала:

— Я хочу, чтобы ты любила своего отца.

— Но именно сейчас, — судорожно вздохнув, ответила дочь, — это не главное. Теперь, когда папа знает, что я сделала, будет ли он любить меня?

* * *

Вскоре после этого Дебора стояла в кухне и смотрела, как Грэг и Дилан играют в баскетбол. Дилан не часто попадал в корзину, не столько из-за плохого зрения, сколько из-за отсутствия опыта. В городке не было детской команды его возраста. И хотя Грэг научил его основам игры в Вермонте, мальчик заявлял, что не может тренироваться один. Но с папой он снова попытался. Грэг показывал, как обвести противника, чтобы бросить мяч в кольцо.

Дебора подумала, что баскетбол лучше бейсбола. Мяч был больше, и цель хорошо видна. В эту игру Дилан смог бы играть. Если бы захотел. Ей придется спросить его об этом и послушать, что он скажет. Она не собиралась дважды совершать одну и ту же ошибку.

Дебора заварила кофе — крепкий, как любил Грэг, — и отхлебнула из чашки. Поверх чашки женщина наблюдала, как Грэг подает мяч Дилану снова и снова, чтобы тот бросал в корзину. Он каждый раз ловил мяч и бросал его обратно мальчику. Он также ловил мяч, когда тот летел мимо кольца, или подталкивал кончиками пальцев, если мяч был почти в кольце. Грэг был хорошим. Терпеливым. Он поддерживал сына.

Дебора поняла, что три года назад он бы этого не делал. Печально, что отцу нужно уйти, чтобы стать хорошим отцом. Но если терпение и понимание появляются с расстоянием, то Дебора была этому только рада. Ей и Грейс нужно было и то, и другое.

Войдя в кухню, Грэг одобрительно принюхался.

— Мм, кофе. Дилан, займись чем-нибудь. Мне нужно поговорить с мамой наедине.

Хорошее настроение Дилана улетучилось.

— Ты обещал, что посмотришь со мной фильм.

— Позже.

— Ты собирался показать мне фотографию щенков.

Грэг сунул руку в карман и достал небольшой снимок.

— Ух ты, — выдохнул Дилан, отодвинув снимок так, чтобы хорошо было видно. — Они такие маленькие, такие пушистые! Мама, посмотри! — закричал он.

Дебора заглянула через его плечо.

— Очень, очень хорошенькие.

— Я хочу такого, мама.

— Они не мои, я не могу их раздавать.

— Папа, можно мне одного?

— Они еще слишком маленькие, чтобы забирать от мамы.

— Но когда они подрастут, можно? Я смогу ухаживать за собакой.

— Мне показалось, что в баскетбол ты тоже можешь играть, — сказала Дебора.

— Лучше, чем в бейсбол. Это легче. Я могу балансировать.

— Длинное слово, — заметил папа.

— Я знаю, что оно означает, — сказал Дилан. — Это значит, что я могу видеть большие предметы, пока не подойду достаточно близко, чтобы увидеть маленькие. Это как ходить в тумане. Ничего не видно, пока не подойдешь ближе. — Он перевел взгляд с мамы на папу. — Вы бы поняли, если бы у вас были такие же глаза, как у меня. — И мальчик вышел из кухни.

После этого справедливого упрека Дебора сделала Грэгу кофе, и некоторое время они молча сидели, обхватив ладонями чашки.

«Ходить в тумане». С Деборой такое уже было. «Ничего не видно, пока не подойдешь ближе».

— В тот вечер шел проливной дождь, — начала она. — Мне очень не хотелось тащить за собой Дилана, поэтому я оставила его здесь и поехала забирать Грейс…

21

Дебора поведала ему все, вплоть до кражи, которая и стала причиной откровенности. Она не позволяла Грэгу перебивать, пока не рассказала все до последнего слова.

— Я считала, что поступаю правильно, — заключила Дебора, признавая поражение. — Думала, что защищаю Грейс. Я не понимала, чего нам будет стоить эта ложь. Она задыхалась от чувства вины, а я ей не помогла. Наши отношения почти разрушились.

Повисло молчание, и Грэг долго смотрел на бывшую жену. Она не отвела глаз, не сдвинулась с места, не изменила позу, не предложила еще кофе.

Наконец он вздохнул и откинулся на спинку кресла.

— Ты все только усложнила, — спокойно подтвердил он. — Почему ты не рассказала мне раньше? Возможно, ситуация не стала бы такой запутанной.

— Я хотела справиться сама.

— Как всегда?

— Нет, Грэг, — возразила Дебора. — Не всегда. Когда мы были женаты, это было удобно. Но когда ты ушел, все изменилось. Мне было больно. Мне казалось, что я проиграла. Я должна была доказать тебе, себе, детям, всему Лейланду, что смогу справиться самостоятельно.

— Ты не включила в список отца. А ему не нужно было доказывать?

— Конечно. Он всегда ожидал слишком многого. Но ожидания могут быть опасными. Грейс ощущает то же давление, которое ощущала я. И ей это не нравится. Как я могла забыть это ощущение?

— Мы хотим, чтобы у детей все было хорошо, — сказал Грэг. — Ожидания родителей — мощный стимул.

Но Дебора и раньше об этом думала.

— Между ожиданиями и надеждой есть разница. Ты надеешься, что дети достигнут определенных целей, зная, что то, чего ты желаешь, может свершиться, а может и нет. Ожидания порождают требования. Твоим детям приходится им соответствовать, иначе…

— Иначе что? — спросил Грэг.

— Иначе они теряют твою любовь. Поэтому Грейс так расстроена. Ей необходимо знать, что мы все равно ее любим. Развод нанес ей сильный удар. Она чувствовала себя отвергнутой. — Грэг хотел что-то сказать, но Дебора подняла руку. — Я знаю. Она не дала тебе возможности все объяснить, но постарайся понять. Она защищается от возможной боли, окружая себя стеной. Она так же поступила и со своими друзьями.

Он вздохнул.

— Расскажи мне, что она там выпила. Две бутылки пива?

— Грейс так сказала.

— А до этого она пила с друзьями?

— На вечеринках. Но никогда не напивалась.

— Ты точно знаешь?

— Нет, — призналась Дебора. — Когда Грейс остается ночевать у подружек, я не вижу ее до утра. Домой она приходит уставшая, но это все.

— А ты ее спрашиваешь?

— Пила ли она? Нет. Это выглядело бы так, словно я ее подозреваю.

— Возможно, и следовало бы.

Дебора покачала головой.

— Я знаю, к чему ты клонишь, Грэг. Ты думаешь, нам нужно наказать дочь за то, что она пила. Но она уже достаточно настрадалась.

— Грейс хочет быть наказанной. Разве не поэтому она совершила эту кражу?

— Она хочет признания вины.

— Публичного?

Дебора задумалась.

— Не знаю. Это дилемма. И здесь мне нужна твоя помощь. Что нам делать?

* * *

Грейс сидела на полу, прислонившись спиной к кровати и обхватив колени руками, когда услышала тихий стук в дверь. Девочка ничего не сказала. Дверь открылась, и вошел отец.

Грейс не могла запретить ему войти и не хотела этого делать. Теперь была его очередь говорить.

Прижавшись лбом к коленям, девочка ждала, пока он пересечет ковер. И удивилась, когда отец сел на пол рядом с ней.

— Я все испортил, — сказал Грэг.

— Это моя реплика, — пробормотала она.

— Я все испортил еще раньше, чем ты. Мне следовало больше говорить с тобой о разводе, прежде чем это произошло. Мой уход не имеет никакого отношения к тебе и к Дилану.

— Только к маме, — горько сказала Грейс.

— Только ко мне, — поправил отец. — Да, я был эгоистом. Я был таким всю жизнь. Это не самое лучшее качество.

Она пожала плечами.

— Ты получал то, чего хотел.

— За счет других людей. А это нехорошо.

Грейс подняла голову и посмотрела на отца.

— Тогда зачем ты это делал?

— Я не понимал, что причиняю боль.

— А теперь понимаешь? — недоверчиво спросила она.

— Мой психотерапевт именно так и сказал.

Эти слова удивили Грейс.

— Ты ходишь к психотерапевту?

— Ребекка заставила. Она сказала, что я и второй брак разрушу, если не справлюсь с определенными проблемами. Мне необходимо понять, почему я не могу сосредоточиться на других. Почему я не могу делать то, чего хочет кто-то другой, если это было не мое решение? — Он схватил ее за руку. — Проблема в том, что даже когда ты знаешь, что не так, требуется время, чтобы все исправить. Я знал, что должен с тобой поговорить, но все равно этого не сделал. Я могу сказать, что считал, будто ты недостаточно взрослая. Но если ты можешь пойти куда-нибудь выпить с друзьями, ты уже достаточно взрослая.

Грейс выдернула руку.

— Эй, — улыбнулся Грэг. — Это была шутка.

Она зажала ладонь между коленей.

— Ты никогда не шутишь.

— Именно поэтому шутки у меня неудачные, — сказал он. С минуту помолчал, потом добавил: — Я не был уверен, что ты примешь то, что я скажу. — Грэг запнулся. — Ты бы приняла?

— Не знаю. Но ты же отец. Тебе следовало попытаться и продолжать попытки.

— Что ж, я пытаюсь. Я правда люблю тебя, Грейс.

— Но разве ты не ненавидишь меня за то, что я сделала?! — закричала она.

— Мне не нравится только то, что ты пила. Ну и, возможно, эта история с кражей.

— А как же соревнования, которые я проиграла? И контрольная по французскому, которую я провалила? И сочинение по английскому, которое мистер Джонс заставил меня переписывать?

— Какое еще сочинение? — строго спросил он, потом вдруг улыбнулся и приподнял бровь. — Так лучше?

— Это не смешно! — закричала Грейс, хотя следовало сказать ему что-то в благодарность за его попытку перевести все в шутку.

— Я не ненавижу тебя за все это, Грейс, — сказал Грэг. — Мне неприятно, потому что этого не должно было случиться. Но и мама, и я виноваты в этом не меньше твоего. А что касается аварии, мама говорит, ты прекрасно вела машину.

— Я выпила две бутылки пива.

— И поступила неправильно, сев за руль. Но речь не об этом. Сейчас мы должны решить, что делать.

— А какой у нас выбор? — нервно спросила Грейс.

— Это я и пытаюсь решить.

Скорее всего, так оно и было. Но Грейс все же хотела закончить разговор.

— Не похоже, чтобы ты сердился.

Он удивленно посмотрел на нее.

— Мне казалось, мы обсудили этот вопрос.

Она покачала головой и выжидающе посмотрела на отца. Вместо ответа Грэг притянул ее к себе. Грейс не была экспертом, но внутренний голос подсказывал ей, что эти объятия искренние, особенно когда она расплакалась, а он продолжал ее обнимать. Целый час.

Ну, может, не час. Может, только четверть часа, но прежний папа не выдержал бы и пяти минут.

* * *

Дебора тоже чувствовала себя лучше. Необходимо было поговорить о разделении обязательств. Когда Грэг предложил забрать обоих детей в Вермонт в субботу утром, она не возражала.

В восемь утра они уехали. В девять Дебора уже принимала пациента. В полдень она занималась бумажной работой. В час дня подъезжала к дому, чтобы навестить отца. Он был на заднем дворе, сгребал листья вокруг любимых гортензий Рут.

Майкл указал на несколько сухих пней, покрытых зеленой плесенью.

— Трудно поверить, что всегда все сводится к этому, — сказал он вместо приветствия. На нем были старые рабочие брюки и еще более старая фланелевая рубашка с закатанными рукавами. — У тебя сегодня утром было что-нибудь интересное?

Дебора улыбнулась.

— Два фарингита, один бронхит, два медосмотра и больше аллергий, чем ты можешь себе представить. А у тебя как дела?

— Как я выгляжу?

— Бодро, — решила она. У него были ясные глаза и здоровый цвет лица. Он словно помолодел на десять лет.

Отец вернулся к прерванному занятию.

— Как там Грейс?

— Уже не так расстроена, — сказала Дебора. — Спасибо, папа. Не знаю, что ты ей вчера сказал, но это помогло.

Он сгреб кучку сухих листьев к краю клумбы.

— Она переживала из-за встречи с Грэгом.

— Не только, — сказала Дебора, пытаясь понять, что известно отцу. Она не мучила Грейс расспросами. Вчера ее больше интересовал результат, нежели процесс. Сегодня процесс стал важен.

Майкл посмотрел на нее, продолжая работать.

— Нет, не только. На душе у Грейс накопилось довольно много всего. Я так понимаю, она все рассказала Грэгу?

— От начала до конца, — ответила Дебора. — А то, что не рассказала она, рассказала я. Как раз вовремя.

— Намного позже, чем следовало, — поправил ее Майкл тоном доктора Барра. Потом, похоже, спохватился и уже мягче сказал: — Девочке в ее возрасте нелегко. Она наполовину ребенок, наполовину женщина.

— Это мне нелегко. Я совершила ошибку.

— Дебора, — проворчал Майкл, — мы все совершаем ошибки. — Он помолчал. — Хочешь, я поговорю с Джоном?

На этот раз Дебора грустно улыбнулась и покачала головой.

— Вдова и так обвиняет полицию в необъективном отношении к нам. Мы лучше сами поговорим с Джоном. Я до сих пор не знаю, чем это все закончится, но, по крайней мере, Грейс уже лучше.

Майкл наклонился, чтобы собрать листья. Мешок для мусора лежал рядом. Дебора подняла и раскрыла его.

— Как бы там ни было, — сказал он, заталкивая листья в мешок, — я бы скорее всего поступил так же, как ты. Не знаю, избежала бы Грейс наказания за пиво, но здесь я не вправе судить. Она задала мне несколько хороших вопросов об алкоголе, кстати, ее вопросы были лучше твоих. Почему ты так долго об этом молчала? — спросил Майкл, но так резко и с таким достоинством, что ответа не требовалось. Когда он опять поднял грабли и направился к клумбе, Дебора ощутила странное умиротворение.

Закрыв глаза, она глубоко вдохнула.

— Ах. Запах моего детства.

— Твоя мама любила весну. Она любила эти гортензии.

— Адинальдо уберет листья.

Но отец не останавливался.

— Я делаю это для Рут, — сказал он. — И для себя.

— Не хочешь прерваться на обед?

— Не-а. Мне хорошо. Тебе разве не нужно ехать домой?

— Вообще-то Грэг забрал детей в Вермонт.

— И Грейс? Она поехала по доброй воле?

— Ага, — ответила Дебора с улыбкой. — Но я хочу есть. И собираюсь перекусить у Джил.

— Глазированная булочка на обед?

— Попробую жареную индейку с белым хлебом, салатом, томатом, майонезом и толстым ломтиком чеддера.

— Где?

— У Джил.

— С каких это пор у нее подают обеды?

— С тех пор как начали готовить обеды в соседнем кафе. — Дебора взглянула на часы. — Я также хочу салат из шинкованной капусты, поэтому еду туда прямо сейчас. Его очень быстро разбирают.

Майкл шмыгнул носом.

— Мамин рецепт был самым лучшим.

— Поэтому этот салат быстро заканчивается, — сказала Дебора и уехала.

Через несколько минут она стояла в очереди в кондитерской. Подойдя к прилавку, Дебора заказала сандвичи для Джил и для себя и заняла единственный свободный столик.

Сестра принесла сандвичи и придвинула стул поближе.

— Я умираю, — сказала она немного раздраженно. — Ты не могла позвонить мне и рассказать, как все прошло?

Дебора отломила половину сандвича.

— Пока мы не закончили разговор, не могла, а потом уже было слишком поздно. А сегодня утром я принимала пациентов.

— Грэг еще здесь?

— Нет. Он забрал детей на ферму.

— И Грейс тоже?

Так как рот был занят, Дебора кивнула.

Не прикоснувшись к собственному обеду, Джил спросила:

— Где он ночевал?

— В доме. На нашей кровати.

— С тобой? — осторожно спросила Джил.

— Ты так же, как и он, не умеешь задавать вопросы, — сказала Дебора, но не рассердилась. Ей нечего было скрывать, не из-за чего чувствовать себя виноватой. — Это, конечно, не твое дело, но он спал в своей постели, а я — в своей. Мы не спали вместе. Грэг женат на другой.

Но Джил все равно съедало любопытство.

— И как ты к этому относишься?

— Нормально.

— И тебе не хотелось прокрасться к нему на цыпочках посреди ночи?

— Конечно нет.

Дебора откусила еще кусок сандвича.

Джил взяла вилку, чтобы приступить к шинкованной капусте.

— Ты чувствовала себя неловко?

Дебора перестала жевать.

— Немного. Но только пока не сказала ему, что перебралась в спальню рядом с детьми. То есть я не знаю, что он там думал. Грэг знал, что, возможно, переночует у нас. Он привез сменную одежду…

Она замолчала, потому что Джил уже не слушала. Она смотрела в окно. Повернувшись, Дебора увидела Майкла. Он был в тех же штанах и клетчатой рубашке. Уверенно, словно делал это каждый день, он вошел, осмотрелся и направился к ним.

— Кстати о неловкости, — произнесла Джил.

Глядя на отца, Дебора потеряла дар речи.

— Здравствуйте, доктор Барр, — поздоровался подросток, обедавший со своим отцом.

Майкл положил руку мальчику на плечо, проходя мимо.

— Привет, Джейсон, — ответил он, но не остановился.

Вскоре отец стоял у их столика, переводя взгляд с одного сандвича на второй. Потом ткнул пальцем в сандвич Джил. — Этот с чем?

Она прокашлялась, только этим выдав бурю чувств, которая разыгралась в ее душе.

— Куриная грудка, салат, томат с горчицей на домашнем хлебе. Поджаренном.

— Я съем такой, — сказал Майкл. — С шинкованной капустой. — Он помолчал и неуверенно спросил: — Где заказывать?

На секунду Дебора испугалась, что Джил просто укажет ему на очередь у прилавка. Но сестра великолепно вышла из положения. Она подняла руку в направлении прилавка и громко выкрикнула:

— Пит! — Через несколько секунд появился старший официант. — Мой отец хочет заказать наше специальное предложение. Ты не мог бы принести? Пожалуйста, когда будет готово.

— Конечно, Джил. Давайте я принесу вам стул, мистер Барр.

— Он может взять мой, — сказала Дебора, протягивая тарелку. — Заверните это, пожалуйста, с собой.

— Не уходи, — быстро скомандовала Джил. Она казалась перепуганной.

И не она одна. Дебора почувствовала, как напряглась рука отца, когда она передавала ему стул. Но им нужно было побыть сейчас наедине.

К тому же она все равно не могла проглотить ни кусочка. В горле стоял ком.

* * *

И что же делать теперь? Впервые за много лет Дебора осталась без детей, без пациентов и без планов. Ощущая странное беспокойство, она села в машину и выехала из города. Домой ей не хотелось. Дом был пуст. Она могла бы поехать в любимый бутик Грейс в соседнем городке и купить ей что-то особенное на лето. Она могла бы поехать в музыкальный магазин, где Дилан присмотрел колонки для своего электронного пианино. Она могла бы отправиться в торговый центр и просто погулять.

Но ничего этого ей не хотелось.

Думая о Дилане, Дебора бесцельно поехала по окруженной лесом пригородной дороге, пересекла один городок, потом другой. Лес стал не таким густым, появились машины. Приближаясь к автомагистрали, она неожиданно для себя повернула на въезд и направилась в город.

Не доезжая до Бостона, она свернула с шоссе, пересекла мост и оказалась в Кембридже.

Дебора могла бы сделать вид, что намеревается купить что-нибудь в магазинах, куда часто заглядывала в студенческие годы, но тех магазинов уже давно не было. Она могла бы сделать вид, что собирается сделать массаж лица, но она не была постоянной клиенткой спа-салонов. Она бы могла сделать вид, что просто приехала прогуляться вдоль реки в прекрасный майский день. Только день не был прекрасным. Было сыро и облачно, собирался дождь, и ей следовало бы развернуться и ехать домой.

Проехав мимо Гарвардской площади, Дебора выехала на Братлстрит, свернула на узкую улочку с высокими деревьями и рядами припаркованных машин. Одна из них как раз отъехала, когда машина Деборы приблизилась.

Она припарковалась. Затем посидела, размышляя о том, что это не лучшая идея. Ей предстояло пережить судебный процесс, и у Тома могли быть гости. Или он куда-то ушел, и в этом случае она уедет домой ни с чем.

Решив, что вернуться домой будет разумнее всего, Дебора уже собиралась опять завести двигатель. Но воспоминание о том, как Том держал ее за руку в прошлый четверг, остановило ее. Его пожатие принесло ей покой.

Отец посоветовал бы ей уезжать домой. Хол сказал бы то же самое. Грейс была бы в ужасе. Но Джил хитро улыбнулась бы, подзадорила бы ее и, возможно, была бы права. Дебора всю свою жизнь следовала правилам, и где она оказалась? Сидела одна в машине на узкой улице Кембриджа, боясь открыть дверцу.

Повинуясь минутному порыву, Дебора вышла, пересекла тротуар, поднялась на три ступеньки и остановилась перед дверью с номером «42». Это был отдельный кирпичный дом. Высокий, но узкий, как и большинство зданий на этой улочке. Дверь была черная, с блестящим медным молоточком и колокольчиком.

Дебора позвонила. Ее пыл тут же угас, но отступать было уже поздно.

— Да? — услышала она над головой. Ей пришлось спуститься на одну ступеньку, чтобы увидеть его на крыше. Том с минуту смотрел на нее, затем исчез, и тут Дебора почувствовала приступ тошноты. Она представила, что он там наверху с женщиной, или с вдовой, или даже с окружным прокурором.

Ей следовало предупредить его. Но она же не знала, что приедет сюда.

Том открыл дверь. На нем были старые джинсы и футболка. Волосы взъерошены. Он был небрит и выглядел таким же испуганным, как и она.

Дебора вступила в игру. Подражая Джил, она растянула губы в фальшивой лучезарной улыбке.

— Я просто ехала мимо, когда увидела твою дверь, и решила поздороваться.

Уголок его рта дернулся.

Уже серьезно она спросила:

— Я не вовремя?

Том смотрел ей прямо в глаза.

— Вовсе нет. Зайдешь?

Кивнув, Дебора вошла в маленькую прихожую. Справа была гостиная, слева — коридор в дальнюю часть дома, а впереди — крутая лестница.

— Как по мне, все чисто, — заметила она. Он называл себя неряхой, а на стене в коридоре на аккуратных крюках висел горный велосипед.

Том изумленно хмыкнул.

— Ты еще не видела кухню.

— Но гостиная выглядит мило.

— Я не часто ею пользуюсь. Поэтому там убрано.

— Ты только что был на крыше?

— А вот крышей я пользуюсь. Очень часто.

— А что там?

Кивком поманив ее за собой, Том пошел к лестнице.

На втором этаже Дебора увидела три двери, за одной из которых была его спальня — виднелся ворох постельного белья и одежды. На третьем этаже был высокий потолок и всего одна огромная комната с колоннами. Стены были белыми, но казались еще ярче из-за окон в потолке. Дебора увидела письменный стол с компьютером, стол без компьютера и еще один в центре комнаты. Все три были завалены бумагами.

На крышу вела деревянная винтовая лестница. На этот раз Дебора пошла впереди и потянула дверь на себя. На крыше оказался небольшой садик со столиком, стульями, шезлонгами и грилем. В горшках, расположенных по периметру, росли кустарники, а деревья на улице были достаточно высокими, чтобы обеспечить тень. Единственная секция деревянного забора, посеревшего от старости, скорее всего должна была создавать впечатление уединения, но со всех остальных сторон открывался вид на деревья, окруженные невысокой кирпичной стеной.

Гриль был открыт. На подставке громоздились использованные кухонные принадлежности, подносы, стаканы и тарелки. И здесь стол был завален бумагами. Дебора повернулась, чтобы спросить, не оторвала ли его от работы, но так ничего и не сказала. Том смотрел на нее с таким желанием, что она, ошеломленная, замерла.

Возможно, она за этим и приехала. Дебора не позволяла себе думать о своих чувствах к Тому после их встречи в парке, но осознавала, что ее к нему тянет.

Должно быть, это было написано в ее глазах, потому что он сказал:

— Не очень разумно, да?

Она покачала головой.

— Я начинаю сомневаться. Мы можем создавать все, что угодно, а потом все это летит в тартарары, потому что случается то, что мы не планировали, что не хотели, что не можем контролировать.

— Как с моим братом?

— Как с моей дочерью, с моим отцом, с моим бывшим мужем.

— А с твоим сыном?

— С ним тоже. Но то, что происходит с Диланом, имеет отношение скорее к физиологическому состоянию, чем к свободе выбора.

Том взглянул на бумаги на столе, потом опять на Дебору.

— Ты думаешь, состояние моего брата имело физиологическую причину? Он родился с химическим дисбалансом?

Дебора не могла знать этого наверняка, но Тому необходимо было выяснить причину поведения Кельвина, и химический дисбаланс как раз мог быть такой причиной.

— Возможно.

Он задумался. Затем подошел к столу и вытащил из кипы бумаг маленький конверт. Вернувшись, Том передал его Деборе. Внутри лежали три детские фотографии, сделанные в разное время. На первых двух снимках были изображены два красивых мальчика, на третьем они были с родителями. Дебора подумала, что самой заметной деталью на всех фотографиях было то, что Кельвин отворачивался, отстранялся, отводил взгляд.

Она ткнула пальцем в один из снимков.

— Сколько ему здесь лет?

— Три, — ответил Том, думая о том же. — Я не помню, чтобы он вел себя по-другому. Кельвин словно родился без способности привязываться к людям. Я часто подозревал, что у него какая-то форма аутизма, но всегда находилось что-то, что не вписывалось в общую картину. Он был отличным студентом, прекрасным учителем. Но дома, в личной жизни, чего-то всегда не доставало. Селена клянется, что у него не было депрессии, но откуда ей было знать, если он все держал в себе?

— Записку еще не нашли?

— Нет. Кельвин вовремя оплатил счета, некоторые даже наперед. Может, это знак того, что он собирался умереть? — Том пожал плечами. — Я до сих пор получаю почту на его абонентские ящики. Вероятно, это продлится еще некоторое время. — Он посмотрел на Дебору. — Я разговаривал с окружным прокурором.

— Правда?

— Сказал ему, что не согласен с Селеной. Он не отступил, но я хотел, чтобы он услышал и противоположное мнение.

Дебора была благодарна. Благодарна за то, что Том поговорил с прокурором до этого визита. Это придавало его поступку больший вес. Здесь, сейчас они были друзьями.

У нее появилось дикое желание рассказать все о Грейс и об аварии, о Грейс и о Грэге, о том, что она посчитала нужным сделать. Ей необходимо было услышать мнение Тома, возможно, его совет.

Но это было не более разумным, чем прыгнуть к нему в постель. Еще многое должно было решиться, и кое в чем они оставались противниками.

Словно читая ее мысли, Том спросил:

— Ты голодна? Уже поздно, а я еще не обедал. Хочешь, пойдем на площадь?

* * *

Дебора не часто ела красное мясо, но гамбургер, который она заказала, показался ей самым вкусным.

— Это фантастика, — сказала она, подбирая капли кетчупа остатками булочки.

— Это лишь одно из достоинств нашего городка.

— Ты давно здесь живешь?

— Десять лет. — Том откинулся на спинку стула. — Селена говорит, что Кельвин переехал сюда, чтобы быть поближе ко мне. Было бы хорошо, если бы он сказал мне, что живет в Лейланде.

— Может, ему достаточно было знать, что ты недалеко.

— Возможно. Как бы там ни было, несколько лет я снимал здесь квартиру. Мне так тут понравилось, что я не задумываясь купил этот дом. Если ты училась в Кембридже, то понимаешь, что я имею в виду.

Дебора понимала.

— Хотя моих друзей здесь уже нет, — улыбнулась она. — Их место заняли твои.

С полдюжины людей поздоровались с Томом с тех пор, как они пришли на площадь.

Он пожал плечами.

— Каждое утро я пью здесь кофе. Несколько раз в неделю покупаю газеты. Ужинаю в местных ресторанах. Даже несмотря на то что студенты приезжают и уезжают, некоторые знакомые лица остаются. Понемногу знакомишься с людьми. А еще я езжу на велосипеде. В Кембридже есть группа велосипедистов. Мы встречаемся почти каждые выходные.

— Похоже, ты доволен жизнью.

Он грустно улыбнулся.

— Доволен тем, что есть.

— Что ты имеешь в виду?

— У меня нет семьи.

Дебора понимала, что Том говорит не о родителях или о брате. Она вспомнила, как спрашивала его, почему у него нет собственной семьи. В этот раз она не смогла задать этот вопрос. Но теперь они были друзьями.

— У тебя нет жены и детей из-за собственного опыта?

— Нет. Просто не сложилось. — Словно спохватившись, Том обеспокоенно сказал: — Скорее всего ты права. И еще по некоторым причинам. Нервозность. Страх, что я не справлюсь.

— Ты не такой, как твои родители.

— Разве я могу быть в этом уверен?

Когда Дебора не ответила, Том жестом пригласил ее подняться.

— Пойдем прогуляемся.

Они направились к реке. Небо потемнело. Вдалеке слышались тихие раскаты грома. Если бы Дебора была одна, она уже искала бы укрытие. Но с Томом было спокойно. Они медленно прогуливались, время от времени останавливаясь, чтобы понаблюдать за чайками на воде.

Наконец Дебора остановилась и посмотрела на него.

— Я не знала твоих родителей, Том. Не знала твоего брата. Но ты же находишь общий язык с людьми. Разве это не значит, что ты отличаешься от своих родных?

— Возможно. Но есть вероятность, что я такой же.

— Не такая уж большая, если семья — действительно то, чего ты хочешь. — Она почувствовала, как упала первая капля дождя. — Я не знаю, что бы делала без своих детей. Это не значит, что они просто занимают мое время. Они приносят мне удовлетворение. Конечно, не всем нужно удовлетворение такого рода. — Упала еще одна капля. — Может, тебе оно не нужно.

— Кто знает? Думаю ли я сейчас об этом только потому, что Кельвин умер?

— Ты думал об этом раньше?

— Не так, как сейчас. — Том вытянул ладонь. — Дождь.

Они отошли довольно далеко. Деборе стало неуютно.

— Нам лучше вернуться назад.

— Сейчас, когда разговор вошел в нужное русло? — спросил Том со снисходительной улыбкой.

Она решила, что он хочет ее разозлить. И неожиданно почувствовала раздражение.

— Ненавижу дождь. Почему он всегда все портит?

Том шагал рядом с ней.

— Что портит?

— Чистые машины… новые туфли… прическу.

— Это ласковый дождик.

— И все равно мы промокнем.

В его глазах появилось любопытство.

— Это плохо?

— Неприятные воспоминания.

— Тогда тебе нужны новые, — сказал Том и, взяв ее за руку, заставил остановиться.

— Мне кажется… нам следует… идти, — пролепетала Дебора.

С самодовольным видом он покачал головой.

Дождь усилился.

— Том, — запротестовала она и дернула его за руку. Она начинала промокать.

— Это всего лишь дождь.

— Но я не люблю дождь, — сказала Дебора, рассмеявшись, и высвободилась.

Том поймал ее, на этот раз обняв сзади.

— А вот и нет. Ты его любишь.

— Я промокла, — предупредила она. Ее волосы стали тяжелыми, а вязаный свитер покрылся пятнами.

— И как ощущения?

— Мокро.

Она попыталась разжать его объятия, но безрезультатно.

— Подумай, — убеждал Том все так же терпеливо. — Разве тебе холодно?

Теперь его лицо тоже было мокрым.

— Нет. Не холодно. Только мокро.

— Разве капли больно бьют тебя?

Дебора подумала, что это не больнее, чем принимать душ. Даже приятнее. Он был прав, это был ласковый дождик.

— О чем ты думаешь? — спросил Том.

«О маме», — хотелось сказать ей, а если не это, то — «О твоем брате». Любой вариант был безопаснее мысли о самом Томе и о его объятиях.

— О своих волосах, — грустно сказала Дебора. — Они и сухие непослушные. А когда намокнут, становятся просто неуправляемыми.

— Подними лицо, — мягко посоветовал Том.

Она послушалась, закрыв глаза, когда капли упали на веки.

— Теперь дыши, медленно и глубоко. Просто почувствуй это, Дебора.

Она опять сделала то, что он сказал. Она дышала медленно и глубоко, медленно и глубоко, уже промокнув насквозь, но не обращая на это внимания. Даже когда его объятия ослабли, Дебора продолжала стоять, подняв лицо к небу.

Наконец она опустила голову и только тогда заметила, что Том отступил. Дебора быстро оглянулась. Он стоял на расстоянии вытянутой руки, такой же промокший, как и она. Темные волосы прилипли ко лбу, а рубашка к телу. Несмотря на это Том выглядел привлекательно.

— Как ощущения? — спросил он.

Ей хотелось сказать: «Я мокрая», но это говорило бы ее самолюбие. Еще подходило слово «Я свободная». Тем не менее она выбрала третий вариант, потому что он был самым неожиданным:

— Я чистая.

Ответ, конечно, был глупым, но это не помешало Деборе повторять эти слова про себя по пути домой под тем же нежным дождиком. Она не понимала, почему думает об очищении, если теперь ей придется хранить еще один секрет. Грейс чуть не потеряла сознание, едва увидев Тома, а уж если она узнает о его дружбе с Деборой… Не говоря уже о том, что его невестка подала на нее в суд.

Неудачный момент? Кошмарный момент.

Но Дебора все равно чувствовала себя очищенной, и это было очень важно. Дождь ничего не портил. Люди делали это сами.

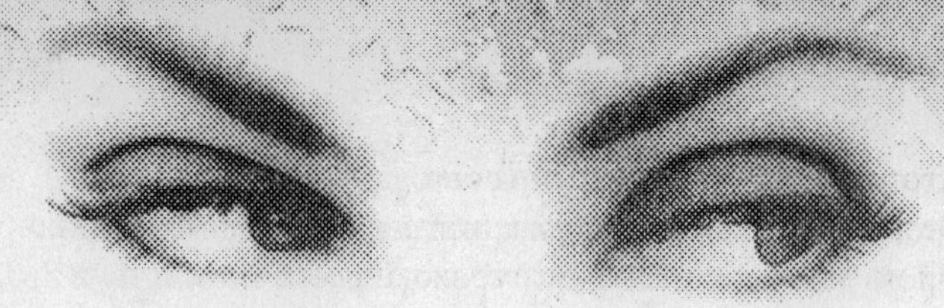

22

Грэг сам привез детей в Лейланд в воскресенье после обеда, за что Дебора была ему очень благодарна. Учитывая то, что им предстояло, присутствие Грэга облегчало задачу.

Сначала нужно было поговорить с Холом. Грэг договорился о встрече, и за это Дебора тоже была ему благодарна. Признаваться в обмане было сложно, особенно когда обманываешь друга.

Как только они расположились в гостиной, Грэг выложил правду об аварии. Если Хол и рассердился на Дебору, то виду не подал. Он почти не смотрел на нее, почти не смотрел на Грейс. Присутствие Грэга его сдерживало. Как и предполагала Дебора.

— Итак, — подытожил Грэг, — как нам действовать дальше? Ясно, что мы должны поговорить с Джоном. Какие последствия могут быть для Деборы и Грейс?

Хол казался обеспокоенным.

— Дебора сдала протокол с ложными показаниями. За это ее могут судить.

— Штраф? — спросил Грэг.

— Если у нее были нарушения, она может получить срок.

— Мама! — заплакала Грейс.

Дебора взяла дочь за руку.

— У меня не было нарушений, Грейс. Пожалуйста, Хол.

Хол смягчился.

— Скорее всего, условный срок. Возможно, штраф.

Это Дебора могла пережить.

— Кто это решает? — спросила она.

— Дела о даче ложных показаний находятся в юрисдикции местной полиции, но не в случае гражданского иска.

Дебора подумала о Томе, но Грэг спас ее, нетерпеливо спросив Хола:

— Я хочу знать, что будет теперь. Если мы пойдем к Джону, скажем, завтра утром, какие будут последствия для Грейс? Ее накажут за то, что она покинула место происшествия?

— Возможно. Опять же, в этом случае это судебно наказуемый проступок. Вероятнее всего, ей дадут условный срок.

— Что значит «условный срок»? — нервно спросила Грейс.

Голос Хола стал мягче. Дебора никогда не сомневалась, что он любит детей.

— Это значит, что ты будешь жить так же, как раньше, до тех пор, пока не нарушишь еще какой-нибудь закон. В этом случае возникнут проблемы.

— Грейс не сделала ничего плохого, — вмешалась Дебора. — Это все я. Я отправила ее домой. Она хотела остаться.

— Это примут к сведению, — ответил Хол. — Она нарушила какие-то правила?

— Нет.

— Я выпила пива, — напомнила Грейс.

— Это другое, — сказал Хол. — Не уверен, что нужно рассказывать об этом Джону.

Грейс уставилась на него.

— Но я пила!

— Нам, возможно, придется ему об этом рассказать, — спокойно сказала Дебора. — Грейс необходимо, чтобы он знал.

Хол не любил, чтобы ему возражали.

— Ладно, но поверьте мне, ему все равно. Я знаю Джона…

— Это не оправдывает необъективное отношение, — вмешалась Дебора. — Разве не по этому поводу был судебный иск?

Хол поморщился.

— Господи, Дебора. Ты хочешь, чтобы он впаял тебе максимальный срок только потому, что хорошо к тебе относится? — Он опять повернулся к Грэгу. — Что касается Грейс, если не было никаких нарушений закона или правил движения вроде превышения скорости, не последует никаких санкций. Она будет иметь право водить машину и получит права. Опасность только в гражданском иске. Если вы пойдете к Джону сейчас с чистосердечным признанием, он обязан будет сообщить окружному прокурору. Это усложнит ситуацию.

— Предадут ли дело огласке? — спросил Грэг.

— Это зависит от прокурора. В принципе, это зависит от реакции семьи жертвы. Грейс несовершеннолетняя, поэтому ее имя не будет упоминаться в документах, но имя Деборы там будет. — Он поднял руку. — Все это предположения. Но вы должны понять, что если вы все расскажете Джону, будут последствия.

Дебора как раз размышляла, что у них, возможно, нет выбора, когда позвонили в дверь. Озадаченная, она вышла из комнаты и подошла к двери.

Там стояла Карен, явно расстроенная.

— Мой муж здесь?

— Да. — Дебора втянула ее в прихожую. — Что случилось?

— Хол сказал, что будет у вас. Но в последнее время он никогда не делает то, что говорит. — Она дрожала. — Несколько минут назад у меня была нежданная гостья, Арденн Маркс. Она хотела вернуть некоторые вещи моего мужа. Пару запонок с монограммой. И авторучку с выгравированной надписью, которую я подарила ему в прошлом году. — Карен заговорила громче. — Арденн Маркс заявила, что он их ей подарил. А теперь она хотела их вернуть, потому что, как оказалось, Хол бросил ее из-за какой-то Амелии, еще одной сотрудницы его фирмы. А это значит, — теперь Карен уже по-настоящему кричала, — в его фирме все знали, что он мне изменяет!

— Карен, — перебил ее Хол, появившись в дверях гостиной, — ты сама на себя не похожа.

Карен повернулась к нему.

— Ты имеешь в виду, не похожа на оправдывающую тебя дурочку? — сердито замахала она руками. — Как я могу оправдывать тебя на этот раз, когда меня ткнули носом в твои измены? Как ты мог, Хол? — заплакала она. — Ты же всегда первым осуждал клиентов, которые изменяли своим женам. Это они тебя научили, или ты сам до этого дошел?

— У Арденн Маркс на меня зуб, — все так же спокойно ответил Хол. — Ее только что уволили.

— По ее словам, она сама уволилась, — возразила Карен. — И еще сказала — мы, кстати, можем это проверить, — что только что подписала контракт с «Экерт Симанс», а это более престижная фирма, чем твоя. Поэтому если ты собираешься утверждать, что ее уволили из-за несоответствия должности, тебе никто не поверит. Она также сказала, что Амелия Ормант проиграла дело и получила приличную премию «за старание». А что касается запонок и ручки, так они точно твои. Она еще могла бы взять ручку у тебя со стола, но запонки? — Карен тяжело дышала. — И как же Амелия Ормант, которая вдобавок ко всему еще и замужем?

— Она разводится с мужем, — поправил ее Хол.

— И значит, это нормально? Хол, у тебя тоже есть жена. У тебя также есть дочь, которая уже заметила, что ты приходишь домой после душа или «мокрый после дождя». Нашей дочери семнадцать. Она не ребенок. Дани ни на секунду не поверила в твой рэкетбол, хотя я и защищала тебя, когда она задавала вопросы.

Хол начал проявлять беспокойство.

— Сейчас не время и не место, Карен.

— А я думаю, как раз время и место, — ответила она. — Если я не скажу этого сейчас, то потом у меня не хватит духу, потому что мы оба знаем: я все еще люблю тебя. Этого достаточно, чтобы продолжать отрицать правду и не рисковать своим браком. А Дебора и Грэг знакомы с нами сто лет.

Хол перевел взгляд с Грэга на Дебору и, сдавшись, махнул рукой.

— Именно поэтому я здесь, — продолжала Карен. — Я догадалась, что ты попытаешься выставить меня ненормальной. Но Дебора и Грэг меня знают. Они знают, что я права. Три года назад — три года, Хол! — мне позвонили из твоего банка, просили подтвердить оплату нескольких счетов. Когда я спросила тебя о счете из гостиницы в центре города, ты сказал, что это счет за обед большой группы. Восемьсот пятьдесят долларов! И я тебе поверила. Но были и другие счета из гостиниц с датами, когда ты должен был быть в Род-Айленде или Нью-Гэмпшире. Арденн утверждает, что была с тобой только год и что вы порвали три месяца назад. Это значит, что раньше у тебя был кто-то еще.

— Думаю, нам лучше пойти домой, — сказал Хол, открывая дверь.

Карен последовала за ним, но только до порога.

— Это началось, когда я заболела? — спросила она, приложив руку к груди. — Ты потерял ко мне интерес после операции?

— Я ухожу, — сказал он. — Ты идешь или нет? — Хол обернулся к Грэгу и Деборе. — Вот вам бесплатный совет: если будет гражданский иск, рекомендую вам нанять кого-то, кто будет представлять ваши интересы. — Оставив жену у двери, он пошел по дорожке.

Карен смотрела ему вслед.

Дебора подождала, давая ей возможность последовать за мужем, но Карен не сделала ни единого шага, пока Хол садился в машину и уезжал. Только тогда Дебора положила руку на плечо подруги.

Неожиданно вся злость и смелость Карен испарились.

— Что я наделала? — тихо заплакала она, а потом разрыдалась.

Грэг и Грейс тактично удалились. Крепко обняв подругу, Дебора заставила ее сесть на ступеньки.

— Он уехал, — с несчастным видом сказала Карен и вытащила из кармана платок. — Я понимала, что он меня бросит. — Она высморкалась.

— Не знаю, — осторожно утешала ее Дебора. — Холу было неловко перед нами.

— Его поймали на горячем, — сказала Карен сквозь платок.

— И это тоже. Он залижет свои раны и подумает о том, как ему поступить. Но важнее то, чего хочешь ты.

Карен судорожно вздохнула.

— Не знаю. Я спрашивала себя об этом десятки раз. Я не могу так больше жить. Но разве Хол изменится? Не думаю, что он согласится обратиться к помощи психолога.

— Может, и согласится, если захочет сохранить брак.

— Это серьезное условие. Вероятнее всего он скажет, что не может больше со мной оставаться, после того как я унизила его при вас. Знаешь, я мечтала о том, чтобы унизить его на людях, потому что именно так он поступал со мной. Наверное, поэтому я и приехала сюда сегодня. Наверное, я сознательно разозлила его, чтобы он подал на развод, потому что у меня самой не хватит на это смелости. Я не хочу быть одна. Но я не могу быть замужем за человеком, который предпочитает быть с кем-то другим. — Карен обмякла в объятиях Деборы. — Я просто не знаю. Не знаю, чего хочу. Если бы у меня был волшебный кристалл, я бы посмотрела, что будет со мной через десять лет. После рака и измены Хола мне кажется, что у меня нет будущего.

Дебора грустно улыбнулась.

— Если бы не было рака и измены Хола, было бы что-нибудь еще. Нам всем хочется знать заранее, что с нами произойдет.

— Я просто хочу знать, когда все это закончится.

— И я хочу, но это невозможно. Как сказал Дилан, мы ходим, словно в тумане, продвигаясь на ощупь, пока наконец не наткнемся на то, что перед нами.

— То есть мы никак не можем повлиять на свое будущее?

— Я хочу сказать, что иногда мы просто не видим дальше своего носа. Люди, такие как ты и я, хотят планировать свою судьбу. Но это невозможно. Невозможно строить долгосрочные планы.

— Тогда что же мне делать, именно сейчас?

— Поезжай домой. Посмотри, там ли Хол. Поговори с Даниель. Она знает об Арденн?

— Она все слышала. Я не знала, пока Арденн не ушла. Дани слышала каждое слово.

* * *

Грейс тоже слышала каждое слово. Она была в гостиной, не пряталась, но не могла выйти, пока Карен не ушла. Девочка вспоминала, как Даниель присела рядом с ней в школе. «Мне очень нужно поговорить, Грейси. Пожалуйста».

Грейс отказалась. Она была настолько поглощена собственными проблемами, что не заметила, что подруге больно. И если Дани было больно тогда, то теперь должно быть еще хуже. Грейс знала, каково это — иметь отца, который сбегает. Ей было знакомо это противное ощущение, когда представляешь его с другой женщиной. Она знала, каково это, когда тебя предают.

Вытащив телефон из заднего кармана джинсов, где он провел последние две недели, Грейс набрала номер Даниель. Она не знала, что говорить, особенно когда Дани ответила после первого же сигнала и расплакалась. Но подруга была ей ближе, чем сестра, которая могла бы быть у Грейс. И даже если Грейс могла только сидеть и слушать, это было больше, чем она сделала для Дани за всю прошедшую неделю.

«Сейчас я никому не смогу быть полезной», — сказала она тогда Даниель. И дело не в том, что она стала лучше, чем была. Но она хотела стать лучше.

* * *

Всю ночь расхаживая взад-вперед по комнате, Грейс твердила себе, что нужно рассказать Джону Колби правду, но это ее пугало. Как только она это сделает, пути назад уже не будет. Это могло полностью изменить ее жизнь, как то мгновение на дороге под дождем.

Не в состоянии уснуть, девочка забралась в постель к маме. Дебора тоже не спала. Они долго лежали рядом, глядя в темноту. Грейс не знала, о чем думает мама, но ее собственные мысли были об одном.

— Ты уверена, что нельзя поговорить с Колби у нас дома? — наконец прошептала Грейс. В отделении полиции были камеры наблюдения. И этот факт заставлял ее нервничать.

Но мама покачала головой.

— Нам лучше поехать туда. Тогда никто не скажет, что мы влияем на ход дела. Не пытайся предугадать, что произойдет, дорогая. Воображение часто рисует картины страшнее реальности. Расскажи мне о Вермонте.

— Я не могу думать о Вермонте.

— Папа исправился, правда?

— Да.

— Тебе лучше?

— Немного.

— Хочешь об этом поговорить?

Грейс хотела, но ей было неловко.

— Ты правда хочешь узнать, что Ребекка прекрасно готовит?

Повисло молчание.

— А она действительно хорошо готовит?

— Да, — ответила Грейс, — но боится крови. Она порезала палец, когда крошила овощи, и чуть не потеряла сознание. Мне пришлось наложить ей повязку.

— Она это оценила?

— Вполне.

— Ребекка хорошо относится к Дилану?

— Думаю, да. Он все время провел со щенками.

— Так я могу и проиграть.

Но Грейс не хотела говорить ни о Дилане, ни о папе, ни о Ребекке.

— Как ты думаешь, что скажет Джон?

Мама спокойно ответила:

— Он справедливый. И переживает за нас.

— Это укрывательство.

— Это факт. Джон поступит так, как с его точки зрения будет лучше.

— Это не ответ.

— Что я могу сказать? Мне бы хотелось знать ответы на все вопросы, Грейси. Но я их не знаю. И совершаю ошибки.

— Я выпила и села за руль.

— Я солгала.

Грейс понимала, что мама переживает. Это слышалось в ее голосе. Но ведь это Грейс хотела, чтобы они признались. Возможно, она ошибается.

— Может, пойти к Джону — это ошибка, мама. Может, нам следует подождать.

Дебора вздохнула, похоже, с облегчением.

— Если мы станем ждать, все равно ничего не изменится. Чем дольше мы будем тянуть, тем сложнее будет. — Она погладила Грейс по голове. — Прости меня, солнышко. Я не понимала, как моя ложь отразится на тебе.

— Я больше не буду воровать в магазинах, — пообещала Грейс. — Это было глупо с моей стороны. Мне эти босоножки даже не нравились.

— Нравились. Просто не настолько, чтобы их воровать. — Дебора заправила длинный локон Грейс за ухо. — Я пытаюсь защитить тебя, но не все в моих силах. Это один из уроков, которые я извлекла из этой ситуации. Я могу сказать, что ты не сделала ничего плохого, сев за руль в тот вечер. Расследование покажет то же самое. Но то, что случилось, теперь часть тебя. Тебе придется с этим жить.

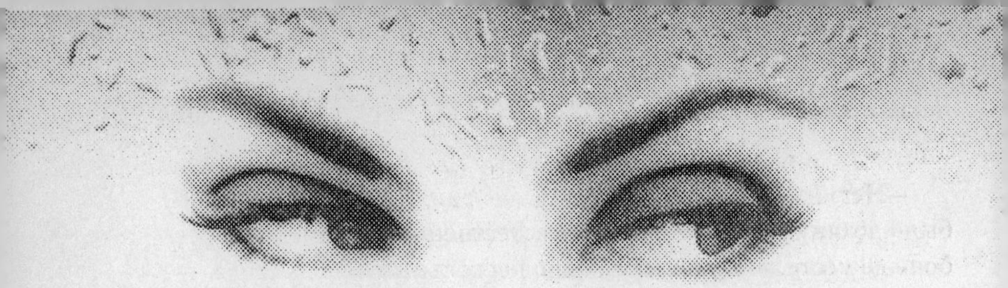

23

Когда в понедельник утром они вышли из дому, Дебору начали одолевать сомнения. Дорога в город оказалась слишком короткой, а лица в полицейском участке слишком знакомыми. Она чувствовала себя ужасно неловко. Когда Джон закрыл за собой дверь кабинета, стало немного легче. Но только до тех пор, пока начальник полиции не сел за стол и, нахмурившись, не уставился в бумаги.

Дебора прокашлялась.

— Мне нужно внести некоторые изменения в протокол, который я подала, — начала она.

Но Джону тоже было в чем признаться. Не поднимая глаз, он заговорил:

— На прошлой неделе произошел странный случай. Я отвозил Елену домой из школы, и она забыла попросить меня остановиться по пути возле магазина, чтобы купить салат или что-то еще для ужина. Мы договорились, что она вернется туда сама, поэтому я вышел. Она обошла машину, села на мое место и наклонилась, чтобы придвинуть сиденье. — Он поднял обеспокоенный взгляд на Дебору. — Увидев, как она это делает, я вспомнил, как в день аварии я попросил вас показать документы. Вы сели за руль, но вам пришлось передвинуть сиденье.

Да, Деборе пришлось это сделать. Ноги Грейс были не такими длинными, как у нее.

Грейс заговорила первой.

— Вы догадались? — спросила она полушепотом.

— Нет. Тогда я не придал этому значения. Твоей маме нужно было дотянуться до бардачка, и, естественно, ей понадобилось больше места. — Джон переложил несколько бумаг на столе. — Но потом что-то стало твориться с тобой, Грейс — в школе, на соревнованиях. Я понял, что это может быть чувство вины. Но я также знал, что это может быть не более чем реакция на аварию. Однако когда окружной прокурор заговорил об укрывательстве, мне пришлось более тщательно пересмотреть свою часть расследования.

Дебора затаила дыхание. Она поняла, что Грейс сделала то же самое, потому что вопрос задал Грэг:

— Что же вы обнаружили?

— Пробелы, — сказал Джон. — Вернее, только один. Но огромный. — Он повернулся к Деборе. — Я ни разу не спросил, были ли вы за рулем. Я предположил, что машину вели вы. Мы вас знали. Мы знали, что вы хороший водитель. Мы просто предположили… — его голос стих.

Дебора закончила его мысль:

— Вы предположили, что я бы обязательно сказала вам, если бы за рулем была Грейс.

— Нет. Вы не должны были рассказывать. Это я должен был спросить. А я этого не сделал. Да, я предположил, что за рулем были вы. Но поступил бы я так, если бы разговаривал с кем-то другим? С кем-то, кого не знал? Скорее всего, нет. Поэтому вдова, наверное, права. Возможно, я действительно позволил вам легко отделаться, потому что хорошо знал вас.

Грэг нетерпеливо спросил:

— Но разве не так должно быть, когда живешь в маленьком городке? Здесь всех знаешь. Всем доверяешь.

— Я предала это доверие, — прервала его Дебора, но повернулась, услышав дерзкий голос Грейс.

— Я пила в тот вечер, — сказала она, глядя на Джона.

Джон отшатнулся.

— Правда? Этого я не знал.

— Мама тоже не знала. Поэтому не сердитесь на нее. Авария произошла по моей вине. Я выпила две бутылки пива.

Ему понадобилась минута, чтобы переварить это.

— Я думал, вы делали уроки.

Грейс молчала. Дебора понимала, что дочь не хочет впутывать своих друзей.

— Ты была в состоянии алкогольного опьянения? — спросил Джон.

— Вы имеете в виду, была ли я пьяна? Нет. Но если бы я ничего не пила, то, возможно, заметила бы мистера МакКенну.

— Грейс! — взмолилась Дебора, потому что они уже столько раз об этом говорили. — Я тоже его не видела, а ведь я ничего не пила.

— Не оправдывай ее, Дебора, — предупредил Грэг.

— Я не оправдываю, — возразила она. — И никогда не оправдывала. Грейс несовершеннолетняя. Ей не следовало пить, и точка. Но не это стало причиной аварии.

Джон смотрел на Грейс.

— Когда мама приехала, чтобы забрать тебя, ты подумала о том, что не стоит садиться за руль?

— Нет. Я хорошо себя чувствовала. Но если я выпила, то, значит, мои ощущения могли не соответствовать действительности. Разве нет?

— Это ты мне скажи.

Она с несчастным видом произнесла:

— Да.

— И ты не смогла сказать маме о том, что пила, даже после того, как мистер МакКенна умер?

— Особенно после этого. Я и так доставила ей немало проблем. И известие о пиве еще больше все усложнило бы. Тогда бы она действительно рассердилась.

— Когда же ты ей наконец рассказала?

Грейс вся сжалась.

— В четверг. В переулке возле кондитерской, после того как попыталась украсть босоножки. Тогда мама впервые об этом узнала.

Джон задумался, потом повернулся к Деборе.

— В день аварии, когда Грейс садилась за руль, вы заметили в ее поведении что-нибудь необычное?

— Нет, ничего, — ответила Дебора. — Она полностью себя контролировала. Я еще удивилась, как спокойно Грейс ведет машину в такую грозу. Теперь я понимаю, что пиво придало ей фальшивой уверенности. Но я не могу сказать, что причиной стало то, как она вела машину. И полиция штата, кстати, такого же мнения, — напомнила она.

Джон выпрямился и сдвинул брови. Из офиса слышались приглушенные звуки — поскрипывание стула, неразборчивый голос, телефонный звонок. Теперь же все смолкло.

Дебора почувствовала себя неуверенно. Беспристрастность Джона Колби придавала ему огромную силу.

Наконец он поднял глаза и, прокашлявшись, обратился к Грейс:

— И что ты думаешь теперь, когда ты здесь?

Грейс, похоже, была не готова к такому вопросу. Она на минуту задумалась и ответила:

— Я боюсь.

— Чего?

— Того, что мистер МакКенна умер. Что мне придется жить с этим до конца жизни. И неважно, что говорят о том, как я вела машину. Я всегда буду об этом помнить.

— Но ты пила не одна.

— Но именно я сбила человека.

— Твои друзья тоже пили.

— Видите ли, это меня и пугает. Теперь вы понимаете, что они будут меня за это ненавидеть.

— Похоже, тебе уже и так очень плохо в школе.

Грейс кивнула.

— И что же может положить этому конец?

Ее глаза наполнились слезами.

— Я не знаю.

Джон замолчал. Минуту спустя он спросил:

— Тебе кажется, что ты заслуживаешь наказания? Поэтому ты украла босоножки?

Грейс опустила голову.

— Наверное. Понимаете, я совершила столько плохих поступков, и мне все сходило с рук. Может, и бывают ребята, которые могут сделать это и спать спокойно. Но я не могу. — Она подняла голову. — Я не могу спать, все время думаю об этом. Все время спрашиваю себя, кто об этом знает.

— То есть ты здесь сегодня, потому что не можешь жить с постоянным страхом быть пойманной?

— Нет. Дело не в этом. — Ей явно было нелегко. — Ну, может, отчасти. Дело в том, что мой поступок был плохим. Он не позволяет мне считать себя хорошим человеком. Он не позволяет мне думать, что когда-нибудь я смогу добиться чего-то в жизни.

Ощутив, несмотря на обстоятельства, прилив гордости, Дебора хотела взять дочь за руку, но сдержалась. Грейс необходимо было справиться с этим самой.

Джон сидел, глядя в стол, а их жизнь висела на волоске. Единственным звуком был приглушенный шум в офисе. Наконец начальник полиции перевел взгляд с Грэга на Дебору.

— Это один из тех случаев, когда мне хочется, чтобы у нас все еще были позорные столбы. — Он посмотрел на Грейс. — Знаешь, что это такое?

Побледнев, она кивнула.

— Как в «Алой букве».

— Мы бы привязали тебя на главной площади. Постояла бы денек и все. Очень просто. И эффективно. Сейчас все сложнее. — Он снова посмотрел на Грэга и на Дебору. — Слишком сложно, чтобы быстро все решить. Похоже, мне нужно поговорить с окружным прокурором.

Дебора подумала о том, что они не смогут ждать, что им действительно нужно быстрое решение, что вмешательство прокурора только продлит мучения, но тут раздался стук. Дверь приоткрылась ровно настолько, чтобы Джон смог увидеть стучавшего. Колби встал.

— Сейчас вернусь, — сказал он и закрыл за собой дверь.

Дебора взяла Грейс за руку. Рука была ледяной. Дебора потерла ее своими ладонями.

— Что нам делать? — спросила девочка.

Дебора посмотрела на Грэга, который только пожал плечами.

— Идти к прокурору не самая удачная идея, да? — спросила Грейс.

Грэг подошел и тронул ее за плечо.

— Может, и нет. Все может оказаться так же просто, как и то, что Джон говорил о гражданском иске. Если теперь любое решение зависит от прокурора, обвинение в укрывательстве могут аннулировать и отклонить.

Дебора понимала: проблема состояла в том, что при вмешательстве прокурора совместное решение будет более строгим, именно для того, чтобы избежать разговоров об укрывательстве. Грэг тоже это знал. Она прочитала это в его глазах, когда он на нее посмотрел.

В наступившей тишине до них доносились приглушенные голоса снаружи. На этот раз Дебора услышала тиканье огромных часов на стене. Секунды казались бесконечными. Она уже готова была закричать, когда дверь наконец открылась.

Джон закрыл ее за собой и на минуту остановился. В руках он держал какие-то бумаги и казался ошеломленным.

— Что ж, — сказал Колби наконец. — Это уже что-то. — Он потер шею и посмотрел на них. — Похоже, Кельвин оставил записку.

Дебора бросила быстрый взгляд на Грейс и повернулась к Джону.

— Предсмертную записку?

Кивнув, начальник полиции положил перед ней небрежно сложенный втрое лист бумаги с аккуратным текстом. Сам встал рядом, скрестив руки на животе. В одной руке он все еще сжимал конверт.

Дебора развернула записку и с бешено бьющимся сердцем прочитала ее. Предсмертная записка была лаконичной, ничего не объясняла и была такой же загадочной, как и человек, написавший ее.

«Когда ты это получишь, меня уже не будет. Прости меня. Я так больше не могу. На каждую хорошую минуту приходится пять плохих. Я устал».

Эти слова были написаны тем же аккуратным почерком, который Дебора видела в рефератах Грейс по истории.

Чувствуя поднимающуюся волну смешанных чувств — чрезвычайное облегчение, глубокую грусть, удивление из-за того, как вовремя эта записка появилась, — она передала бумагу Грейс, которая прочитала ее одновременно с заглядывающим через плечо Грэгом.

— Откуда это у вас? — спросила Дебора у Джона.

— Том МакКенна только что принес. Он получил ее сегодня утром, — переслали из абонентского ящика в Сиэтле. — Джон передал ей конверт.

— Адресовано Тому.

— Да. На штампе дата следующего дня после аварии. Кельвин, должно быть, бросил его в почтовый ящик непосредственно перед своей пробежкой под дождем.

— Но Том живет в Кембридже, — заметила Дебора. — Зачем Кельвину отправлять это в Сиэтл, а не прямо Тому?

— Я спросил об этом Тома. Он сказал, что так работала мысль Кельвина. Он знал, что Том получит это письмо, потому что именно он станет его наследником.

Грэг забрал у Грейс письмо, выпрямился и перечитал еще раз, а Грейс в это время, широко распахнув глаза, обратилась к Деборе:

— Что это значит?

Дебора предоставила Джону возможность все объяснить.

— Это значит, — сказал он осторожно, — что тебе не в чем себя винить. Кельвин МакКенна намеренно бросился под вашу машину.

— Зная, что это наша машина?! — испуганно воскликнула девочка.

— Не думаю. Ему просто нужна была машина, а ваша как раз проезжала мимо.

— Но люди часто попадают под машины и не умирают. Откуда он знал, что умрет?

— Кельвин МакКенна принимал коумадин, — сказала Дебора. — Он понимал, что умрет от потери крови.

— Это ужасно! — закричала Грейс.

— Самоубийство всегда ужасно.

Джон забрал письмо у Грэга.

— Давайте я отдам это обратно. Нужно еще снять копию. Том хочет забрать оригинал, чтобы показать вдове Кельвина.

— Том все еще здесь? — спросила Дебора.

Джон кивнул и вышел. Дебора последовала за ним.

Она заметила Тома у входных дверей. Одинокая фигура, прямая спина и темные, полные боли, глаза.

— Мне так жаль, — прошептала Дебора, подойдя достаточно близко, чтобы никто не смог услышать. Ей хотелось прикоснуться к нему, но она не осмелилась.

Его голос был тихим и напряженным, а губы практически не двигались.

— Что же, черт возьми, заставило его это сделать?

Дебора только теперь увидела, что Том кипит от злости.

— Отправить письмо в Сиэтл?

— Броситься под машину! Разве он не понимал, что человек, сидевший за рулем этой машины, пострадает? Вы могли врезаться в дерево и тоже погибнуть. И еще, почему же Кельвин все-таки отправил письмо в Сиэтл? Если бы он отправил его прямо ко мне, мы бы узнали об этом еще десять дней назад. Он был эгоистичным кретином.

— Он страдал.

— Тогда зачем посылать записку, которая вообще ничего не объясняет? Что мне теперь говорить его жене? — Том быстро и сердито вздохнул. — Знаешь, может, он нашел смысл своей жизни, если мог справляться с жалостью к себе достаточно долго для того, чтобы увидеть, что хорошего у него было.

И тогда Дебора прикоснулась к его руке. Она не смогла удержаться от этого жеста, как не смогла удержаться и не поехать к нему в субботу.

— Он умер, Том. Лучшее, что мы можем сделать, это надеяться, что там ему лучше, чем здесь.

Посмотрев на нее, Том смягчился.

— Ты не заслужила того, что он сделал.

— Но он же не хотел причинить зло лично мне. Просто моя машина оказалась на той дороге.

— И ты сможешь простить то, что Кельвин тебя использовал?

— Смогу. И ты тоже сможешь. — Когда в его взгляде отразилось недоверие, Дебора слегка встряхнула его руку. — Сможешь, Том. Но сначала тебе придется пережить свое горе.

— Вот, пожалуйста, — сказал Джон, появляясь у нее из-за спины и передавая Тому конверт с запиской.

Дебора убрала свою руку. Джон не подал виду, что заметил это, просто развернулся и направился обратно в свой кабинет.

— Мне пора, — прошептала Дебора. — Мы можем поговорить позже?

Том сунул руки в карманы.

— Ты уверена, что хочешь говорить со мной после этого?

Она строго посмотрела на него.

— Ты же мог просто сжечь эту записку.

— Нет, не мог бы. Я не смог бы так поступить с тобой.

Дебора оценила эти слова, чувствуя непреодолимое желание рассказать все, чего он не знал об аварии, но время и место были неподходящими.

— Когда ты будешь дома? — тихо спросила она.

— Думаю, в час или в два.

— Я позвоню.

Она еще немного посмотрела на него, прежде чем вернуться в кабинет Джона.

Опять заняв свое место, Дебора проигнорировала любопытные взгляды Грэга и Грейс. Их отношения с Томом касаются только ее. Так будет, пока она сама не решит, что они для нее значат. Еще один обман? Дебора понимала, что это не так. Просто в данный момент это касается только ее одной.

— Что будет теперь? — спросила она у Джона.

Тот почесал голову.

— Хороший вопрос. Предсмертная записка все меняет. Том покажет ее невестке и принесет обратно, чтобы можно было сличить почерк.

— Это писал мистер МакКенна, — дрожащим голосом произнесла Грейс.

— Том тоже так думает. Но нам нужно официальное заключение.

— Значит... — поторопил его Грэг.

Но Джон молчал. Он явно был сбит с толку этим неожиданным поворотом, случившимся как раз в тот момент, когда его собственное решение подвергалось сомнению. Деборе даже стало его немного жаль.

Наконец Джон покачал головой.

— Я не могу выдвигать обвинение. В нашей ситуации жертва сама стала причиной полученных травм, бросившись под машину.

Дебора тоже это говорила. «Кто здесь жертва?» — спрашивала она детективов. Но то, что эти слова прозвучали из уст Джона, помогло ей полностью их осознать.

— Значит, все позади? — спросила Грейс с несмелой надеждой в голосе.

— Мне нужно посоветоваться с окружным прокурором. Но думаю, что да.

— А как же насчет пива? — спросила девочка.

Вздрогнув, Джон потер шею.

— Проблема в том, что если ты расскажешь всем об этом, мне придется рассказать и обо всем остальном. — Он посмотрел на Дебору. — Я не знаю, как тут поступить. Хотим ли мы, чтобы ученикам пришлось опять столкнуться с новостью о самоубийстве? На этот раз о самоубийстве учителя, человека, с которого они должны брать пример? — Он посмотрел на Грэга. — Сейчас, когда все решилось, разве нам нужна огласка? К чему это приведет? — Он повернулся к Грейс. — Записка полностью оправдывает тебя. Людям необязательно знать, что мистер МакКенна выбежал из лесу и сам бросился под колеса. Но в отчете группы по восстановлению событий это все равно будет указано. Что, если мы скажем, будто мистер МакКенна сбился с пути из-за дождя? Это не будет обманом. Человек, который хочет лишить себя жизни, на самом деле просто сбился с пути. Как ты считаешь?

Грейс задумалась и наконец ответила:

— Да.

— А что касается пива, то у нас нет возможности доказать что-либо по прошествии такого количества времени. Но можешь написать заявление, которое останется здесь, в моем сейфе, и увидит свет только тогда, когда ты нарушишь еще какой-нибудь закон. Если в течение, скажем, трех лет никаких нарушений не будет, мы его уничтожим. Фактически получится, что у тебя три года условного срока. Судья, скорее всего, вынес бы такой же приговор. Тебя это устроит?

Грейс кивнула и тихо спросила:

— А как же кража в магазине?

— Тоже останется в моем сейфе. Ты же так и не вынесла эти босоножки за дверь.

Девочка смущенно вздохнула, но села ровнее. Дебора подозревала, что девять десятых битвы были выиграны благодаря тому, что они рассказали Джону правду. Почувствовав облегчение, она спросила:

— А как же то, что я дала фальшивые показания?

— То же самое. В сейфе. И тоже условный срок.

— А гражданский иск? — спросил Грэг. — Надо полагать, его отзовут?

Джон неуверенно улыбнулся.

— Это зависит от прокурора. Но предсмертная записка существенно меняет дело. Вам так не кажется?

24

Стоя в кабинете Джона, Дебора долго держала Грейс в своих объятиях. Слова были не нужны, между ними были только безмерное облегчение и любовь. Когда Джон вышел, Грейс обернулась и посмотрела на отца. Дебора почувствовала ее неуверенность. Мысленно подбадривая дочку, она обрадовалась, увидев, как девочка обняла и его. Грэг выдержал все ради Грейс. Он выдержал все ради них обеих.

Отец с дочерью уехали, чтобы побыть наедине и дать Деборе возможность поработать, но она не могла оторвать взгляд от часов. Ей нужно было позвонить.

Сгорая от нетерпения, она едва дождалась, пока стрелки покажут час дня, и набрала номер Тома. Услышав его голос, она улыбнулась:

— Привет. Как дела?

— Бывало и лучше, — тихо ответил он, но голос его был усталым. — Я только что вернулся от Селены. Ей сейчас тяжело. Записка не позволит ей больше притворяться.

— Притворяться?

— Делать вид, что Кельвин не был несчастным. Что с их браком все было в порядке. Когда я показал ей записку, она не сомневалась, что ее написал он. Похоже, она ожидала чего-то подобного. Селена как-то сгорбилась и погрустнела. Ее боевой дух угас. — Похоже, его боевой дух тоже угас, голос был спокоен. — Я вышел, чтобы налить ей выпить, а когда вернулся, она начала говорить.

Но это были не те бредовые разговоры, которые я слышал раньше. Селена казалась подавленной. Она хотела понять, что же случилось, и рассказывала о том, что было.

Том умел слушать. Дебора знала это по своему опыту.

— Она рассказала о том, как они познакомились, — продолжал он. — В принципе, Селена говорила о тех же событиях, что и в первый раз, только теперь она рассказывала об эмоциональном состоянии Кельвина. Он пугал ее, но она любила его, поэтому все равно вышла за него замуж. Потом она наблюдала это постоянно — молчание, задумчивость, ночные хождения по комнате взад-вперед в полной темноте. Помнишь, я говорил, что он все разделял?

— Да.

— Таким его видела только она. В школе он был другим человеком. И бывали времена, когда Кельвин был другим и с ней. Но потом опять становился угрюмым и молчаливым. Он никогда об этом не говорил. Селена спросила, что я знал, но что я мог ей ответить? Я не знал, что угнетало моего брата. У него были свои демоны, которых никто бы из нас не понял.

— В последнее время ему стало хуже? — спросила Дебора. Она тоже хотела понять.

Том ответил не сразу. Наконец он так же подавленно произнес:

— Похоже, что да, Кельвину стало хуже. Селена совсем не могла до него достучаться. Словно у него закончился запас доброжелательности, как она сказала. Словно он все использовал в школе и для дома уже ничего не оставалось. Когда она посоветовала ему побеседовать с психоаналитиком, Кельвин не разговаривал с ней три дня.

— Думаешь, он у кого-то консультировался и просто ей не говорил?

— Я не нашел никаких записей, свидетельствующих об этом. Если он и проходил лечение, то платил наличными и не оставил следов. Кельвин не принимал антидепрессанты. Да, ты, возможно, подумаешь, что он перестал их принимать, это могло бы объяснить этот срыв.

— Как и то, почему вскрытие не показало, что он их принимал.

— Но я просмотрел его медицинскую карту. Там ничего нет. — Том немного помолчал. — Я не могу винить Селену. Она устала. Она была, и сейчас, убита горем.

С этим Дебора была согласна. Она все еще обижалась за то, что Селена ходила к окружному прокурору. Но как бы там ни было, Дебора, возможно, поступила бы так же, оказавшись на ее месте.

— Хорошо, что ты ее выслушал, — сказала она Тому.

— О, это было не бескорыстно. Мне необходимо было послушать, что она скажет.

— Помогло?

Он помолчал. Затем ответил:

— Думаю, в некоторой степени помогло. Я все еще виню себя за то, что не интересовался, через что Кельвину пришлось пройти. Я мог бы отвезти его к психиатру. При правильном лечении мой брат мог бы жить. Но это немного проясняет ситуацию. Селена не была плохой. Она знала, что у Кельвина проблемы. Она думала, что сможет помочь.

— Многие женщины так думают, — сказала Дебора. Она не спросила о судебном иске. Сейчас это было неуместно. Она хотела больше узнать о Томе. — Ты был сердитым в полицейском отделении.

— Я и сейчас сержусь. Теперь мне понятно, почему Кельвин достиг критической точки. Но он не имел права использовать невинных людей как средство самоубийства. Думаю, Джон понял это, как только я показал ему записку. Это твой бывший муж был с тобой в его кабинете?

— Да. Он приехал, чтобы помочь Грейс. Она тяжело все это переживает. Мы уже прошли этап обид, связанных с разводом.

— Это хорошо.

— Очень. — Ей хотелось рассказать больше — о разводе, о Грейс, об аварии, — но момент опять был не самым удачным. Пока не отзовут судебный иск, пока она не решит, что происходит между ней и Томом, пока Грейс не смирится с тем, что была за рулем в тот вечер, Дебора ничего не сможет сказать. Было слишком много «если». Пусть все идет своим чередом.

Но это не значит, что она не может поторопить события.

— Том...

— Дебора...

— Что?

— Пообедаем на этой неделе?

Она улыбнулась.

— С удовольствием.

* * *

Она едва закончила заполнять бумаги, накопившиеся за день, как появился Грэг. Дебора посмотрела мимо него, ожидая увидеть Грейс.

— Я завез ее в кондитерскую, — объяснил он. — Съел с Диланом по булочке, и вот я здесь. Буду собираться обратно. Решил попрощаться.

Дебора обрадовалась, что он зашел. Она действительно хотела, чтобы их отношения стали лучше. И покоем, который она испытывала сейчас, Дебора частично была обязана тому, что оставленные разводом открытые раны начали наконец затягиваться.

— Как там Грейс?

— По-разному. Но в общем хорошо. Она все спрашивает, почему я ушел и что жизнь в Вермонте дает мне такого, чего нет здесь. А еще задает много вопросов о моих отношениях с Ребеккой. Я пытаюсь объяснить, что нельзя сравнивать тебя и Ребекку. Ребекка никогда не сможет сделать того, что делаешь ты. Она никогда не сможет стать такой матерью, как ты.

«Но ты все равно бросил меня», — подумала Дебора скорее машинально. Сейчас она лучше понимала, почему он ушел. Обида прошла.

Взяв бумаги и свою сумку, Дебора подошла к двери, где стоял Грэг, и выключила свет.

Шагая рядом с ним к машине, она сказала:

— Спасибо, Грэг. Твое присутствие действительно помогло.

— Мне тоже. Мысль о приезде сюда была словно меч, висящий у меня над головой. Теперь я знаю, что могу это сделать. И что для наших детей будет хорошо, если наши пути будут хоть немного пересекаться.

Дебора кивнула. Подойдя к «вольво», они обнялись. Это был простой удобный жест, который на самом деле был шагом вперед.

* * *

В тот вечер Дебора готовила ужин на гриле. Ей с детьми нужно было отпраздновать, а стряпня Ливии для такого вечера не годилась. Работая вместе — Дилан орудовал небольшой лопаткой, — они приготовили курицу гриль, чесночный хлеб, огромную миску салата из свежих овощей, а на десерт — праздничный десерт — сморсы*. Дебора с детства готовила сморсы на открытом огне. Газовый гриль — это немного не то, но получилось похоже. Зефир хорошо расплавился, в свою очередь растопив кусочки шоколада, как раз достаточно для того, чтобы зажатые между двух крекеров вкусы смешались. Кусочки горячего зефира вылезали по краям и падали на плитку, которой был вымощен двор. Но они не обращали на это внимания.

Когда сморсы были съедены, начался дождь, как раз чтобы все это смыть.

— Иди в дом, — сказала Грейс маме, быстро убирая тарелки. — Я все принесу.

Неделю назад Дебора послушалась бы. Сегодня она не торопилась.

— Со мной все в порядке, — ответила она, убирая кувшин с лимонадом и стаканы.

— Ты же ненавидишь дождь, — напомнила ей дочь.

Дебора оторвалась от своего занятия и выпрямилась. Поставив кувшин и стаканы обратно на стол, она взяла Грейс за руку.

— Идем.

Грейс удивленно посмотрела на нее.

— Куда?

Дебора не ответила. Она потянула Грейс за собой в глубину двора. Повернувшись лицом к дому, она обняла девочку сзади за плечи.

— Мама, — запротестовала Грейс, положив ладони на руки Деборы.

— Ш-ш, — тихо произнесла Дебора. — Послушай. — Капли дождя падали на листья деревьев с мягким, приглушенным зву-

---

* Популярный в США десерт. Расплавленный на открытом огне зефир с крекерами и шоколадом.

ком, которого городской житель не услышал бы. — Очень тихо, — прошептала она.

— Что мы делаем, мама?

— Создаем новые воспоминания.

— О чем?

— О тебе. Обо мне. О жизни. — Она медленно опустила руки. Обошла Грейс, ладонями закрыла ей глаза и подняла ее лицо к небу. — Что ты чувствуешь?

— Я чувствую, что у моей мамы съехала крыша, — ответила Грейс, но ее пальцы, лежащие на ладонях Деборы, сжались.

— Я серьезно. Ты чувствуешь дождь на своем лице?

Последовала короткая пауза. Затем голосом, которым разговаривают с душевнобольными, Грейс ответила:

— Да.

— А что еще ты чувствуешь?

— Мокро.

— Хорошо. Просто дыши, медленно и глубоко. — Дебора подождала минутку. — Дышишь медленно и глубоко?

— Дышу.

— А теперь что ты чувствуешь?

На этот раз молчание было дольше. Затем последовал неуверенный ответ:

— Свободу.

— Что-нибудь еще? — спросила Дебора.

— Ага.

— Что?

— Если я скажу, ты подумаешь, что крыша съехала у меня.

— Нет, не подумаю. Скажи.

Прошла минута, прежде чем Грейс смущенно сказала:

— Я чувствую себя чистой. — И тут Дебора обняла ее крепче. Они столько всего пережили за эти две недели, но еще больше ждало их впереди. Окружной прокурор должен вынести решение по поводу гражданского иска. Грейс предстоит заново наладить свою жизнь в школе. Дилану нужно бороться за свое зрение. Дебора должна разобраться в своих отношениях с Томом. Смерть Кельвина МакКенны навсегда останется частью их жизни. Но они уже справились со столькими трудностями.

Дебора еще раз обняла Грейс.

— Безусловно чистая. Начинаем с чистого листа.

Грейс обняла ее в ответ.

— Я — не ты, — предупредила она.

— Это я поняла. Но сердце у тебя там, где нужно.

Слова сливались с мелодией дождя. Но тут из окна Дилана послышалась другая музыка. Мальчик играл на своем пианино. Дебора прислушалась и начала раскачиваться в такт.

Грейс присоединилась к ней, напевая. Вскоре, смеясь, они громко пели:

— Я был бы грустным и несчастным... если бы не ты*.

---

* «I'd be sad and blue... if not for you». Слова из песни Боба Дилана «If not for you».

Літературно-художнє видання

ДЕЛІНСЬКІ Барбара
Наша таємниця
(російською мовою)

Головний редактор *С. С. Скляр*
Відповідальний за випуск *К. В. Шаповалова*
Редактор *О. В. Пунько*
Художній редактор *Т. М. Коровіна*
Технічний редактор *А. Г. Верьовкін*
Коректор *О. Г. Літинська*

Підписано до друку 17.04.2009.
Формат 84x108/32. Друк офсетний.
Гарнітура «Minion». Ум. друк. арк. 16,8.
Наклад 2000 пр. Зам. №2446 .

Книжковий Клуб «Клуб Сімейного Дозвілля»
Св. № ДК65 від 26.05.2000
61140, Харків-140, просп. Гагаріна, 20а
E-mail: cop@bookclub.ua

Віддруковано з готових діапозитивів
у ТОВ «Фактор-Друк»
м. Харків, вул. Саратовська, 51

Литературно-художественное издание

ДЕЛИНСКИ Барбара
Наша тайна

Главный редактор *С. С. Скляр*
Ответственный за выпуск *Е. В. Шаповалова*
Редактор *Е. В. Пунько*
Художественный редактор *Т. Н. Коровина*
Технический редактор *А. Г. Веревкин*
Корректор *Е. Г. Литинская*

Подписано в печать 17.04.2009.
Формат 84x108/32. Печать офсетная.
Гарнитура «Minion». Усл. печ. л. 16,8.
Тираж 2000 экз. Зак. № 2446.

ООО «Книжный клуб
"Клуб семейного досуга"»
308025, г. Белгород, ул. Сумская, 168

Отпечатано с готовых диапозитивов
в ООО «Фактор-Друк»
г. Харьков, ул. Саратовская, 51

Делински Б.

Д29 Наша тайна [Текст] / пер. с англ. О. Бершадской ; предисл. В. Головановой. — Харьков : Книжный Клуб «Клуб Семейного Досуга» ; Белгород : ООО «Книжный клуб "Клуб семейного досуга"», 2009. — 320 с.

ISBN 978-966-14-0333-7 (Украина).
ISBN 978-5-9910-0751-1 (Россия).
ISBN 978-0-385-51868-0 (англ.).

Новый роман мастера психологической интриги! На что способна мать ради собственной дочери? После автомобильной аварии Дебора вынуждена пересмотреть свои отношения с семьей и принять непростое решение.

Новий роман майстра психологічної інтриги! На що здатна мати заради власної доньки? Після автомобільної аварії Дебора змушена переглянути свої взаємини з родиною і ухвалити непросте рішення.

ББК 84.7США